W9-DJM-960

La crisis de América Latina y la deuda externa

Alianza América
Monografías

Luis de Sebastián

La crisis de América Latina y la deuda externa

Alianza
Editorial

Calle Milán, 38, 28043 Madrid; teléf. 200 00 45
ISBN: 84-206-4216-9
Depósito legal: M. 16.466-1988
Compuesto en Fernández Ciudad, S. L.
Impreso en Lavel. Los Llanos, nave 6. Humanes (Madrid)
Printed in Spain

Indice

Presentación

A muchos ciudadanos españoles la deuda externa de América Latina les debe sonar como una de esas desgracias que periódicamente afligen a la región. Pero, a diferencia de un volcán, un terremoto o un golpe militar, esa deuda externa es algo que de alguna manera también nos afecta a todos nosotros, porque representa un grave problema para el sistema financiero internacional, en el que España está cada vez más integrada. En efecto, las perturbaciones del sistema financiero internacional no pueden menos de repercutir en la financiación de empresas españolas, como ha sucedido ya con las del sector eléctrico [1], y en la expansión comercial y la inversión directa de España en el mundo. Aparte de que una crisis de grandes proporciones, provocada por el impago de la deuda, generaría seguramente una recesión mundial, un nuevo episodio de «estanflación», con una secuela para España de inflación importada y mayor desempleo.

Pero no solamente debemos considerar el problema de la deuda externa en América Latina desde la limitada, aunque no despreciable, pers-

[1] La problemática del sector eléctrico español, un sector con una deuda externa de cerca de 600.000 millones de pesetas, está vinculada a la problemática de la deuda externa de aquellos países. FECSA tuvo problemas con los bancos acreedores, los mismos grandes bancos que operan en América Latina, cuando el presidente de la compañía, señor Magaña, propuso unilateralmente una quita o redución de los intereses que la compañía debía a sus acreedores. ¿Cómo iban éstos a aceptar semejante reducción en unos momentos en que Brasil había anunciado una moratoria en el pago de sus intereses, que les suponían millones de dólares de pérdidas? Es muy probable que la actitud de los bancos internacionales hacia FECSA estuviera condicionada por los acontecimientos en Brasil.

pectiva de los intereses económicos de España. La solidaridad con los países de América Latina también nos debe llevar a adoptar una actitud definida con respecto al problema de la deuda externa. Para nuestras antiguas colonias, hoy países soberanos con los que nos unen lazos de solidaridad cultural, política y religiosa, no hay problema económico y social más grave. Siendo ellos los pueblos con los que queremos celebrar el V Centenario del Descubrimiento de América en verdad y en fraternidad, no podemos pasar por alto, mientras preparamos las festividades del V Centenario, el problema que más les preocupa y más les aflige.

Los españoles tenemos la oportunidad de ser diferentes de los países más industrializados, porque somos pequeños acreedores de aquellos pueblos. Y no es que nuestra actitud pueda ser muy efectiva para aligerar la carga de su deuda. Los bancos españoles tienen pocos préstamos atrapados en la maraña de la deuda latinoamericana. Pero, por eso mismo, España pudiera ser un valedor ante sus poderosos aliados y hacerse eco de los análisis y propuestas provenientes de los países latinoamericanos. El resultado, necesariamente limitado, de nuestras acciones tendría menos importancia que el testimonio dado y la satisfacción de haber hecho todo lo posible.

Para poder hacer algo tenemos que conocer bien y entender el problema de la deuda. El problema es complejo en su génesis, en su desarrollo y tampoco parece tener un desenlace fácil. Entendiendo mejor el problema de la deuda nos alejaremos de análisis simplistas, que llevan necesariamente a propuestas imposibles. Es necesario, sobre todo, que sepamos separar la apariencia y la retórica de unos y otros de la lógica inexorable de las leyes económicas y de las limitaciones de los procesos de decisión políticos. Fundamentalmente, para que se encuentren vías de solución verdaderamente realistas y efectivas que acaben con los sufrimientos de las mayorías.

A este objetivo fundamental dirijo mi libro. Un libro destinado al ciudadano español medio, que un día tras otro lee y oye informaciones y reportajes sobre el problema y no acaba de encajar los diversos elementos del rompecabezas en una imagen global y coherente. Me ha preocupado el aspecto didáctico más que el de la discusión científica, aunque algunos pasajes del libro puedan resultar abstrusos para los no iniciados. Pero la imagen global que emerge creo que resulta bastante clara.

El libro es el resultado de una serie de actividades que llevo realizando desde hace tres años para dar a conocer en diversos medios el problema de la deuda externa de América Latina. Está basado sobre todo en los cursos impartidos en el CIDOB (Centro de Información y Documentación de Barcelona) entre enero y abril de 1986; en la Escuela Superior de Administración y Dirección de Empresas (ESADE), de

Barcelona, de mayo a julio, y en la Universidad Centroamericana de El Salvador (UCA), en agosto del mismo año. Lo publico ahora con el deseo de contribuir a que se comprenda, cuando todavía hay tiempo, que es necesario hacer algo realmente imaginativo y de largos alcances [2] para que no se vuelva a repetir la situación en que se vio el sistema bancario norteamericano y todo el sistema financiero internacional en diciembre de 1982. De repetirse esta situación no sólo sufriría el sistema monetario internacional un nuevo quebranto, sino que se agravaría la situación de las mayorías populares de América Latina.

A la hora de los agradecimientos, tengo que expresarlos, en primer lugar, a mi familia, que me ha prestado su incondicional apoyo a esta y otras actividades para difundir la problemática de la deuda. A mi colaboradora en ESADE, Fina Planas, que ha hecho presentable mi manuscrito. A los alumnos de los cursos mencionados, así como a un experto encargado por Alianza Editorial de evaluar el manuscrito, todos los cuales han contribuido mucho a mejorar una redacción anterior del texto.

(ESADE, Barcelona, 15 de octubre de 1987.)

---

[2] En este sentido, ha sido una nueva decepción la Reunión de la Cumbre de Venecia, celebrada en junio de 1987, en la que nada nuevo se ha dicho sobre el problema de la deuda externa de América Latina.

Barcelona, de mayo a julio, y en la Universidad Centroamericana de El Salvador (UCA), en agosto del mismo año. Lo publico ahora con el deseo de contribuir a que se comprenda, cuando todavía hay tiempo, que es necesario hacer algo realmente imaginativo y de largo alcance[1] para que no se vuelva a repetir la situación en que se vio el sistema bancario internacional, y todo el sistema financiero internacional, en diciembre de 1982. De repetirse esta situación no sólo sufriría el sistema monetario internacional un nuevo quebranto, sino que se agravaría la situación de las mayorías populares de América Latina.

A la hora de los agradecimientos, tengo que expresarlos, en primer lugar, a mi familia, que me ha prestado su incondicional apoyo a esta y otras actividades para difundir la problemática de la deuda. A mi colaboradora en ESADE, Pina Pitman, que ha hecho presentable mi manuscrito. A los alumnos de los cursos mencionados, así como a un experto encargado por Alianza Editorial de evaluar el manuscrito, todos los cuales han contribuido mucho a mejorar una redacción anterior del texto.

(ESADE, Barcelona, 15 de octubre de 1987.)

[1] En este sentido, ha sido una nueva decepción la Reunión de la Cumbre de Venecia, celebrada en junio de 1987, en la que nada nuevo se ha dicho sobre el problema de la deuda externa de América Latina.

1. Introducción general al problema de la deuda externa

Una llamada a la responsabilidad compartida

Hay en circulación una visión simplista del problema de la deuda externa de América Latina, que lo reduce a un conflicto de liquidez de unos países, atrapados en una política de endeudamiento exterior poco sabia, con una banca comercial poco afortunada. El simplismo está básicamente en no considerar como elemento esencial del conflicto el funcionamiento del Sistema Financiero Internacional en los últimos veinte años. El problema no es *bipolar,* sino *tripolar,* donde los polos son: los países latinoamericanos, la banca comercial internacional y los países industrializados con las instituciones que crearon a raíz de la Segunda Guerra Mundial para garantizar la estabilidad de la economía internacional.

Este estudio se propone tres cosas: 1) resaltar las principales causas de la crisis; 2) identificar a los principales responsables, y 3) en consecuencia con el análisis, apuntar la vía para una solución tripartita del problema. Es particularmente importante identificar a todos los responsables, para que «no paguen justos por pecadores» y para que la opinión pública mundial sepa a quien debe exigir una parte activa en la búsqueda de soluciones inmediatas y de reformas permanentes. Sin estas reformas, la crisis de la deuda se repetiría necesariamente, aun cuando de un plumazo desaparecieran los préstamos actuales. Si es cierto aquel principio filosófico de que «en las mismas circunstancias, las mismas causas producen siempre los mismos efectos», la solución radical del problema de la deuda tiene que llegar a crear las condiciones para que no se vuelva a repetir. Los países capitalistas de Occidente supieron hacer las reformas necesarias en sus teorías, sus políticas y sus instituciones para que no se repitiera la Gran Depresión de los años treinta. Esta crisis es tan grave como aquella, por lo menos para los países de América Latina, y por eso es necesario que los países encuentren fórmulas para lograr que nunca se repita.

A lo largo del trabajo quedará claro que la crisis actual no se debe solamente a la combinación de incapacidad, inmoralidad y mala suerte de los líderes latinoamericanos, como se tiende a pensar en Europa y Estados Unidos. También se debe a la mala concepción y gestión de una aventura financiera, nueva, insuficientemente informada y no muy afortunada, por parte de la gran banca internacional, como se reconoce cada día más. Pero también tuvieron su parte los gobiernos de los países más ricos del mundo, que vieron en la entrada de su banca privada en la financiación del desarrollo una forma de subsistituir la dependencia por el comercio —tambaleante por el éxito de la OPED— por una nueva dependencia financiera, que les beneficiara tanto si los países subdesarrollados lograban cambiar el orden comercial vigente, como si no lo conseguían. Sin embargo, sus políticas económicas, poco armonizadas y nacionalistas en exceso, no ayudaron a que saliera bien la aventura de los préstamos privados a países soberanos.

Hoy por hoy, los países industrializados se muestran más bien pasivos, como si la cosa no fuera con ellos. A lo más, urgen medidas de ajuste a los países latinoamericanos y recomiendan mayor apertura y generosidad a la gran banca comercial, mientras continúan empecinados en políticas económicas irracionales, en recriminaciones mutuas y guerras cormeciales, que nada hacen para fomentar un mayor crecimiento de la economía internacional, la solidez y estabilidad de las monedas y un sistema financiero que proporcione fondos en condiciones normales a los países en desarrollo.

El problema tiene, pues, una vertiente al mundo subdesarrollado de América Latina y otra al mundo industrializado. El estudio trata de considerar las dos vertientes del problema. Por un lado, la del sistema financiero interiacional, que se ha hecho más vulnerable y más inseguro por la deuda del Tercer Mundo todavía pendiente, y por otro la de los pueblos de América Latina, cuyas justas aspiraciones a una mayor prosperidad económica se están viendo frustradas por la necesidad de pagar los intereses de unos préstamos que ellos no contrajeron ni disfrutaron suficientemente.

La consideración de estas dos vertientes no de forma separada y yuxtapuesta, sino de forma que aparezca la íntima concatenanción de los problemas, tiene que poner de relieve la creciente interdepedencia en que han caído, incluso contra su voluntad, los países más ricos y poderosos del mundo. Esta interdependencia se manifiesta precisamente en un momento en que algunos fenómenos económicos y tecnológicos tienden a separar a los países del Primer Mundo de los del Tercero. La crisis de la deuda ha quitado a los Third-World-averters (los que quieren evitar al Tercer Mundo) cualquier ilusión sobre la posibilidad de un uncoupling [1] (desenganche) de su destino económico y político respecto al de los países pobres, siempre conflictivos y en ocasiones molestos, como durante los años de hegemonía de la OPEP en los mercados petroleros.

La lección que deben aprender todos los gobernantes y pueblos de la tierra de esta dramática manifestación de la interdependencia global de las economías nacionales es que la viabilidad del sistema depende no solamente del restablecimiento de los equilibrios desbaratados en los países desarrollados, sino que pasa necesariamente por el desarrollo de los países más pobres y subdesarrollados. Por lo tanto, se debe integrar la salvaguardia de los intereses de todos armónica y racionalmente en un Nuevo Orden Económico Internacional, que responda no a las necesidades exclusivas de alguien en particular, sino a las necesidades específicas y comunes de todos los pueblos. De otra manera, desajustes localizados del sistema pueden acabar cobrando el tributo de la interdependencia a países y gobernantes de miras estrechas, egoístas e ignorantes de su verdadera condición en el mundo.

Las grandes líneas de la crisis

La marcha del estudio es tal que supone algunos conocimientos previos de las realidades latinamericanas, al menos en sus líneas más generales y más generalizables a un continente con 20 países independientes y frecuentemente con notables diferencias entre ellos. La parte más bien histórica arranca del análisis del modelo de desarrollo que estaba funcionando a mitad de los años setenta, una época de las mayores esperanzas para los observadores superficiales del sistema, pero que ya contenía en las entrañas mismas de su crecimiento eufórico y de sus bonanzas efímeras las semillas de la catástrofe.

Así, el capítulo segundo sigue *el proceso del endeudamiento externo*, donde se expone la lógica, quizá sólo circunstancial, de recurrir al financiamiento externo en unos momentos en que el crédito era fácil, el optimismo grande por parte de prestamistas y prestatarios y no se podía

---

[1] DRUCKER, Peter: «El cambio en la economía mundial», *Papeles de Economía Española,* Madrid, 29, 1986, pp. 449-463.

detener la marcha de la industrialización por falta de ahorros internos. El recurso al endeudamiento externo resultó ser la solución inmediata para los cuellos de botella, o estrecheces, del financiamiento del desarrollo. Esa misma necesidad evidenciaba ya el fracaso del modelo de crecimiento que estaban siguiendo los principales países de América Latina.

Este recurso al mercado de crédito internacional se hizo en un momento de grandes cambios y grandes innovaciones en la «industria» bancaria de los Estados Unidos y de los países industrializados más ricos. Es necesario que comprendamos los efectos que todos estos cambios tuvieron en el sistema global de financiamiento del desarrollo de los países pobres para identificar a todos los responsables de la crisis. En gran medida la banca privada, con la aprobación de sus respectivos gobiernos, pasó a sustituir a las instituciones multilaterales como fuente principal de fondos para estos países. Esta política convenía a la banca multinacional, que se vio en la necesidad de colocar, de una menera no tradicional, los depósitos que se acumulaban con los excedentes de los países petroleros. Tuvieron que dirigirse a clientes nuevos del Tercer Mundo, al disminuir la demanda de fondos prestables por parte de los países industrializados, ya empeñados en contrarrestar con políticas recesivas los efectos de la crisis petrolera y de la inflación. El capítulo tercero se titula *Bancos en busca de clientes,* refiriéndose a un mercado de créditos aparentemente hegemonizado por los países —y sectores— dispuestos a endeudarse, un mercado de compradores, como si dijéramos.

Pero en realidad, el mercado no era de los compradores. La abundancia de créditos con que la gran banca internacional sació el hambre de fondos de los países latinamericanos más dinámicos no fue una operación ni desesperada ni generosa. El mismo dinamismo del sistema financiero propició el uso de nuevos instrumentos financieros, adaptados a los riesgos que la banca corría con estos nuevos clientes en unos tiempos en que la inflación mundial se aceleraba por días. En primer lugar, los préstamos se contrataron mayoritariamente en mercados «off shore» (fuera de las costas de los Estados Unidos) y generalmente en el Euromercado, donde las regulaciones bancarias son más laxas que, por ejemplo, en los Estados Unidos, y la flexibilidad en el uso de instrumentos financieros es mucho mayor. Cuando la inflación arreció, algunos créditos tempranos resultaron a tipos de interés negativos (la diferencia entre el tipo nominal y la tasa de inflación era negativa), lo que suponía verdaderos regalos para los acreedores. Para evitar estos regalos o subvenciones los préstamos pasaron a concederse en su mayoría a un tipo de interés variable. Con este sistema el tipo de interés se contrata tomando como base o bien el *London interbank offered rate,* el famoso LIBOR, o bien el prime rate norteamericano, en todo caso un tipo de interés para préstamos a corto plazo.

Al tipo de referencia se añadían unos «spreads», o primas fijas por el riesgo, y unas comisiones o «fees». El tipo de interés así resultante varía con las variaciones del tipo de referencia, mayoritariamente el LIBOR, que por reflejar movimientos a corto plazo es sumamente volátil y sensible, incorporando inmediatamente las expectativas de la inflación.

Pero de esta manera, el servicio de la deuda se eleva en la misma medida que aumenta la tasa de interés real en los Estados Unidos y Europa occidental. La estructura de la deuda en tipos, plazos y períodos de gracia fue cambiando, haciéndose cada vez más onerosa y más difícil de servir. Con razón se puede hablar en el capítulo cuarto de *la peligrosa naturaleza de la deuda,* mucho más peligrosa para todos de lo que entonces nadie se imaginó.

Para las élites económicas, gobernantes y militares —que en muchos países eran los mismos— los años de creciente endeudamiento fueron *años de vino y rosas,* como se dice en el quinto y sexto capítulo (tomando prestado y adaptando el título de la película de Blake Edwards). Los créditos externos no siempre se usaron mal, como tienden a pensar y decir algunos gobernantes, comentaristas y público en general de los países desarrollados, ni se usaron generalmente bien, como se supone implícitamente al cargar a los países ricos con toda la culpa de la situación actual. En lo que toca al uso de los préstamos externos hay casos diferentes, según las diferencias en la génesis y desarrollo de la deuda en cada país, de manera que no se puede hablar de un solo modelo del mal —o buen— uso de la deuda. Una cosa que parece bastante clara es que los préstamos no se utilizaron en financiar reformas estructuras profundas que beneficiaran a las mayorías pobres de los países latinoamericanos. En el mejor de los casos —en el que se emplearan para generar riqueza— se usaron dentro de un modelo de desarrollo hacia afuera, que sólo tendía a beneficiar a las élites obreras empleadas en las grandes empresas modernas del sector público (petróleo, acero, armamentos, productos químicos, centrales hidroeléctricas, etc.) y en las multinacionales, así como a los empleados de la burocracia estatal.

Naturalmente, las capas campesinas y las masas urbanas sin empleo moderno, recibieron pocos beneficios de estos grandes gastos, por lo menos directamente, aunque no se puede negar que siempre hubo efectos de rebalse y reparto de migajas. De los préstamos podemos suponer que se beneficiaron principalmente los que siempre se han beneficiado de la creación de riqueza en sociedades oligárquicas, es decir, los que poseen los instrumentos de apropiación de la riqueza que se produce en sus países. Se beneficiaron particularmente todos aquellos latinoamericanos a quienes el endeudamiento público de sus países les permitió aumentar o inaugurar sus depósitos en los mismos bancos que estaban concediendo los créditos. Podemos suponer que una buena parte de la deuda consiste en préstamos que sólo abandonaron el banco de origen por muy breve tiempo y que simplemente pasaron de la cuenta general del banco a las cuentas privadas de algunos ciudadanos latinoamericanos. Por esta razón se llama a veces a los préstamos de Latinoamérica *préstamos de ida y vuelta,* vista la cosa desde la óptica de los bancos, naturalmente. Esta importante cuestión se explora en el capítulo sexto.

La génesis de la crisis

Entre 1978 y 1982 la deuda externa latinoamericana se convirtió en *una deuda que crece como la espuma,* como tratamos de demostrar en el capítulo séptimo. Ronald Reagan, un presidente que fue elegido, entre otras cosas, por la promesa de que reduciría a su mínima expresión el modesto déficit fiscal que había heredado del presidente Carter, lo elevó, con su política de rearme, del 2,0 por 100 del PNB, que era en 1980, al 6,1 por 100 en 1983 [2], y es en la actualidad del orden de 150.000 millones de dólares. Este ingente déficit ha hecho de los Estados Unidos el principal país deudor del mundo, con una deuda externa de 264.000 millones de dólares en 1986. La financiación de este déficit atrajo a los Estados Unidos ahorros institucionales de todos los continentes, estimulados por los altos tipos de interés que ofrecía la deuda pública americana y la confianza que el presidente Reagan inspiraba a los capitalistas. El déficit fiscal se pudo financiar así con dinero ajeno, un dinero que convenía continuar atrayendo para que no faltara a las empresas privadas norteamericanas, en un momento en que la política monetaria era excesivamente restrictiva. Por eso se mantuvieron altos los tipos de interés, que en su aspecto pasivo representan la remuneración de los fondos que afluían a los Estados Unidos. Pero los aumentos nominales del tipo de interés con una tasa de inflación decreciente significan necesariamente aumentos mayores de la tasa de interés real, que mide más precisamente el costo del dinero. Este análisis pone de relieve la responsabilidad de la política económica del presidente Reagan en la génesis de la crisis.

Ya es sabido que la elevación de los tipos de interés en los Estados Unidos y en todos los mercados de eurodólares incrementó automáticamente el servicio de la deuda latinoamericana. Paralelamente, la demanda de títulos de la deuda pública americana, que, como es natural, están denominados en dólares, hizo aumentar por encima de todas las previsio-

---

[2] *Economic Report of the President. 1984,* United States Government Printting Office, Washington, 1984, p. 29.

nes el valor del dólar, lo cual de nuevo elevó el monto de moneda nacional que había que destinar a servir una deuda de una cantidad fija de dólares, cosa que no era siempre el caso. Aunque la elevación del dólar ofreció una ventaja para las exportaciones no tradicionales, manufacturas principalmente, de algunos países de América Latina más desarrollados industrialmente, la sobrevaloración del dólar no tuvo en todos los casos un influjo positivo sobre el comercio exterior de la región. Los países se encontraron debiendo cantidades fabulosos, expresadas en moneda nacional, por obra y gracia del desorden fiscal del gobierno de Reagan y el descontrol de los mercados financieros. Según algunos cálculos tentativos, la deuda externa latinoamericana creció en 20.000 millones de dólares entre 1981 y 1983, debido exclusivamente a los incrementos del tipo de interés y a la sobrevaloración del dólar. El aumento fue proporcionalmente mayor en los países que habían contratado hasta el 70 por 100 de sus préstamos a tipos variables.

Al comenzar la década de los ochenta se da *la contracción del comercio internacional* que analizamos en el capítulo octavo. Los países industrializados redujeron sustancialmente el volumen de sus importaciones, que todavía en el período 1979-1979 habían crecido a un ritmo del 8,5 por 100. De 1980 a 1982 se reduce en un 1,5 por 100 de promedio anual[3], aumentando sólo el valor de sus importaciones petroleras —los que se veían obligados a hacerlas, naturalmente. Las políticas recesivas de los años inmediatamente anterior, en el intento de restablecer los equilibrios desbaratados por la inflación internacional y el aumento de los precios del petróleo, acabaron afectando al comercio internacional. Son los años del ajuste en los países de la OCDE, ajuste que consiste generalmente en limitar el gasto público, reducir el crecimiento de los salarios y contener dentro de unos límites prefijados el aumento de la masa monetaria. Todo esto lleva a una reducción del gasto global de un país con una incidencia muy grande en el gasto en importaciones.

Por otra parte, la oferta de los productos primarios que los países latinoamericanos vendían a los países industrializados (metales, alimentos no elaborados y fibras naturales) continuaba creciendo como respuesta a los precios elevados de 1977 a 1980. La producción de muchas de estas materias primas tarda en responder a los estímulos de una subida de precios (como el café, que lo hace hasta cinco años después), de manera que cuando los precios ya han comenzado a bajar, los frutos de decisiones tomadas con precios altos comienzan a aparecer. Al mismo tiempo y como resultado de la elevación de los tipos de interés y del consiguiente

[3] INTERNATIONAL MONETARY FUND: *World Economic Outlook. 1983*, Washington, mayo 1983, p. 176.

encarecimiento de los créditos, se haría menos rentable el acumular las reservas de materias primas que en otros tiempos se consideraban normales. En efecto, la inmovilización de los fondos necesarios para adquirir y conservar grandes cantidades de materias primas, cuando, por otra parte, no se preveía escasez ni aumentos de precios, sino todo lo contrario, resultaban excesivamente costosa, por lo menos en términos del costo de oportunidad del dinero.

Como resultado de estas acciones conjuntas de la demanda y la oferta en los mercados de materias primas, sus precios comenzaron a descender. Con ello se deterioraron los términos de intercambio de los países exportadores y el poder de compra que sus exportadores tenían en los mercados internacionales. El índice de los términos de intercambio, tomando su valor en 1980 como base = 100, era en 1983 de 78,5, lo que supone un descenso de 21,5 puntos en tres años. Los países exportadores de materias primas tuvieron que esforzarse en vender más y más en los mercados internacionales simplemente para mantener el nivel anterior de sus importaciones, o, más en general, de sus ingresos. Eso llevó a los diversos países exportadores a una feroz competencia entre vendedores que deprimió más el precio, saturando el mercado de productos primarios y empujándoles a la baja en una espiral depresiva.

Incluso, la OPEP, la organización de los países productores de petróleo, que había mantenido su poder hasta llevar el precio medio del crudo a 34 dólares el barril en 1981, comenzó a sentir la competencia de otros productores no integrados en la organización. Su producción conjunta pasó a representar una parte cada vez menor de la producción mundial, con lo cual disminuía «pari passu» su dominio del mercado. Por otra parte, las medidas para el ahorro de petróleo, promovidas por la International Energy Agency —una organización para enfrentar la «amenaza» de la OPEP— y la reducción del consumo derivada de la contracción de la actividad económica en los países industrializados, llevó inevitablemente a una sustancial reducción de la demanda de petróleo. Así comienza el petróleo a inundar los mercados. El precio del petróleo latinoamericano llega a un máximo en 1981 y desde ese momento comienza la caída, a un ritmo lento primero, para acelerarse tal y como los hemos experimentado a finales de 1985.

El estallido de la crisis

En verano de 1982, *México dio un susto a la banca internacional* al declarar que no podía hacer frente a los pagos de intereses de su deuda externa solicitando una renegociación de los plazos y nuevos préstamos para poder responder a sus obligaciones. El auge de la economía mexicana de 1978 a 1981 estuvo basado en un prápido crecimiento de los ingresos derivados del petróleo y un elevado gasto público y privado, que hizo aumentar el ingreso per cápita en casi el 25 por 100 y redujo sustancialmente el desempleo. El gobierno, para contrarrestar las fuertes presiones inflacionistas que el gasto estaba generando, permitió que la tasa de ambio continuara sobrevalorándose, con lo cual se mantenían «contra natura» las importaciones a un nivel muy elevado. La estrategia de desarrollo comenzó a fallar a mediados de 1981, cuando con el descenso de los precios del petróleo los ingresos por exportaciones no llegan a la meta establecida. Para llenar el vacío se aceleró el proceso de endeudamiento, pero a tipos más altos y plazos más cortos. En esa época y especulando sobre una inevitable devaluación del peso, se intensificó la fuga de capitales.

La crisis mexicana se puso de manifiesto en febrero de 1982, cuando se devaluó el peso en casi un 67 por 100, sin que esta medida fuera capaz de detener la huida de capitales. En abril el gobierno anunció un programa de ajuste para combatir la crisis. El programa estaba a medio realizar, cuando se vio claro que el país no tenía divisas suficientes para hacer frente el pago de la deuda externa.

Brasil también tuvo problemas en 1982, particularmente en el sector exterior, que es donde se obtienen los medios de pago para responder a la deuda externa. Aunque las exportaciones declinaron en un 13,4 por 100 en 1982, Brasil logró un superávit en la balanza comercial de 778 millones de dólares, que resultaba, sin embargo, la tercera parte del de 1981 y muy por debajo de la meta de 3.000 millones que posibilitarían pagar las obligaciones de la deuda externa. El país comenzó a tener dificultades para contratar nuevos préstamos en los mercados internacionales. A finales de año el gobierno declaraba la necesidad de una renegociación en la misma línea de la que había propuesto México y los bancos acreedores habían aceptado.

Las consecuencias de la crisis

Los sustos de México y Brasil obligaron a la banca internacional, especialmente a la banca norteamericana, a tomar conciencia de la vulnerabilidad que habían generado en sus balances y su posición de capital con los préstamos a países como México y Brasil, y a otros tan diversos como Polonia, Yugoslavia, Egipto, Indonesia, Turquía, Nigeria, y otros países latinoamericanos. El problema era que los mayores bancos americanos, Chase Manhattan, Citicorp, Bank of America, Morgan Guaranty,

Manufacturers Hannover, etc., tenían un volumen de préstamos a estos países varias veces superior a su capital propio. Los préstamos son activos para los bancos. La relación entre el monto total de préstamos que un banco puede hacer y su capital propio está regulada por las leyes bancarias de cada país. En todos ellos los préstamos totales son varias veces superiores al capital, o recursos propios, oscilando entre tres o cinco veces según los países.

El impago de los intereses de los préstamos hechos a México y Brasil hubiera obligado a muchos bancos norteamericanos a dedicar una gran parte de los ingresos por inversiones a compensar las pérdidas de los «nonperforming-loans», o activos no operantes. Esta es la calificación que la legislación bancaria norteamericana da a los préstamos que después de noventa días de la fecha establecida para el pago de intereses no han generado ningún pago. La aplicación de la condición de «nonperforming» a una buena parte de los activos de los bancos hubiera significado una drástica reducción de sus beneficios y un correlativo aumento de los fondos que tendrían que ser destinados tanto a aumentar las provisiones como a reforzar la base de capital propio. Esta disminución se reflejaría inmediatamente en la bolsa con una baja en la cotización y la consecuencia final de una eventual pérdida de confianza en el banco por parte de los depositantes, lo que podría llevar a una catástrofe financiera.

El cierre de esta «ventana de vulnerabilidad» necesitaba tiempo. A partir de mediados de 1982 la banca internacional se empeñó en una actividad frenética para comprar tiempo, el tiempo necesario para robustecer las reservas contra malos préstamos, fortalecer la base de recursos propios y salvar la cara ante los accionistas y la bolsa. Para ello era preciso que los préstamos no dejaran de ser activos. El pago del principal dejó de interesar por el momento y la atención de los bancos se concentró en las maneras de dar a los países deudores medios para seguir pagando los intereses de los préstamos. Era la condición para que las autoridades bancarias siguieran considerándolos «performing», es decir, vivos u operantes.

La reestructuración de la deuda

Así comienza esa especie de ruleta rusa que al hombre de la calle le parece un juego sin sentido, *el juego de la restructuración de los préstamos,* que se analiza en el capítulo décimo y que consiste fundamentalmente en prolongar los plazos de vencimiento a la vez que se dan nuevos préstamos para poder pagar los intereses de los préstamos antiguos. Estos nuevos préstamos no sólo se dieron en unas condiciones más severas, plazos más cortos y «spreads» más amplios, por darse a clientes ya claramente en problemas, sino que se concedieron bajo la condición de que los gobiernos deudores aceptaran la entrada en escena de la única instancia que podía imponer a Estados soberanos las políticas económicas adecuadas para asegurar su solvencia internacional, algo que está fuera del alcance de los bancos privados.

Esta instancia que intervino «in loco bancorum» es, naturalmente, el Fondo Monetario Internacional. El FMI había estado ejerciendo lo que se llama la prerrogativa de la «condicionalidad», sobre todo con los países cargados de problemas financieros del Tercer Mundo. En virtud de esta condicionalidad, el FMI puede condicionar la concesión de créditos para resolver problemas de balanza de pagos a que los gobiernos adoptaran las políticas de «saneamiento» financiero —más tarde lo llamarían «ajuste»— que el Fondo considerara más convenientes. A partir de 1982, los bancos acreedores comenzaron a adoptar la práctica de exigir a los gobiernos un compromiso con el FMI previo a la concesión de los «créditos-puente», o aquellos necesarios para pagar los intereses. De esta manera, la distancia entre instituciones privadas y estados soberanos quedó salvada por la intervención del FMI.

El Fondo comenzó a presionar a los países para que imitaran el modelo de ajuste activo y pasivo, que años atrás habían comenzado a implementar los países de la OCDE, en otro contexto totalmente diverso.

Nosotros en España, que estamos en medio de este proceso de ajuste conocemos la receta: congelación de salarios reales y, si es posible, rebajarlos; reducción del gasto público para reducir el déficit fiscal; supresión de subsidios a ciertos bienes y servicios de primera necesidad, que incrementaban los gastos públicos por motivos políticos o demagógicos; elevación de los tipos de interés y devaluación de la moneda; recortar las dimensiones del sector público con un proceso de privatización; reducción de las plantillas de las empresas públicas; favorecer el ahorro y la inversión privada, quitando las trabas a la inversión directa internacional, etcétera. Un conjunto de medidas que se suele resumir en la metáfora de «apretarse el cinturón», cuando en realidad sólo acabaron apretándoselo las capas populares y los beneficiarios de las escasas medidas de la «economía del bienestar» que se dan hoy en día en América Latina.

La reestructuración de la deuda externa es una operación compleja en la que hay que conjugar tanto los intereses —no siempre armonizados— de la gran y pequeña banca internacional, como las necesidades de crecimiento de los países endeudados. Esta reestructuración incluye normalmente préstamos nuevos, que suponen para los bancos un aumento del coeficiente de riesgo y que, por lo tanto, se cobran a unos precios elevadísimos. A estos términos, los países deudores tampoco pueden aceptar muchos créditos nuevos. La primera ronda de reestructuración resultó muy cara, añadiendo riesgos a los nuevos y antiguos créditos con aquellas mismas medidas con las que se intentaban paliar los riesgos.

Si difícil resultaba el pago de la deuda, tal como se ponían las cosas en el frente financiero, también comenzaron a complicarse en el frente del comercio de mercancías. En Estados Unidos, alarmados por los crecientes déficits en la balanza comercial y en la balanza de cuenta corriente, los congresistas comienzan a pedir, proponer y a aprobar, a pesar de la resistencia del presidente, legislación para contrarestar los daños que la competencia del Japón, los países de la Cuenca del Pacífico, Corea del Sur, Taiwan, Hong-Kong, Singapur, además de México y Brasil, estaban causando a grandes e importantes sectores industriales del país: acero, automóviles, electrónica, textiles y confecciones, cueros y zapatos, objetos de deporte, etc. El daño se derivaba, naturalmente, de la elevación misma del dólar con respecto a otras monedas, que hacía invendibles las mercancías norteamericanas fuera de los Estados Unidos, mientras que abarataba enormemente las importaciones que provenían del resto del mundo. Desde 1983 hasta nuestros días ha sido el «boom» de las importaciones en los Estados Unidos, al que han concurrido la sobrevaloración del dólar y el resurgimiento de la economía norteamericana a mediados de 1983. Una reactivación, dicho sea de paso, que no se debe a la supuesta eficacia de la «economía de la oferta», sino a las medidas de corte keynesiano (como ha explicado en repetidas ocasiones el Premio Nobel Paul A. Samuelson): una política fiscal expansiva con una cierta relajación no confesada del crecimiento monetario.

Dificultades para pagar la deuda

El capítulo once habla de cómo *el proteccionismo cierra la tenaza* que aprieta a los países deudores, porque, lógicamente, éstos no pueden pagar la deuda si no exportan o si no les dan nuevos préstamos —que no es una solución definitiva. Los países de América Latina aprovecharon bien las oportunidades que ofrecía Estados Unidos y exportaron como nunca a aquel mercado. La balanza comercial de la región registró considerables superavits, 31.500 millones de dólares en 1983, 38.759 millones en 1984 y 34.300 millones en 1985. Especialmente los grandes deudores consiguieron cambiar la tendencia de sus pagos internacionales: México consiguió un superávit de 13.700 millones en 1983 y Brasil otro de 15.400 el mismo año. Sin embargo, estos mismos éxitos en la exportación provocaron la reacción de los países destinatarios de las exportaciones latinoamericanas. Aunque el principal objetivo de las medidas proteccionistas era Japón y después los países asiáticos, América Latina también sintió la ola proteccionista. Las exportaciones de acero de Brasil y México se vieron reducidas por los «voluntary export restraints», o limitaciones voluntarias de las exportaciones, que los mismos exportadores se imponían bajo la amenaza implícita de ver sus exportaciones sometidas a un arancel «defensivo», del tipo que permite el GATT cuando se dan daños constatables a ciertos sectores productivos de un país.

Japón, por su parte, mantuvo en este período su tradicional política de restringir el acceso a sus mercados de las exportaciones del Tercer Mundo —y del Primer Mundo también— por lo que se han atraído las críticas de los demás países industrializados y especialmente las iras de los Estados Unidos, que consideran al Japón como el país más proteccionista de la tierra. Pero el Japón somos todos, porque Europa, la Comunidad Económica Europea, es también un coto cerrado a las exportaciones de América Latina. Resulta difícil exportar a la CEE tantos los productos tradicionales: cereales, carne, azúcar, frutas, café, etc., como los no tradicionales: textiles, por ejemplo, severamente coartados por el Multifibre Agreement, confecciones, productos de cueros, juguetes, acero, cemento y otros productos en que los países de reciente industrialización —los NICs, como se dice en inglés de Newly Industrialized Countries— de América Latina comienzan a ser competitivos en los mercados mundiales.

Los aranceles sobre las manufacturas han sido reducidos en sucesivas rondas de negociación y cada vez son menos usados para restringir el comercio internacional. Sin embargo, la importancia de las barreras no arancelarias (NTBs, del inglés Non-Tariff-Barriers) han ido aumentando. El Banco Mundial ha estimado que los países industrializados aplican barreras no arancelarias al 13 por 100 de sus importaciones totales. Un experto en cuestiones comerciales, William Cline, ha mostrado que de 1978 a 1981 la proporción de importaciones de manufacturas de Estados Unidos afectada por NTBs era del 45 por 100. La correspondiente proporción para la República Federal de Alemania es de 28 por 100, para Francia el 40 por 100, para Gran Bretaña el 26 por 100 y finalmente para el Japón, 22 por 100. Las importaciones provenientes de países subdesarrollados eran afectadas por las NTBs en proporciones que van del 43 por 100 en Estados Unidos hasta el 24 por 100 en Gran Bretaña [4].

---

[4] ANJARIA, Shailendra J.; Naheed KIRMANI and Arne V. PETERSEN: *Trade Policy Issues and Developments,* IMF, Occasional Paper 38, Washington, julio 1988, p. 22.

Los costes de pagar la deuda ajena

Los costos de pagar una deuda contraída en nombre del país por las minorías burocráticas, militares y de los negocios, que se imponían a las mayorías populares de las naciones latinoamericanas pronto se comenzó a notar por las protestas callejeras en Lima, Santo Domingo, Sao Paulo, etcétera. Las medidas de austeridad, como trata de mostrar el capítulo décimo, resultaban sumamente impopulares, porque cargaban su peso desproporcionadamente sobre los tenues mecanismos de redistribución que funcionan en los países latinoamericanos. Las subvenciones a los productos de primera necesidad o al transporte popular sufrieron los rigores del ajuste; los tipos de interés se dispararon a las nubes, haciendo imposible la vida a los pequeños comercios que trabajaban a crédito y frenando la construcción de viviendas que tanto empleo genera, por lo menos por aquellas latitudes. Las poblaciones resistieron sin mayores protestas el envite de los precios y la reducción de los salarios reales, así como la reducción de importaciones vitales para la inversión y el crecimiento, gracias a la ilusión por consolidar las democracias, que después de muchos años de dictadura militar, comenzaban a florecer en Argentina, Uruguay, Brasil, y por robustecer el gobierno de izquierdas en Perú.

Pero pronto se vio que el problema de la deuda era un problema político de primera magnitud, que no podía reducirse, ni en los análisis ni a la hora de diseñar soluciones, a un problema de liquidez pasajera que concernía exclusivamente a los bancos acreedores y a algunos sectores gubernamentales de los países endeudados. Era un problema que no podía dejarse a banqueros, como diría el mismo Henry Kissinger, sino que debía politizarse correctamente para tener en cuenta las dimensiones políticas que afectaban a todos los aspectos de la vida pública del continente americano. El problema no era, pues, un problema de liquidez, ni siquiera un puro problema de insolvencia, que hubiera quedado en la esfera de la economía, sino un problema que afectaba a todos los mecanismos de poder que habían hecho posible el regreso a la democracia en América Latina y que ahora se veían amenazados por el efecto desestabilizador de unas políticas, de lógica impecable en la teoría, pero cuya aplicación producía unos costos sociales mayores de los que las frágiles democracias latinoamericanas podían soportar.

En busca de soluciones

En el capítulo trece comenzamos la exploración de *vías de solución y vías de continuación,* distintas de la pura y simple de pagar a como dé lugar; un título que indica que no todas las propuestas para salir de apuros momentáneos representan soluciones durables al problema de la deuda y a los condicionantes profundos que lo han generado. Las soluciones examinadas comienzan con la que formuló Fidel Castro en el Encuentro de La Habana sobre la Deuda Externa de América Latina y el Caribe (julio-agosto 1985), quien, partiendo de la convicción de que la deuda no se puede pagar, propuso una negociación con los países industrializados para llegar a un nuevo orden latinoamericano e internacional, lo único que la solucionaría definitivamente. La búsqueda continua con la propuesta de un marco global para las negociaciones «caso por caso» del Consenso de Cartagena, pasando por las bravatas de Alán García de dedicar solamente el 10 por 100 de las ganancias de las exportaciones a las obligaciones de la deuda, una promesa que de hecho no ha cumplido en 1985, en parte, quizá, porque ha comprendido que de esta manera se acumula la deuda retrasada al ritmo del tipo de interés.

El capítulo siguiente está dedicado a las *propuestas para transformar la deuda,* es decir, para cambiar en parte sus agentes, en parte su naturaleza, y asegurar así en todo caso que no sufran los bancos por una posible insolvencia generalizada de los deudores. Muchos de los proyectos que se propusieron en los días inmediatamente posteriores al pánico de finales del 1982, pretenden socializar e internacionalizar la deuda, reconociendo que, en el mejor de los casos, la situación tal como estaba planteada en aquel momento era un juego suma-cero, aunque también pudiera haber sido uno de suma negativa, es decir, que los dos contendientes perdieran. El análisis se centra en las propuestas del banquero Zombanakis, una propuesta hecha famosa por su publicación en *The Economist,* y la del economista de Columbia Peter B. Kenen, que inspiró muchas variantes. En ellas se da a las instituciones multilaterales, en concreto al Fondo Monetario Internacional y al Banco Mundial, según los casos, un papel decisivo en la transformación de los acreedores de América Latina de privados en públicos. Lo cual tendría el beneficio adicional de permitir plazos más cómodos para el pago de las obligaciones de la deuda. Las propuestas más recientes, todavía en la línea de la transformación, atienden algo más a las necesidades de inversión de los países deudores.

Se cierra el estudio, por lo menos en su primera edición, con el *Plan Baker y la respuesta de los bancos,* el plan que el Secretario del Tesoro de los Estados Unidos presentó en octubre de 1985 en la reunión conjunta del Fondo y del Banco Mundial en Seúl. Consiste fundamentalmente en destinar, durante los tres próximos años, 29.000 millones de dólares, de los bancos privados, las instituciones multilaterales de crédito y algunos gobiernos, a nuevos préstamos para los países del Tercer Mundo con mayores problemas de deuda. La propuesta es modesta en vista de las ingentes necesidades de financiación de los 16 países deudores elegidos para comenzar el Plan, e incómoda para los bancos menores, que no quieren hacer nuevos préstamos a deudores con problemas. Pero es importante, porque supone un reconocimiento, aunque todavía tímido, por parte del gobierno de los Estados Unidos de que el problema rebasa la esfera de los negocios privados, en la que el gobierno no debe intervenir, y constituye una preocupación global, de la que el gobierno de los Estados Unidos no se puede desentender.

El cúmulo de problemas que está teniendo en la actualidad la banca norteamericana, con el Sistema Federal de Crédito Agrícola, los bancos petroleros de Texas y Oklahoma y los préstamos al Tercer Mundo, ha hecho al gobierno norteamericano ser menos doctrinario y más preocupado con lo que está pasando en el sistema bancario del país. Sin embargo, en la Cumbre de Tokio (mayo 1986) no se acordó nada que pudiera aliviar el problema que el derrumbe de los precios del petróleo ha creado a algunos eminentes deudores como México, Venezuela, Nigeria y Egipto. Repitieron, eso sí, que el enfoque de la solución tiene que ser el de «caso por caso», para disipar dudas y quitar las esperanzas de que los grandes de este mundo pudieran tolerar un principio de negociación global o cualquier sombra de un enfoque de fuerza a través del debt-power —poder de los deudores. En algunas instancias del mundo industrializado parece que interesa más que los deudores no se unan que el que paguen sus deudas.

Tal como van las cosas, a comienzos de 1987 la nueva crisis de Brasil pone de manifiesto que el problema está todavía lejos de solucionarse. Los grandes bancos ya están prácticamente a salvo, pero sus dificultades por un impago de la deuda no dejarán de acentuar la tendencia recesionista de la economía internacional. Además, los intereses geo-estratégicos de los Estados Unidos en América Latina estarán en mayor peligro que nunca, si Brasil, México, Argentina y otros países menores hacen suspensión de pagos. Podemos contar con otra nueva ronda de soluciones desesperadas y parciales que no arreglarán nada y sólo darán la razón a los que proponen soluciones más radicales. El problema de la deuda externa latinoamericana sigue abierto cuando este libro va a la imprenta.

Concluiremos esta introducción general con un resumen esquemático de los principales elementos del problema.

1. *Génesis del endeudamiento*

a) Por parte de América Latina:

— Modelo de desarrollo excesivamente dependiente del endeudamiento exterior. Dependencia asimétrica: sus efectos se hacen sentir desproporcionadamente en tiempo de crisis.

— Redistribución del ingreso poco propicia para generar ahorros internos.
— Tipos de interés real negativos y tipos de cambio con tendencia a la sobrevaloración de las monedas nacionales.
— Fuga de capitales.

b) Por parte del Sistema Financiero Internacional:

— El sistema de tipos de cambio flexibles, introducido en 1973, aumenta la movilidad de capitales, la inestabilidad de las monedas y las oscilaciones de los tipos de interés.
— Tendencia a la inflación internacional a partir de 1968, que invita al endeudamiento de las economías con fuerte crecimiento.
— Redistribución de los excedentes comerciales a raíz del aumento de los precios del petróleo. Se cambia la dirección de los flujos financieros internacionales.
— Necesidad de reciclar los excedentes de la OPEP depositados en los bancos hacia inversiones rentables.

c) Por parte de los gobiernos de los países industrializados:

— Deficiente coordinación de las políticas monetaria y fiscal, que aumentaron la inestabilidad del sistema.
— Reducción del financiamiento al desarrollo por canales multilaterales a los países con mayor crecimiento.
— Promoción de la entrada de la banca comercial en el financiamiento del desarrollo de países soberanos.

d) Por parte de la banca internacional:

— La búsqueda de nuevos clientes, ante la retirada de los tradicionales.
— Concesión de préstamos con información insuficiente sobre los riesgos-país y sobre las actividades semejantes de los bancos competidores.
— Entrada en la esfera internacional de bancos sin experiencia y sin suficiente información.
— Uso de nuevas modalidades e instrumentos de crédito para reducir el riesgo.
— La base de operaciones fue el mercado de Eurodólares, menos regulado que los sistemas financieros nacionales.
— Procedimientos más flexibles para conceder los préstamos.

2. *El estallido de la crisis*

a) Por parte de América Latina:

— El uso de los préstamos no ha generado ingresos suficientes para atender al servicio de la deuda.
— Parte de los préstamos se ha gastado mal: obras públicas suntuarias, proyectos poco rentables, armamento y guerras, fuga de capitales privados, corrupción administrativa.
— Gran parte de los préstamos se ha destinado a objetivos financieros, más que reales. A financiar el consumo público y privado más que la inversión.
— Recurso a nuevos préstamos más caros y en peores condiciones.
— Retraso en emprender medidas de ajuste.

b) Por parte del Sistema Financiero Internacional:

— Políticas recesivas reducen el comercio internacional.
— Se reducen los precios de las materias primas.
— Aumenta la inestabilidad de las monedas con la ascensión del dólar.
— Falta de información y vigilancia del crecimiento de la deuda externa.
— Ante las primeras dificultades, no se vuelve a las fuentes tradicionales de financiamiento para el desarrollo.

c) Por parte de los países industrializados:
— Aumenta el déficit fiscal de los Estados Unidos.
— Elevación de los tipos reales de interés y del valor del dólar: aumento automático del servicio de la deuda.
— Europa reduce sus importaciones de los países endeudados.

d) Por parte de los bancos comerciales:

— Aumenta el financiamiento a corto plazo, se endurecen las condiciones de los préstamos.
— Se reduce drásticamente el flujo de capitales ante las primeras dificultades.

3. *La búsqueda de soluciones*

a) Por parte de América Latina:

— Reformulación de la estrategia de desarrollo: aumentar el ahorro interno y la exportación.

— Reducción del gasto público no productivo y la inflación.
— Medidas para atraer la inversión extranjera.
— Colaboración entre países latinoamericanos.
— Lograr la cohesión interna y la colaboración entre todas las clases sociales para salir de la crisis.
— Negociar una limitación del servicio de la deuda de acuerdo a las necesidades de acumulación de los países.

b) Por parte del Sistema Financiero Internacional:

— Lograr una tasa de crecimiento sostenido del 3 - 4 por 100 anual en los países industrializados.
— Promover el crecimiento del comercio internacional por medio de la Ronda Uruguay de negociaciones del GATT.
— Reconstruir el comercio de productos primarios.
— Incrementar el papel del Fondo Monetario Internacional, del Banco Mundial y del Banco Interamericano de Desarrollo en el financiamiento del desarrollo.
— Reorganizar el Sistema Monetario Internacional para garantizar la estabilidad de los cambios y de los tipos reales de interés.

c) Por parte de los países industrializados:

— Aceptar un marco global para una negociación política de los problemas de la deuda.
— Promover políticas de crecimiento y aumento de las importaciones de países endeudados.
— Aumentar las contribuciones a los organismos multilaterales de financiamiento al desarrollo.
— Reducir el proteccionismo, particularmente de la agricultura.
— Diseñar programas especiales, tipo Plan Marshall, para ayuda del desarrollo de América Latina.
— Reformar la legislación bancaria para dar más margen de maniobra a sus bancos en operaciones de reestructuración de la deuda.
— Tomar nuevas responsabilidades para garantizar los créditos comerciales.
— Reestructuración generosa de la deuda oficial en el seno del Club de París.
— Favorecer los «swaps», o cambios, de deuda por inversión directa.

d) Por parte de los bancos:

— Reanudar los flujos normales de financiamiento al comercio.

— Ponerse de acuerdo, entre sí y con sus respectivos gobiernos, para proveer nuevos préstamos a proyectos de desarrollo bien justificados.
— Congelar los tipos de interés, a un nivel compatible con las tendencias a largo plazo, en los créditos contratados a interés variable.
— Negociar la reducción de los pagos del servicio de la deuda según las necesidades de crecimiento de las economías.
— Vender deuda en el mercado secundario al descuento vigente.

2. El proceso del endeudamiento externo

La primera cuestión que tenemos que enfrentar es una pregunta que se hace mucha gente: Pero, por qué se endeudaron tanto los países de América Latina? Es en realidad la cuestión de la racionalidad o irracionalidad de las decisiones económicas de los gobiernos latinoamericanos, que al cabo de los años llevaron a sus países al atolladero en que se encuentran.

Como vamos a ver en este capítulo, el proceso de endeudamiento tuvo en su día una cierta lógica económica. Los gobiernos de los países, que hoy son los principales deudores, se encontraron ante la alternativa de frenar un desarrollo que mostraba un gran dinamismo o financiarlo con recursos externos. En algunos casos, Argentina, Chile, Uruguay, y en menor medida Brasil, el dilema tenía una solución automática dentro del modelo liberal que habían implantado en sus economías las dictaduras militares. Si no había suficiente financiamiento con los ahorros internos había que buscarlo en los mercados internacionales. La libertad de movimiento que se había dado al sector privado le llevaba naturalmente a los mercados internacionales de capitales, que entonces eran fuentes de financiamiento abundantes y convenientes. En países como México, donde el modelo no llevaba automáticamente al mercado internacional de capitales, el financiamiento externo también resultó ser la salida más conveniente a las limitaciones del mercado interno de fondos prestables.

En cualquier caso, el endeudamiento externo tenía una lógica relativa dentro de un modelo de desarrollo estructuralmente dependiente del financiamiento externo, ya fuera en forma de inversión directa (la de las multinacionales), ya fuera la de las instituciones multilaterales o las oficiales de crédito. El que se recurriera a la banca comercial para financiar el desarrollo, aunque era algo nuevo en la modalidad y escala en que se emprendió, era coherente con un modelo que exigía financiamiento exterior. Es probable que, si la economía mundial no hubiera pasado por los ajustes y crisis que tuvo a partir de 1980, los países latinoamericanos habrían crecido lo suficiente para ir pagando sus deudas sin comprometer el proceso de acumulación de capital. Hubieran tenido sin duda crisis parciales, que se hubieran solucionado, como en el pasado, con unas medidas de ajuste menos drásticas de las que ahora son necesarias. Lo malo del modelo que seguían las economías latinoamericanas es precisamente que lleva en sí la necesidad de recurrir al financiamiento externo, lo que le hace sumamente vulnerable a los choques externos y a la crisis del sistema internacional. Eso lo sabe América Latina desde que se integró al comercial mundial en el siglo XIX.

Cuando los países se endeudaron, aunque estaban conscientes de la vulnerabilidad del modelo de desarrollo que seguían, no pudieron prever el cúmulo de circunstancias que llevaron a la crisis de la deuda. La principal crítica que se puede hacer a los gobiernos latinoamericanos de la época es que no hubieran intentado diseñar e implantar un modelo de crecimiento menos vulnerable. Pero, una vez que optaron por —o les fue impuesto— ese modelo, el endeudamiento externo era una medida lógica y coherente, menos criticable dentro del marco de referencia establecido y de las circunstancias que se daban entonces. Se les podrá criticar también por el uso malo o bueno, eficiente o dispendioso, que hicieron de los abundantes créditos que contrataron, pero eso no quita que el recurso al mercado internacional de capitales no tuviera su razón de ser.

El «cuello de botella» del financiamiento del desarrollo

La verdad es que la década de los setenta fue para América Latina una década de prodigioso crecimiento en términos reales y en términos del PIB per cápita. Fue una época de grandes expectativas para propios y extraños. Mientras los países industrializados crecieron, de 1973 a 1980, a una tasa promedio del 3.7 por 100 anual, los países de América Latina, petroleros o no, tuvieron tasas de crecimiento mayores.

La década presenta, desde el punto de vista del crecimiento económico, tres fases bien diferenciadas: En los tres primeros años se registra el crecimiento más rápido, porque todavía no se nota el impacto de los precios del petróleo en los países importadores. Luego viene una segunda fase de 1975 a 1978, ambos inclusive, en que el crecimiento se estanca

CUADRO 2.1

TASAS DE CRECIMIENTO GLOBALES EN AMERICA LATINA. 1972-1980
(Porcentajes)

	1972	*1973*	*1974*	*1975*	*1976*	*1977*	*1978*	*1979*	*1980*
PIB	7,0	8,3	7,0	3,8	5,4	4,8	5,1	6,5	5,9
PIB/capital	4,3	5,6	4,3	1,2	2,8	2,2	2,5	3,9	3,3

FUENTE: Comisión Económica para América Latina *, *Estudio económico de América Latina. 1981,* Naciones Unidas, Santiago de Chile, 1983, p. 19.

* De ahora en adelante se citará como CEPAL. 1981.

un poco, debido al aumento de la inflación y a las conmociones políticas en varios países. En una tercera fase, 1979-1980, el crecimiento se acelera de nuevo para frenarse completamente en 1981 con un 1,7 por 100 de crecimiento en términos reales y un *descenso* del 1,0 por 100 en el producto per cápita, hecho que no sucedía desde 1959. El crecimiento de América Latina en esta tercera fase es el mayor que se registra en el mundo. El cambio abrupto que tiene lugar en 1981 muestra, sin embargo, que el crecimiento no era sólido y que los ancestrales obstáculos estructurales para el crecimiento de economías capitalistas dependientes no se habían superado, como algunos optimistas llegaron a pensar en 1979.

Las tendencias recientes de la economía internacional —escribía en 1983 el economista argentino Aldo Ferrer— han impactado profundamente en América Latina y ponen en tela de juicio los modelos de desarrollo seguidos por los países de la región... Esta crisis externa que enfrenta hoy la América Latina tiene sus orígenes en el comportamiento de la economía mundial y en modelos de desarrollo que, por una y otra vía, desalentaron el ajuste externo en el marco del desarrollo. Pero, además, la crisis se plantea en el contexto de una crisis preexistente, de por sí conflictiva. En otros términos, la gravedad del desequilibrio actual de los pagos internacionales de la región se inserta dentro de los problemas históricos del atraso, de estructuras productivas desequilibradas y de la persistencia de la pobreza en amplios segmentos sociales. Se inserta también en sistemas políticos e institucionales en proceso de transformación [1].

La subida de los precios del petróleo en 1973 y en 1979, mientras empujaba hacia arriba a las economías de los países exportadores de pe-

[1] FERRER, Aldo: «Nacionalismo y transnacionalización», *Pensamiento Iberoamericano,* Madrid, 3, enero-junio, 1983, p. 72.

tróleo, no fue una traba insuperable para que los importadores netos, como Brasil, Uruguay y Chile, crecieran también. Naturalmente el pago de las facturas petroleras fue para los unos un factor adicional que les indujo a recurrir al mercado internacional de capitales, mientras que las ganancias del petróleo llevaron a otros a prometerse unas condiciones de desarrollo futuro que luego de hecho no se dieron.

Observando los datos desagregados, se nota la diferencia entre los países exportadores y los importadores de petróleo.

CUADRO 2.2

TASAS DE CRECIMIENTO DE ALGUNOS PAISES. 1970-1980
(Porcentajes)

	1970-74	*1975*	*1976*	*1977*	*1978*	*1979*	*1980*
1. *Países exportadores de petróleo:*							
Bolivia	5,5	6,6	6,1	4,2	3,4	1,8	0,6
Ecuador	11,5	5,6	9,2	6,5	6,6	5,1	4,8
México	6,8	5,6	4,2	3,4	8,1	9,2	8,3
Venezuela	5,2	5,9	8,4	6,8	3,2	0,9	−1,2
Argentina	4,1	−0,8	−0,5	6,4	−3,4	7,1	1,4
2. *Países importadores de petróleo:*							
Brasil	11,5	5,7	9,0	4,7	6,0	6,4	8,0
Colombia	6,9	4,3	4,2	4,8	9,0	4,9	4,2
Cuba	8,7	12,3	3,5	3,1	8,2	1,9	2,4
Chile	0,9	−12,9	3,5	9,9	8,2	8,3	7,5
Nicaragua	5,3	2,2	5,0	6,3	−7,2	−25,5	10,0
Perú	4,8	4,5	2,0	−0,1	−0,5	4,1	3,8
Uruguay	1,3	4,8	4,2	1,8	6,2	8,7	3,7

FUENTE: CEPAL, 1981, p. 21.

El desglose de las tasas nos cuenta la historia del crecimiento de América Latina con mayor color local. Claramente, el dinamismo de Brasil, cuyo producto nacional representa un tercio de toda la producción de América Latina, tiene una gran influencia en el comportamiento de la tasa global. Algo semejante se puede decir de México, aunque también es notable el crecimiento de otros países menores. Podemos afirmar que, salvando los episodios anómalos de Chile, Argentina y Nicaragua, debidos a eventos políticos, el crecimiento fue un fenómeno bastante generalizado. Aquí, sin embargo, no nos interesa hacer el análisis pormenorizado de cada caso, así que vamos a pasar a ver cómo se financió este notable crecimiento.

Financiamiento por el comercio internacional

La primera fuente de financiamiento, la fuente natural en unas economías dependientes, es el comercio internacional. Hay que constatar que el comercio internacional se mantuvo muy dinámico en la década, ya que el llamado primer «shock petrolero» no fue suficiente para frenarlo. El comercio internacional de hecho se aceleró en los cuatro últimos años del período.

CUADRO 2.3

TASAS DE CAMBIO DEL COMERCIO MUNDIAL. 1973-1980
(Porcentajes)

	1962-72	*1973*	*1974*	*1975*	*1976*	*1977*	*1978*	*1979*	*1980*
1. *Total del mundo:*									
Volumen	8,5	12,0	4,5	−3,5	11,0	5,0	5,5	6,5	2,0
Valor unidad ...	3,0	23,5	40,0	9,5	1,5	8,5	10,0	18,5	20,0
2. *Importaciones de países industrializados:*									
Volumen	—	11,5	1,4	−8,1	13,3	4,5	5,1	8,5	−1,5
Valor unidad ...	—	22,9	40,8	9,2	1,3	8,9	10,1	18,6	22,2
3. *Importaciones no petroleras de países industrializados:*									
Volumen		12,9	1,8	−7,4	13,5	4,0	7,3	8,9	1,2
Valor unidad ...		21,0	24,7	9,0	0,3	9,5	11,7	14,6	4,0
4. *Exportaciones no petroleras de los países subdesarrollados:*									
Valor unidad ...	8,6	9,3	−0,1	−0,3	11,3	4,9	8,7	9,6	9,0
Volumen	2,8	31,8	38,2	−0,2	6,8	14,0	5,5	17,6	16,0

FUENTE: International Monetary Fund, *World Economic Outlook, 1983,* Washington, mayo 1983, pp. 176-178.

Los datos hablan por sí mismos. He incluido las importaciones no petroleras para señalar que no todo el aumento del volumen y del valor

CUADRO 2.4

CRECIMIENTO DEL PIB EN LOS PAISES INDUSTRIALIZADOS. 1973-1980
(Porcentajes)

	1963-72	*1973*	*1974*	*1975*	*1976*	*1977*	*1978*	*1979*	*1980*
Total	4,7	6,1	0,5	−0,6	5,0	4,0	4,1	3,4	1,3
Europa	4,4	5,8	2,0	−1,2	4,6	2,6	3,0	3,4	1,5
Estados Unidos ...	4,0	5,8	−0,6	−1,2	5,4	5,5	5,0	2,8	−0,4
Japón	10,5	8,8	−1,2	2,4	5,3	5,3	5,1	5,2	4,8

FUENTE: IMF, *World Economic Outlook, 1983*, p. 170.

unitario del comercio mundial se debe al aumento de los precios del petróleo. Se da claramente una coyuntura favorable de carácter global para el comercio internacional. Los países industrializados mantuvieron todavía en la primera parte de la década un buen ritmo de crecimiento, que alentaba el del comercio internacional. Pero, por eso mismo, lo que parecía una dinámica autónoma de las economías latinoamericanas no dejaba de estar condicionada, o por lo menos, «permitida», por la expansión de las economías centrales. El cuadro 2.4 da una idea del dinamismo de los países industrializados en los años posteriores al primer «shock» petrolero.

Las tasas de crecimiento, después de los ajustes inmediatos de 1973 a las nuevas condiciones del precio de la energía, se reponen en la segunda mitad de la década, hasta que la nueva racha de políticas de ajuste pone el freno definitivo a la expansión. La recesión de las economías industrializadas reduce automáticamente una de las fuentes naturales de financiamiento exterior: los excedentes del comercio internacional.

El comercio de productos primarios: ascensión y caída

La evolución del comercio externo de los países latinoamericanos es, como veremos a lo largo del estudio, uno de los factores claves del problema. Mucho se ha hablado de la tendencia a la baja de los términos de intercambio de los países exportadores de productos primarios. Hans Singer y Raul Prebisch, ya en los años cincuenta, explicaron teóricamente el fenómeno y, a pesar de muchos intentos de refutación, los hechos han venido a darles la razón. Esta tendencia secular a la baja es, sin embargo, compatible con períodos en que los términos de intercambio se vuelven favorables a los exportadores de productos primarios. Eso sucedió durante casi toda la década de los sesenta. La evolución de los términos de

CUADRO 2.5

EVOLUCION DE LOS PRECIOS DE LOS PRINCIPALES PRODUCTOS DE EXPORTACION. 1973-1980

(Indices, 1980 = 100)

	1971	*1972*	*1973*	*1974*	*1975*	*1976*	*1977*	*1978*	*1979*
Bananas	37,4	43,1	43,9	49,1	65,5	69,0	72,8	76,4	86,9
Cacao	21,9	24,5	45,3	68,5	52,9	71,9	171,0	143,4	131,4
Café	29,6	33,4	41,2	45,1	48,1	94,2	152,0	102,8	112,5
Cobre	49,5	48,9	81,5	93,8	56,3	64,1	59,9	62,3	96,0
Algodón	34,1	42,2	69,0	71,2	55,5	83,6	70,8	70,8	76,4
Pieles	31,6	64,5	74,7	51,4	50,8	73,2	80,6	102,8	159,5
Mariscos	32,7	40,8	49,4	45,9	58,1	82,3	78,1	79,1	118,1
Aceite soja	51,3	38,6	72,9	139,2	94,2	73,3	96,1	101,5	110,8
Azúcar	15,8	26,1	33,5	104,4	71,7	40,3	28,3	27,3	33,7
Estaño	20,8	22,3	27,3	41,5	41,1	45,2	62,5	74,6	88,4
Tabaco	51,5	56,1	58,6	67,0	72,8	74,2	80,7	87,0	94,5
Trigo	32,8	36,7	53,6	106,5	94,2	75,3	52,9	64,9	78,0

FUENTE: International Monetary Fund, *International Financial Statistics Yearbook 1985,* Washington, 1985, pp. 134 y 135.

intercambio en esa década también se presenta favorable a la expansión en América Latina.

El índice de los términos de intercambio subió ininterrumpidamente desde 1970 hasta 1977, bajó moderamente en 1978 y se mantuvo estacionario hasta 1980, en que se desploma completamente. En 1986 no ha dejado de caer. Los precios de los principales productos de exportación del continente aumentaron con bastante uniformidad durante toda la década.

Esta relativa bonanza del comercio exterior dio a los países de América Latina la oportunidad de aumentar sus importaciones, pero no permitió que los excedentes comerciales engrosaran el ahorro interno, que se mantuvo a niveles más bien modestos. Las importaciones sirvieron principalmente para impulsar los planes de industrialización y la profundización de la sustitución de importaciones, es decir, para entrar en la fase de sustitución de la importación de bienes de capital y pasar ya insensiblemente a la etapa de exportaciones de manufacturas. El aumento de las importaciones refleja no solamente la mayor oportunidad de importar que ofrecían unos términos de intercambio favorables, sino, sobre todo, el efecto multiplicador del crecimiento acelerado de esos años. En algunos países,

Chile y Argentina, aumentaron las importaciones de bienes de consumo, como resultado de las medidas para liberalizar a ultranza el comercio exterior. Pero en los países más grandes las importaciones consistieron principalmente en bienes de equipo para la industria, para las explotaciones petroleras y mineras y para las grandes obras públicas que se emprendieron con los créditos externos.

CUADRO 2.6

EVOLUCION DE LAS IMPORTACIONES EN AMERICA LATINA, 1970-1980
(Porcentajes)

	1971	*1972*	*1973*	*1974*	*1975*	*1976*	*1977*	*1978*	*1979*	*1980*
1. *Total América Latina:*										
A)	11,1	13,5	31,0	69,7	7,4	3,6	14,3	13,7	25,6	32,5
B)	5,9	7,2	12,0	22,8	−1,9	0,2	10,0	6,0	8,2	12,6
C)	4,9	6,0	17,0	38,2	9,5	3,4	4,0	7,2	16,0	17,6
2. *Países exportadores de petróleo:*										
A)	13,8	12,6	17,9	54,9	37,0	7,8	18,6	16,7	16,6	32,6
B)	9,5	5,1	7,6	34,2	21,9	3,5	12,9	9,2	5,3	14,5
C)	3,9	7,2	9,6	15,4	12,4	4,2	5,0	6,9	10,7	15,8
3. *Países no exportadores de petróleo:*										
A)	10,5	13,7	33,7	72,5	2,4	0,9	11,4	11,5	32,4	32,4
B)	5,1	7,6	12,9	20,5	−7,2	−2,5	7,4	3,3	11,1	10,9
C)	5,2	5,7	18,5	43,1	10,4	3,5	3,7	8,1	19,2	19,4

A) Valor total. B) Volumen. C) Valor unitario.

FUENTE: CEPAL, 1981, p. 35.

Una vez más los datos son elocuentes. La coyuntura fomentó las importaciones en una medida que, como luego se descubrió, no estaba justificada por la evolución posterior de los términos de intercambio. Es sobre todo importante notar que las importaciones dan el segundo acelerón al final de la década, cuando la dinámica del comercio internacional ya estaba agotándose por las políticas recesivas de los países industrializados, y las exportaciones de petróleo y de otros productos, tradicionales o no, ya habían empezado a reducirse.

La lógica de la situación llevaba a esperar sustanciales déficits en la balanza de cuenta corriente y en la global de pagos, con un acelerado uso de las reservas internacionales y la necesidad de encontrar fuentes externas para financiar el déficit. La balanza de *cuenta corriente* se deteriora progresivamente: de un déficit de 19.797 millones de dólares en 1979 se pasa a uno de 28.699 en 1980, y de 38.786 en 1981. El déficit se financia con una entrada de capitales, que produce un saldo positivo en la cuenta de capital de 26.203 millones de dólares en 1979 y de 27.158 millones en 1980. El saldo en la *balanza global,* sin embargo, aunque es positivo en 1979 (en 6.406 millones de dólares), se hace negativo en 1980 (en 1.542 millones de dólares). Bolivia, Brasil, Chile, Costa Rica y México muestran un déficit de cuenta corriente todos los años de la década (menos Chile en 1976), déficit que se agranda a medida que pasa el período.

CUADRO 2.7

SALDO EN CUENTA CORRIENTE DE ALGUNOS PAISES. 1976-1981
(En millones de dólares)

	1976	*1977*	*1978*	*1979*	*1980*
Argentina	654,6	1.294,8	1.870,5	−498,0	−4.787,0
Bolivia	−91,3	−165,0	−329,7	−357,8	−118,8
Brasil	−6.549,5	−5,107,9	−7.034,9	−10.465,2	−12.792,7
Costa Rica	−201,4	−225,3	−363,4	−558,8	−663,0
Chile	169,7	−553,4	−1.087,9	−1.189,9	−1.969,2
Ecuador	−6,4	−341,4	−701,4	−616,9	−1.001,6
México	−3.410,3	−1.849,3	−3.162,5	−5.469,0	−7.537,2
Perú	−1.192,7	−925,8	−197,9	617,5	63,0
Venezuela	257,5	−3.180,2	−5.735,5	350,1	4.731,1

FUENTE: Banco Interamericano de Desarrollo, *Progreso económico y social en América Latina. Informe 1983,* Washington, 1983, p. 387.

El aumento del gasto público

El aumento de las magnitudes del comercio internacional crearon un espejismo de prosperidad, que en seguida se encontró con las dificultades de financiamiento, dificultades que se resolvieron acudiendo a los grandes bancos comerciales y al mercado de eurodólares. Los esfuerzos de industrialización y de modernización con algo de redistribución —aparte de los gastos militares, los suntuosos y la corrupción— llevaron a los gobiernos a aumentar significativamente el gasto público.

Cuadro 2.8

GASTOS TOTALES DE LOS GOBIERNOS CENTRALES. 1970-1981
(Porcentaje del PIB)

	1970	*1975*	*1978*	*1979*	*1980*	*1981*
Argentina	9,2	13,1	16,0	12,8	15,4	16,9
Bolivia	9,5	13,4	16,0	16,5	14,4	13,1
Brasil	9,5	9,0	9,1	7,9	8,4	8,7
Colombia	10,2	9,5	8,5	9,1	10,4	10,6
Costa Rica	12,8	15,6	17,9	19,0	20,9	16,6
Chile	20,6	24,5	21,4	19,5	21,0	23,7
Ecuador	13,4	16,2	14,0	18,1	14,6	16,7
México	10,8	17,3	16,3	16,5	18,8	22,5
Nicaragua	11,9	18,1	20,5	19,8	29,6	32,1
Perú	15,8	21,3	20,9	18,6	23,4	22,8
Venezuela	19,3	33,8	27,8	20,5	24,7	30,1

Fuente: BID, *Informe 1983*, p. 374, cuadro 20.

Los ingresos de los gobiernos, sin embargo, no crecieron en la misma medida. De las fuentes tradicionales de financiamiento de los gobiernos: impuestos, préstamos internos y préstamos internacionales, sólo la última categoría ofrecía a los gobiernos latinoamericanos una fuente segura y abundante de financiamiento. En efecto, la fiscalidad en América Latina es todavía muy deficiente en equidad, eficiencia y capacidad recaudadora, si la comparamos con la progresividad, la capacidad de recaudar y la eficiencia en detectar fraudes que hay en los países más avanzados. Los ingresos fiscales en la mayoría de los países provienen de los impuestos indirectos, que son los más fáciles de cobrar, aunque son generalmente regresivos y tienen un poder recaudador limitado en sociedades donde la mayoría de los ciudadanos tiene un poder adquisitivo bajo. Por ejemplo, en Argentina, un país sin duda avanzado, en 1979 los impuestos directos le daban al fisco solamente el 15,2 por 100 de los ingresos corrientes, mientras que los impuestos indirectos (impuestos al consumo y al comercio exterior) representaban el 53,2 por 100. En Brasil la proporción era, en el mismo año, 29,5 por 100 y 50,6 por 100; y en México, un país en que el impuesto sobre la renta está mejor implantado, 42,8 por 100 y 53,3 por 100. Pero en Ecuador, Guatemala, Uruguay los impuestos directos no suministran ni el 15 por 100 de los ingresos corrientes, y cargan a los indirectos el 75 por 100. Sólo Venezuela tiene un sistema fiscal moderno, en que los impuestos directos aportan el 70 por 100 de los ingresos corrientes. El impuesto sobre la renta, que en los países industrializados constituye la principal fuente de ingresos del Estado, apenas aporta el 25 por 100 de los ingresos corrientes en la mayoría de los países. De ahí que la capacidad recaudatoria del sistema fiscal sea muy limitada.

Los gobiernos tienen también la posibilidad de captar los ahorros de los ciudadanos vendiéndoles títulos de deuda pública. Pero ahí hay dos problemas: la falta de ahorros en una gran parte de la población y la poca atracción que la deuda del gobierno local tiene para los ciudadanos de América Latina. El consumo total en América Latina representaba en 1980 el 79,38 por 100 del producto interno bruto, más o menos, como el de España en la misma fecha. Pero de todas maneras, con una distribución de los ingresos que asigna del 40 al 50 por 100 de los ingresos, según los países, al 10 por 100 de la población más rica, mientras el 40 por 100 más pobre sólo recibe el 10 por 100 de los ingresos, los datos globales muestran que en América Latina el 60 por 100 de la población apenas satisface sus necesidades elementales de consumo. No creo que haga falta insistir mucho más en la limitada capacidad de ahorro de la población.

Por otra parte, los que tienen ahorros, no suelen apetecer mucho los activos financieros locales. Es bien conocido el hecho de que la moneda extranjera, los activos en dólares en concreto, son la alternativa más común a las formas locales de conservar la riqueza. De manera que en la «cartera de activos» de la pequeña y gran burquesía latinoamericana nunca faltan activos en dólares, que frecuentemente toman la forma de cuentas bancarias en los Estados Unidos. Así, los pocos ahorros que hay son difícilmente capturados por el gobierno. Aparte de que en la memoria colectiva de los latinoamericanos permanece el recuerdo de diversos episodios en que los ciuddaanos, que fiándose de sus gobiernos compraron títulos de deuda pública, se vieron estafados por una inflación galopante, que redujo a cenizas los valores nominales de la deuda, o por cambios de régimenes políticos que de hecho no honoraron las deudas de sus adversarios políticos.

El financiamiento inflacionario

En algunas ocasiones los gobiernos latinoamericanos han intentado captar el «ahorro forzado» de la población por medio de políticas monetarias expansivas para financiar el déficit fiscal. La inflación, según algunos economistas, es un impuesto al uso del dinero, que colecta quien tiene capacidad de emitirlo, es decir, el estado. La tentación de captar recursos del público acelerando un poco la creación monetaria, o, lo que es lo mismo, monetizando la deuda del gobierno, es demasiado fuerte para que siempre la hayan resistido. La inflación latinoamericana más típica, la de los países del Sur, ha tenido frecuentemente un componente de «deficit financing», es decir, el financiar los déficits fiscales con creación monetaria.

De esta necesidad de complementar la liquidez del estado con creación de dinero nuevo, por encima de la demanda del público, se explica el comportamiento errático de las tasas de inflación en este período. La inflación refleja una política de «stop-go» a corto plazo para resolver problemas de liquidez del estado. Las tendencias inflacionistas que este financiamiento genera se agravan por la formación de expectativas del público y por la necesidad de indexar las magnitudes monetarias para no agudizar el sesgo en la redistribución del ingreso, ya normalmente mal distribuido, y agravar los conflictos políticos de la época.

Al acabar la década, a medida que aumenta la necesidad de financiación del sector público, se acelera la inflación en casi todos los países, aun en aquellos que se habían mantenido dentro de una estricta disciplina monetaria por muchos años.

Pero este método de captar recursos es peligroso, poco eficiente y de poca duración. Peligroso, porque puede empujar la economía del país

CUADRO 2.9

EVOLUCION DE LOS PRECIOS AL CONSUMIDOR: 1970-1980

(Tasas de cambio de diciembre a diciembre)

	1970-73	*1974*	*1975*	*1976*	*1977*	*1978*	*1979*	*1980*
América Latina...	20,7	40,0	57,6	61,5	40,4	38,2	53,8	56,2
Argentina	42,2	40,1	334,9	347,5	150,4	169,8	139,7	87,6
Bolivia	16,4	39,4	6,0	5,5	10,5	13,5	45,5	23,9
Brasil	15,8	33,8	31,2	44,8	43,1	38,1	76,0	95,3
Colombia	14,5	26,9	17,9	25,9	29,3	17,8	29,8	26,5
Costa Rica	7,3	30,6	20,5	4,4	5,3	8,1	13,2	17,8
Chile	182,1	375,9	340,7	174,3	63,5	30,3	38,9	31,2
México	8,5	20,6	11,3	27,3	20,7	16,2	20,0	29,8
Perú	7,8	19,3	224,0	44,7	32,4	73,7	66,7	60,8
Ecuador	10,5	21,2	15,2	13,1	9,8	11,8	9,0	14,5
Nicaragua	4,9	—	1,9	6,2	10,2	4,3	70,3	24,8
Venezuela	3,7	11,6	8,0	6,9	8,1	7,0	20,7	21,6
Uruguay...	56,7	107,2	66,8	39,9	57,3	46,0	83,1	42,8

FUENTE: CEPAL, 1981, p. 60.

al caos de un proceso cumulativo que el gobierno no pueda controlar, una vez que el público incorpore en sus comportamientos económicos las expectativas de la inflación. Es poco eficiente, porque el monto de recursos que se pueden captar así no será muy elevado, como da la experiencia; ni de una manera regular y segura, como el gobierno necesitaría. Es de corta duración, porque la política inflacionista choca pronto con los límites que ponen las relaciones internacionales: la moneda se deprecia constantemente, las importaciones se encarecen y hay que subvencionar las más necesarias; se pierde competitividad exterior por los elevados costos de producción y se acaba con una devaluación formal o una reforma monetaria, que tratará de desandar con mucho costo lo corrido por la pendiente de la expansión monetaria.

Los problemas de financiamiento del consumo y la inversión del estado se manifiestan en una serie de déficit fiscales, que los gobiernos se ven obligados a financiar recurriendo al único medio eficiente que les queda: la deuda externa.

Las situaciones fiscales son diferenciadas. De entre los mayores deudores, México, Argentina, Perú, Bolivia, Costa Rica, Nicaragua, Panamá y la República Dominicana registran déficits considerables (dada la tra-

CUADRO 2.10

SALDO DEL PRESUPUESTO DE LOS GOBIERNOS CENTRALES. 1970-1980

(Porcentaje del PIB)

	1970	*1975*	*1978*	*1979*	*1980*	*1981*
Argentina	−1,4	−9,2	−2,8	−1,6	−2,7	−3,9
Bolivia	−0,8	−1,4	−4,3	−6,5	−6,2	−5,2
Brasil	−0,4	0,1	0,3	0,2	0,1	0,1
Colombia	−1,0	−0,2	0,6	0,5	−0,7	−0,5
Costa Rica	0,1	−2,3	−4,3	−6,5	−8,2	−3,6
Chile	−0,7	0,2	1,6	4,4	5,0	3,2
Ecuador	−2,8	−0,6	−1,1	−3,9	−1,4	−5,1
El Salvador	−0,5	−2,2	−2,3	−1,2	−6,7	−7,8
México	−1,7	−5,3	−3,3	−3,0	−2,9	−6,3
Nicaragua	−1,2	−5,9	−8,2	−6,7	−9,0	−10,4
Panamá	−4,8	−6,8	−5,9	−12,0	−5,7	−6,8
Perú	−1,2	−5,5	−5,1	−0,6	−2,8	−4,9
República Dominicana	−1,6	−0,4	−2,0	−5,5	−2,8	−2,3
Uruguay	−1,3	−4,4	−1,3	0,2	0,1	−0,1
Venezuela	−1,2	0,7	−4,2	2,5	−0,2	1,8

FUENTE: BID, *Informe 1983*, p. 375, cuadro 22.

dición fiscal de esos países y la carencia de fuentes eficientes de financiamiento de los mismos). En cambio, Chile y Colombia tienen un comportamiento fiscal, desde este punto de vista, sano e incluso sólido en el caso de Chile. El caso del Brasil, sin embargo, es un poco especial. Según el estudio de la CEPAL de 1981, tantas veces citado, el «déficit fiscal consolidado» del gobierno federal, que es un concepto diferente al que usa el Informe 1983 del BID, fue el 4,4 por 100 del PIB en 1980, que fue financiado en su totalidad por la autoridad monetaria [2].

El atajo del financiamiento exterior

Así llegamos al problema de la deuda externa. El financiamiento de un desarrollo montado en una base no muy sólida internamente y, por eso mismo, cambiante con las fortunas de los países industrializados, tuvo que ser complementado con recursos externos. En el próximo capítulo veremos con más detalle por qué fue tan fácil por parte de la banca internacional el financiamiento externo de los diversos déficits a términos estrictamente comerciales. Ahora bastará indicar dos cosas: que no había otras fuentes de financiamiento exterior y que las nuevas fuentes ofrecían los préstamos a unos términos razonables, cuando no francamente beneficiosos. Las condiciones que imponía el Banco Mundial para otorgar préstamos para el desarrollo se acomodaban mal a los necesidades de los países latinoamericanos con mayor dinamismo, ya que éstas eran de naturaleza predominantemente financiera, para lo cual el Banco Mundial no da préstamos; y los préstamos financieros del Fondo Monetario Internacional tenían severas limitaciones. En el *Informe Brand* se deploraba, ya que:

> El Fondo Monetario Internacional ha impuesto a lo largo de los años condiciones tan rigurosas que los países deficitarios o no han aprovechado sus cuotas o las han utilizado demasiado tarde, dando preferencia, en cambio, al financiamiento proveniente de los bancos comerciales privados. Los recursos que el Fondo ofrece en condiciones más favorables son de por sí limitados y, además, se han aprovechado muy poco [3].

En estas circunstancias el crecimiento de los préstamos provenientes básicamente de fuentes privadas fue considerable. Y la deuda externa se fue acumulando a ritmo creciente. El cuadro siguiente da una idea del crecimiento de la deuda externa durante la década de los setenta.

---

[2] CEPAL. 1981, p. 53.

[3] BRAND, Willy: *North-South: A Programme for Survival. Report of the Independent Commission on International Development Issues.* Pan Books, London, 1980, p. 215.

Este nivel de endeudamiento no era todavía a finales de 1980 lo intolerable que se habría de hacer dos años después, por sucesos imprevisibles y totalmente ajenos a las economías latinoamericanas. Aunque el nivel de deuda había crecido rápidamente, la capacidad de los países para enfrentar las obligaciones de la deuda también había aumentado y además ahí estaba la banca internacional deseosa de hacer negocios con unos países que, en medio del estancamiento general, seguían creciendo a buen ritmo.

CUADRO 2.11

EVOLUCION DE LA DEUDA EXTERNA GLOBAL. 1973-1981

(Saldos a finales de año, en millones de dólares)

	1973	*1975*	*1979*	*1980*	*1981*
Países exportadores de petróleo:					
Bolivia	630	784	1.941	2.220	2.450
Ecuador	420	585	3.554	4.652	5.868
México	8.200	17.014	39.685 (16,9 %)	49.349 (24,4 %)	72.007 (46 %)
Perú	1.900	3.924	9.344	9.594	9.638
Venezuela	3.100	3.908	23.071 (40,9 %)	26.509 (14,8 %)	29.000 (9,1 %)
TOTAL	14.410	26.385	77.585	92.324	118.963
Países no exportadores de petróleo:					
Argentina	5.100	5.760	19.034 (53 %)	27.162 (42,7 %)	35.671 (31,3 %)
Brasil	11.000	20.091	58.907 (12,7 %)	68.354 (16,1 %)	78.580 (14,9 %)
Colombia	2.900	3.593	5.117	6.277	7.930
Costa Rica	270	462	2.333	3.183	3.360
Chile	3.100	4.072	8.484	11.084	15.542
Nicaragua	340	493	1.131	1.579	2.163
Uruguay	390	686	1.679	2.156	3.129
TOTAL	24.640	37.576	104.393	128.735	156.459
América Latina	42.300	69.093	181.978 (20,6 %)	221.059 (21,5 %)	275.422 (24,6 %)

Las cifras entre paréntesis son tasas anuales de crecimiento.

FUENTES: (1973 y 1975) CEPAL, 1981, p. 55. (1979-1981) CEPAL, *Balance preliminar de la economía latinoamericana, 1984.*

La capacidad de un país para servir la deuda externa se suele medir relacionando los pagos de intereses con el volumen de exportaciones, ya que de las exportaciones tiene que salir los dólares y otras monedas extranjeras necesarios para pagarla. Pues bien, a finales de la década, la relación se mantuvo en torno al 12 por 100 para el conjunto de países, aunque en los grandes deudores —que también eran las economías más dinámicas— la relación era mayor: en torno al 20 por 100 en México al 25 por 100 en Brasil y 14 por 100 en Chile. En cambio, en 1980 era sólo el 10 por 100 en Argentina, el 7 por 100 en Uruguay y el 3 por 100 en Venezuela. En 1979, la deuda representaba 2, 1 veces el total de las exportaciones y la tercera parte del producto interno bruto para el conjunto de América Latina. El experto en desarrollo y Premio Nobel de Economía, Arthur Lewis, calculaba que en 1913 esta primera relación era de 8,6 para Canadá, 5,6 para Australia y 2,4 para la India[4]. No son pues unas proporciones extraordinarias desde una perspectiva histórica.

El endeudamiento de los países latinoamericanos no fue, en toda la década de los setenta, una mala operación desde un punto de vista estrictamente financiero. Los créditos que los bancos ofrecían con generosidad, como después veremos, eran fáciles de conseguir. Se daban sin la previa presentación de un proyecto concreto y detallado para justificar su gasto, como era normal en los préstamos a largo plazo concedidos por las instituciones multilaterales y los fondos nacionales para el desarrollo. La banca comercial prefirió más bien el tipo de créditos «por programas», como el Banco Mundial concedió, sin mucho resultado, por algún tiempo. Se otorgaban con un mínimo de papeleo y de formalismos y sobre todo eran relativamente baratos.

En el cuadro siguiente aparece una aproximación de los tipos reales de interés que prevalecieron durante el período que estamos analizando. Los tipos reales son los tipos nominales depurados del monto de la inflación. Es una aproximación porque no se calculan los «spreads» y los «fees» (premios y comisiones), y porque el índice de precios al consumidor en los Estados Unidos, que aparece en la segunda columna no es quizá el mejor deflactor del tipo nominal de interés. Hubiera sido mejor restar del tipo nominal del LIBOR (el interés de los eurodólares) la variación de los precios en dólares de los principales productos que exportan los países deudores. A falta de una estadística homogénea para esta variable, he empleado como aproximación el índice de precios al consumidor de Estados Unidos. Sin embargo, el argumento queda suficientemente ilustrado con estas magnitudes.

---

[4] LAL, Deepak: «Time to put the Third World Debt into Perspective», *The Times,* London, 6 may 1983, p. 12.

CUADRO 2.12

EVOLUCION APROXIMADA DE LOS TIPOS REALES DE INTERES, 1974-1982

(Porcentajes)

	LIBOR 6 m. *	*Cambio IPC E.U.*	*Diferencia*
1974	10,84	11,00	−0,16
1975	7,75	9,10	−1,35
1976	6,12	5,80	0,32
1977	6,29	6,50	−0,21
1978	9,80	7,60	1,20
1979	11,90	11,30	0,60
1980	13,91	13,50	0,41
1981	16,69	10,40	6,29
1982	13,29	6,20	7,09

* Promedios anuales.

FUENTE: IMF, *International Financial Statistics, Yearbook 1985*, pp. 96 y 105.

Como observa el profesor Larry Sjaastad, de la Universidad de Chicago:

> Cuando los tipos de interés son negativos (y se espera que permanezcan así) es claramente imposible tener «demasiada» deuda exterior [5].

Esa era la lógica económica imperante en aquellos tiempos. El endeudamiento tenía sentido, mientras no se considerara que la forma de integración de las economías latinoamericanas en el mercado mundial no ofrecía a largo plazo seguridad alguna de que unas condiciones tan favorables pudieran mantenerse. Los críticos del modelo de desarrollo latinoamericano no lo creían, pero sus voces no fueron escuchadas. Los países latinoamericanos podrían haber previsto, a partir de sus experiencias pasadas, que esta financiación tan favorable era sólo pasajera y dependiente de unas necesidades totalmente excepcionales de los bancos de los países industrializados. Pero la tentación, o la desesperación, eran demasiado grandes para que los gobiernos latinoamericanos no tomaran este atajo que parecía un camino real.

Así estaban las cosas en América Latina al acabar la década de los setenta: cada país con su problema aparentemente bajo control, aunque,

[5] SJAASTAD, Larry A.: «¿A quién debemos el atolladero del endeudamiento internacional?», *Información Comercial Española*, Madrid, abril 1984, pp. 48 y 49

en realidad, sus economías estaban pendientes de un hilo, pendientes de lo que estaba pasando en las economías de los países industrializados.

El fondo del problema está en lo siguiente: por un lado las economías centrales enfrentan una grave situación de desempleo, por otro los países periféricos (no exportadores de petróleo) presentan enormes déficits en la cuenta corriente. Para absorber esos déficits se hace necesario o bien aumentar las exportaciones de estos países a los centrales, o bien reducir las importaciones provenientes de estas últimos. En las dos hipótesis el desempleo tendería a aumentar en los países centrales. Por lo tanto, disminuir el flujo de capitales hacia los países periféricos no contribuiría a mejorar la situación de los países centrales. Proseguir con el endeudamiento de los primeros, apelando al mercado financiero internacional, parece ser el mal menor desde el punto de vista de los segundos [6].

Esto escribía el economista brasileño Celso Furtado a finales de 1981, cuando la deuda externa no era todavía un problema de orden internacional. En el endeudamiento se conjugaron, de una manera perversa y casi catastrófica, las necesidades a corto plazo de los países latinoamericanos, que no podían dejar de crecer, con las de los países industrializados, que no podían permitir una mayor recesión. Hacia estos últimos tenemos que dirigir ahora nuestra atención.

---

[6] FURTADO, Celso: «Transnacionalizacâo e Monetarismo», *Pensamiento Iberoamericano*, Madrid, 1, enero-junio 1982, p. 39.

3. Bancos en busca de clientes

Después de responder a la pregunta de por qué se endeudaron los países latinoamericanos, tenemos que responder a otra correlativa: ¿Por qué dieron tantos créditos los bancos? Porque, a partir de mediados de 1982, se hizo evidente que los grandes bancos internacionales habían medido mal sus riesgos y habían puesto en peligro la liquidez de sus activos. ¿No vieron que las economías latinoamericanas eran unas economías demasiado vulnerables como para absorber sin riesgo las obligaciones que estaban contrayendo? ¿No fueron capaces de calcular que, en un contexto de instabilidad monetaria y decandencia del comercio internacional, el monto de los créditos que estaban otorgando pasaba la medida de la prudencia?

En este capítulo y el siguiente vamos a tratar del comportamiento de los bancos acreedores y analizar la estrategia de los banqueros, para intentar comprender por qué se metieron en el atolladero de la deuda. Esta explicación se basa en dos cambios fundamentales que se dieron en el ámbito financiero internacional en la década de los setenta. El primero es la nueva estrategia de participación en el desarrollo de los países del Tercer Mundo por parte de los países industrializados. El segundo, la rápida expansión de los grandes bancos comerciales en la esfera internacional.

Los bancos, por una parte, fueron instrumentos privilegiados de una política de los países industrializados hacia los subdesarrollados, que, alejándose del campo conflictivo del comercio, trató de capitalizar la importancia creciente de la esfera financiera a nivel internacional. Por otra parte, el afán natural de lucro, enzarzó a los bancos en una gran competencia en esa misma esfera, en un momento en que se estrechaban los mercados financieros en que estaban acostumbrados a operar. La búsqueda de nuevos clientes se les hizo apremiante ante la necesidad de reciclar los depósitos provenientes de los excedentes comerciales de los países árabes de la OPEP. Sin embargo, aunque los bancos encontraron nuevos instrumentos de crédito para descargar una parte importante de los riesgos sobre los deudores, no actuaron de una manera concertada, ni se preocuparon de recoger la información que requería el operar con mayores riesgos en nuevos mercados. La despreocupación por conocer la globalidad del proceso que estaban protagonizando es una de las principales críticas que se pueden hacer a los bancos.

La estrategia financiera de los países ricos en los años setenta

En el capítulo anterior veíamos cómo la prosperidad de los países desarollados afectó a la prosperidad de América Latina. Más adelante veremos cómo la recesión y el proteccionismo de aquellos acabó por frenar la expansión de ésta. Pero no quisiera dejar la impresión de que los vínculos entre las dos esferas económicas se limitan a las relaciones comerciales. De hecho, a medida que se debilitan éstas, se fortalecen las relaciones financieras. En efecto, cuando aumentaron los precios del petróleo y los de otras materias primas, en la segunda mitad de los años setenta, comenzó en los países industrializados un fuerte movimiento para sustituir las materias primas por materiales sintéticos o artificiales, ahorrar el uso de materias primas y presionar en los mercados, organizados o no, para que bajaran sus precios. Más aun, en algunos casos se promovió la producción de alimentos en los países industrializados para proteger a sus sectores agrícolas y, en definitiva, para no depender tanto de fuentes externas. Estas tendencias consiguieron pronto reducir las importaciones provenientes de los países subdesarrollados, a la vez que defendían sus industrias contra la competencia de las manufacturas exportadas por los países recién industrializados del Tercer Mundo.

Peter Drucker, en un artículo reciente en la revista *Foreign Affairs,* lo expresaba en una frase lapidaria:

> La economía de los productos primarios se ha desenganchado (uncoupled) de la economía industrial [1].

---

[1] DRUCKER, Peter F.: «The Changes in the World Economy», *Foreign Affairs,* primavera, 1986. Traducido en *Papeles de Economía España,* 29, 1986, 449-463.

Este proceso llevaba, naturalmente, a reducir las relaciones comerciales de los países industrializados con los subdesarrollados. Pero, en una aparente paradoja, a la vez que se debilitaban las relaciones comerciales, y los países se iban alejando en la esfera tradicional del comercio internacional, se iba tejiendo una red cada vez más espesa y complicada de relaciones financieras, que en cierta manera compensaba el «desenganche» de la esfera comercial. Peter Drucker, en el mencionado artículo, da a las relaciones financieras una importancia mayor que a las relaciones comerciales tradicionales:

> Los movimientos de capital, más que el comercio (en bienes y servicios), se han convertido en la fuerza impulsora de la economía mundial. Las dos no han acabado de desconectarse, pero el nexo entre ellas se ha relajado mucho y, lo que es peor, se ha hecho difícil de predecir.

De esta manera, las relaciones financieras han pasado a ser la esfera económica donde se compite para dominar los recursos económicos del mundo. Mientras el comercio internacional de mercancías tiene un volumen de entre 2,5 y 3 billones de dólares anuales, el mercado de eurodólares mueve 300.000 millones al día, que suponen 75 billones cada año. Además, el tráfico diario de divisas asciende a 150.000 millones de dólares, o 35 billones al año [2]. La diferencia entre las esferas comercial y financiera es verdaderamente abismal. De acuerdo con estas nuevas realidades, los países industrializados trataron de instrumentar una nueva política hacia el Tercer Mundo, llevando sus relaciones económicas con los países más prometedores a la esfera financiera. Para eso, obviamente, necesitaban el concurso de los bancos.

Los bancos, instrumentos de política exterior

Antes de ninguna consideración puramente económica, habría que examinar más a fondo la vinculación de los bancos con la política exterior de sus gobiernos. Es este un tema poco discutido en el contexto de la deuda, pero que convendría sacarlo más a la luz para motivar a los gobiernos del Grupo de los Cinco a tomar en sus manos las responsabilidades que les toca.

Philip Wellons, en un artículo publicado en *International Organization* en el verano de 1985 [3], exponía claramente el principio de esta colaboración:

---

[2] DRUCKER, Peter: *loc. cit.*, p. 457.

[3] WELLONS, Philip A.: «International debt: the behaviour of banks in a poli-

Los actores principales en el sistema de la deuda internacional han sido los gobiernos individuales del Grupo de los Cinco.

Y Henry Haufman, el «gurú» de Wall Street, concuerda con esa opinión:

De hecho se animó a instituciones *privadas* a financiar una decisión *política* que surgió de una debilidad de los países industrializados (debilidad con respecto a los abastecimientos de energía)[4].

El argumento de Wellons se basa en la constatación de que los grandes bancos, aun los que operan en un contexto mundial, no son verdaderos bancos multi- o internacionales. Siguen siendo *bancos de un país concreto*, cuyas políticas afectan directa o indirectamente el comportamiento de los bancos.

Durante muchos años los bancos han usado los procesos políticos internos al país de origen para afectar los créditos internacionales, para cambiar su estructura de costos, para mantener o cambiar las barreras de entrada o la movilidad, mantener o extender su libertad de las regulaciones y protegerse contra pérdidas imprevistas.

Para ver la importancia de la estructura doméstica de costos, hay que tener en cuenta que para los grandes bancos el mercado interno es el mercado individual más importante de todos en los que operan. Entre 1979 y 1983, por ejemplo, los beneficios internos de los diez mayores bancos de los Estados Unidos eran, a pesar de las ganancias que hacían en el exterior, los más importantes en un solo mercado. El Citicorp, uno de los bancos más internacionales del mundo, ganó en 1983 el 49 por 100 de sus ingresos netos en el mercado norteamericano y el restante 51 por 100 en los 90 países en que opera. El 40 por 100 de sus costos se producen en el país de origen y ninguna otra jurisdición política se acerca a una proporción semejante. Todos los demás bancos norteamericanos tienen una proporción de costos internos mucho mayor. Por lo tanto, un efecto sobre el costo al interior del país es, en virtud del tamaño mismo del mercado, mucho mayor de lo que ningún otro país puede causar. De la misma manera, la capacidad de los gobiernos propios para proteger el

ticized environment», *International Organization,* verano 1985, 39, 3, pp. 442-471.

[4] KAUFMAN, Henry: *Interest Rates, the Markets, and the New Financial World,* I. B. Taurus, London, 1986, p. 84.

mercado nacional, que es el mayor, ofrece una importante oportunidad de afectar los ingresos de los bancos.

Muchos de los argumentos de que los bancos se hacen transnacionales para eludir las regulaciones de su país natal, operando en muchas jurisdicciones, pero en realidad bajo ninguna de ellas, subestiman un tanto el poder de los estados de origen. La mayor parte de los países tienen la autoridad y el poder de regular los préstamos internacionales de sus bancos. De alguna manera todos los gobiernos de los países del Grupo de los Cinco ejercen esta autoridad sobre las operaciones internacionales de sus propios bancos más efectivamente que ninguna otra jurisdición. Sin embargo, el ancla más fuerte que mantiene a los bancos ligados a su país de origen es la calidad de prestamista en última instancia (*lender of last resort*), que tienen los bancos centrales de cada país con respecto a los bancos comerciales propios. Cada país vela por sus bancos y los banqueros saben que en caso de crisis pueden dirigirse a su gobierno y a nadie más. Sólo su gobierno les puede salvar de la bancarrota. Lo cual no dice mucho de la supuesta transnacionalidad o independencia de los bancos.

Estando los bancos tan ligados a sus países de origen y a sus gobiernos respectivos, no es sorprendente que las cuestiones políticas internas tengan unas lógicas implicaciones para los préstamos internacionales. Si un gobierno está preocupado con la importancia de un país deudor para la economía y seguridad del propio país —Polonia para Alemania Federal y México para Estados Unidos, por ejemplo—, los grandes bancos preferirán dar créditos a los países que son estratégicamente importantes para su país. Esa es la conclusión que saca Wellons:

Los patrones de los préstamos internacionales indican que los bancos anticipan efectivamente los intereses económicos y de seguridad de sus países de origen en los países acreedores. Por ejemplo, de 1979 a 1982, los bancos norteamericanos retenían una mayor porción del mercado en América Latina y la Cuenca del Pacífico, que son zonas de interés para Estados Unidos por el comercio, la inversión y por razones de seguridad. Esta observación indica que los bancos responden a los intereses nacionales y no van por delante de ellos [5].

La tesis de Wellons es interesante, siempre que no se haga de los bancos una parte de la «superestructura» política, reduciendo en su comportamiento lo económico a lo político. También aquí se dan diferencias entre las relaciones de los gobiernos y los bancos en Estados Unidos y Europa. Los bancos americanos son, en general, más independientes de su

[5] WELLONS, P. A.: *loc. cit.*, p. 471.

gobierno que los europeos. Y en todo caso no se puede pasar por alto la diferencia que ha significado para el funcionamiento del sistema bancario la expansión del «off-shore banking», o banca fuera de las fronteras, que, aunque controlada en última instancia por los estados originarios de los bancos, ha tenido una enorme libertad para revolucionar en muy poco tiempo las prácticas y los instrumentos bancarios.

La estrategia de los banqueros

a) *La búsqueda del lucro*

Los datos y el análisis del capítulo anterior son necesarios para entender por qué los grandes bancos privados norteamericanos, japoneses y europeos concedieron préstamos a los países de América Latina, metiéndose en el problema de la deuda, en que están desde 1982. Si no hubiera habido buenas perspetivas de beneficios, podemos estar seguros que los bancos privados, los grandes maestros de las finanzas mundiales, no se hubieran metido en este atolladero. Perspectivas ciertamente las había. Con tasas de crecimiento del 7 y el 8 por 100 anuales en unos momentos en que las economías más avanzadas crecían en el mejor de los casos al 1 ó 2 por 100, todo parecía indicar que había negocio seguro en unas economías tan dinámicas. A este respecto es interesante el testimonio de banqueros implicados en préstamos de esta índole:

> Aunque yo fui uno de aquellos banqueros que se afanaban alocadamente en la década de los setenta para dar préstamos a las prometedoras economías del mundo en desarrollo, estoy plenamente de acuerdo con los críticos de los bancos. Nos precipitamos ciegamente a coger un arco-iris, que nosotros pensamos llevaría a fáciles beneficios. Por nuestra avaricia e ignorancia estamos ahora atrapados en el poderoso campo de un gigantesco agujero negro. Nuestros descontrolados vehículos financieros son como frágiles naves espaciales en un rumbo suicida. Corremos el peligro de ser aniquilados por nuestros deudores, porque los altos funcionarios del estado que se reunieron en Seul la semana pasada nos mantienen en el rumbo hacia este peligro cósmico [6].

Este apasionado testimonio, publicado en el *International Herald Tribune* del 16 de octubre de 1985, es de un banquero que pidió mantener el anonimato. Pero debe ser persona importante, ya que, según el periódico, estuvo implicado en la concesión de más de 50.000 millones de

[6] *International Herald Tribune,* octubre 16, 1985, p. 6.

dólares en préstamos a países subdesarrollados. Aunque el texto es bastante retórico y el tono del artículo es pesimista, quizá para oponerse con más fuerza al Plan Baker que salió de la reunión de Seul mencionada en el texto, refleja una autocrítica que otros banqueros han hecho.

El segundo testimonio es de Pedro Pablo Kuczynski, un peruano encumbrado a la alta dirección de The First Boston Corporation, de la que era director ejecutivo cuando escribió el siguiente texto:

> ¿Por qué se expandieron tan rápidamente los préstamos a los países en desarrollo más prósperos? Simplemente porque era beneficioso en una economía mundial en expansión. En general, los márgenes de interés sobre los costos de los fondos pagados por los gobiernos de los países en desarrollo eran sustancialmente mayores que los pagados por las empresas de mejor crédito —aunque hubo períodos de excepción— y la cantidad de trabajo legal y financiero para un préstamo a un gobierno o a una entidad garantizada por el gobierno era mucho menor que para una empresa privada. En cuanto al factor riesgo, la opinión dominante era que, como decían públicamente eminentes banqueros, los países en última instancia no pueden quebrar, mientras que las empresas pueden y de hecho quiebran. Naturalmente, lo que querían decir esos banqueros era que los países no desaparecen en el limbo del capítulo XI de la Ley de Bancarrota, como pasa a algunas empresas —aunque la historia nos enseña que los países también pueden caer en bancarrota. Más aún, el ajuste relativamente rápido de la economía mundial al primer choque petrolero fomentó el optimismo... Los departamentos de análisis económico de los mayores bancos creían que los países acreedores serían capaces de soportar un nivel de servicio de deuda mucho mayor de lo que se hubiera considerado prudente en el pasado [7].

De hecho, para 1982, las ganancias de las operaciones exteriores de los principales bancos norteamericanos —sobre los que hay mayor información— representaban la proporción mayor del total. De sus operaciones exteriores, los préstamos a los países más avanzados del Tercer Mundo eran la parte más importante.

Sin embargo, aunque la perspectiva de ganancias fue una *condición necesaria* para emprender los grandes préstamos que se hicieron a América Latina, no fue una *condición suficiente.* La condición suficiente hay que buscarla más bien en las condiciones internas del sistema financiero y bancario internacional, en la necesidad de expansión de las operaciones de la banca multinacional ante una reducción de sus campos de operaciones tradicionales, y, en defenitiva, en la necesidad de tomar mayores riesgos con nuevos clientes y operaciones no tradicionales.

---

[7] KUCZYNSKY, Pedro Pablo: «Latin American Debt», *Foreign Affairs,* invierno, 1982/83, vol. 61, núm. 2, pp. 352-353.

CUADRO 3.1

GANANCIAS OBTENIDAS EN EL EXTERIOR POR LOS PRINCIPALES BANCOS NORTEAMERICANOS
(Porcentajes)

	1970	*1981*	*1982*
Citicorp	40	54	62
Bank of America	15	55	65
Chase Manhattan	22	60	70
Manufacturers Hanover	13	48	50
J. P. Morgan	25	67	72
Chemical New York	10	34	39
Bankers Trust New York	15	62	51

FUENTES: Datos provenientes de Salomon Bros., publicados en *The Economist,* 14 de enero de 1978, y en *Forbes,* 5 de julio de 1982 y 4 de julio de 1983. Tomados de *Comercio Exterior,* México, abril de 1986, p. 304.

b) *La diferenciación de productos en la «industria» bancaria*

Los protagonistas del drama de la deuda por parte de los países industrializados son los bancos multinacionales: bancos de un país concreto ligados, como acabamos de ver, a los intereses de ese país, pero que operan en muchas partes del mundo a través de sucursales. Aunque los primeros bancos multinacionales fueron los bancos ingleses, que ya en el siglo XIX financiaban las operaciones de exportación de muchos países, en la actualidad dominan el campo los bancos norteamericanos, cuya presencia en el mundo ha crecido exponencialmente. En 1955, según el estudio de Willian Clarcke, *The City in the World Economy,* los bancos ingleses tenían 500 sucursales en el mundo, mientras los norteamericanos sólo tenían 112. Sin embargo, en 1978 este último número era de 761[8], y hoy posiblemente pase de los mil.

La industria bancaria en Estados Unidos sufrió profundas transformaciones en la década de los setenta debido a tres influencias fundamentales: la necesidad de acompañar a las empresas multinacionales, la conveniencia de diversificar la cartera con activos internacionales en monedas diferentes del dólar y la oportunidad de eludir las regulaciones bancarias de su país de origen. Estas necesidades internas confluyeron, por así decir,

[8] BERNAL, Richard L.: «Los bancos transnacionales, el FMI y la deuda externa de los países en desarrollo», *Comercio exterior,* México, febrero 1985, vol. 35, número 2, pp. 115-124.

con el diseño por parte de sus gobiernos de una política de relaciones financieras con el Tercer Mundo. Eventualmente, todos estos elementos se aunaron ante la necesidad, impuesta por las circunstancias, de «reciclar» los excedentes líquidos de los países exportadores de petróleo. La competencia y el «efecto demostración» llevó incluso a bancos con poca experiencia en los préstamos internacionales a entrar en esta «nueva frontera» financiera que prometía tanto.

En el contexto de los profundos cambios que sufrieron las estructuras y prácticas bancarias en los años setenta en los Estados Unidos, se ha hablado de «una crisis de identidad de los bancos» [9]. El comienzo de esta crisis se sitúa en 1967, cuando el First National City Bank de New York se convierte en una compañía holding llamada Citicorp, para extender sus operaciones fuera del campo tradicional de la concesión de créditos en base a los depósitos de sus clientes y sus recursos propios. La Citicorp se convirtió así en el primer «money center bank», cuyas operaciones le convierten en un intermediario financiero en el pleno sentido de la palabra. Los depósitos de los clientes tradicionales serán una pequeña parte de sus pasivos y de la base de sus operaciones, en cambio funcionará comprando y vendiendo depósitos de otros y a otros bancos, más en la línea de un «broker» de dinero que en la de prestamista de dinero. Estas operaciones se nutren de los fondos depositados en el mercado de eurodólares, un mercado no necesariamente europeo, aunque en todo caso «off-shore», del cual la Citicorp se constituye en uno de sus principales agentes.

Entre 1970 y 1980, el «Citicorp concept», como se decía en los círculos bancarios, es adoptado por la mayoría de los 50 bancos más importantes del mundo, es decir, los que consiguen «hacer el mercado». David Rockefeller, presidente del Chase Manhattan, el principal rival del Citicorp, describía su propio banco, también sometido a la metamorfosis, como «una corporación multinacional de servicios financieros». Este tipo de empresas holding se hace llamar ahora «empresa de servicios financieros» para describir la diversidad y multiplicidad de sus funciones. Estos «money center banks» (no encuentro una simple expresión castellana para traducir el concepto) se convierten en recolectores de fondos primarios, que canalizan a otros bancos a través de un mercado interbancario sumamente activo y diferenciado, al que sólo tienen acceso instituciones financieras —o los departamentos financieros de las grandes empresas—.

---

[9] LOMBARDI, Richard W.: *Debt Trap. Rethinking the Logic of Development.* Praeger, New York, 1985, p. 99.

c) *El acompañamiento de las empresas multinacionales*

Estas metamorfosis de los grandes bancos «tradicionales» les hicieron más adaptados para acompañar en la esfera de los servicios financieros a las cada vez más variadas, complejas y extensas operaciones de las empresas multinacionales. Se puede demostrar una estrecha correlación entre la expansión de las multinacionales en Europa occidental y la expansión del mercado de eurodólares y entre ésta y la creciente presencia de la banca americana en Europa.

CUADRO 3.2

EXPANSION DE LA INVERSION DIRECTA Y DE LA BANCA AMERICANA EN EL EXTRANJERO

(En miles de millones de dólares)

	1970	*1972*	*1974*	*1976*	*1978*	*1980*
1. Inversiones directas...	75,5.	89,9	110,1	136,8	162,7	215,4
2. Títulos	21,0	27,6	28,2	44,2	53,4	62,5
3. Activos de bancos ...	13,8	20,7	46,2	81,1	130,8	203,9
(Tasa de aumento)		(50 %)	(123 %)	(76 %)	(61 %)	(57 %)

FUENTE: U. S. Department of Commerce, *Business Statistics. 1982,* Washington, noviembre de 1983, p. 210.

d) *Política de diversificación*

La necesidad de diversificar la cartera de activos se hizo imperiosa cuando se introdujo en el mundo el sistema de tipos de cambio flexible, que aumentó la volatilidad de los tipos de cambio en proporciones desconocidas anteriormente. Las oscilaciones del valor del dólar con respecto a las principales monedas europeas (marco alemán, libra y franco suizo) y con el yen, y su casi continua depreciación entre 1973 y 1980 con respecto a ellas, obligaban a las empresas norteamericanas a tener activos denominados en monedas diferentes del dólar y a los bancos a diversificar sus préstamos por sectores industriales, países y áreas geográficas enteras. Los bancos particularmente buscaron sectores económicos en expansión, entre los cuales en aquellos años sobresalía el petróleo, aunque también hubo otros, como los alimentos, los materiales sintéticos, la electrónica y los servicios en general. Se puede leer en el *Informe anual* del Citicorp de 1976:

La política mundial del Citicorp de diversificar muy ampliamente sus activos y pasivos ayuda a mantener la estabilidad y disminuye el riesgo de una concentración excesiva en un solo país, o en una determinada moneda o sector industrial [10].

La volatilidad de los cambios, las diferencias de las tasas de inflación y de los tipos de interés entre países, que fue el fruto amargo de la reforma del sistema monetario de 1973, hizo posible a las instituciones financieras un nuevo tipo de ganancias derivadas de la especulación con las expectativas de cambios. Y así movieron fondos de un país a otro con gran rapidez y frecuencia a través del mercado interbancario, cosa que el sistema de tipos de cambio flexible facilitaba enormemente. De manera que la reforma del sistema de tipos de cambio, con el inconveniente de tener que defenderse contra una mayor volatilidad de las variables monetarias claves, trajo a las instituciones financieras la ventaja de poder hacer grandes beneficios, aprovechándose de la movilidad que las reformas dieron a los capitales. Los bancos entraron así en la arena internacional con la perspectiva de grandes beneficios si acertaban en el juego de formar expectativas correctas sobre los movimientos futuros de las monedas y de los tipos de interés.

e) *La influencia de las regulaciones bancarias*

Mucho se ha hablado de la expansión del «off-shore banking» como resultado del intento de eludir las regulaciones bancarias de los Estados Unidos. En parte con razón. En Estados Unidos, donde la actividad de los bancos era hasta hace poco meramente intra-estatal, la internacionalización de sus actividades resultó ser una manera de superar las barreras a la expansión. Por otra parte, la «regulación Q» de la Federal Reserve Act imponía topes al interés que se podía pagar a los depósitos, como elemento de captación de clientes. Hasta julio de 1963, los intereses de los depósitos de treinta a ochenta y nueve días estaban limitados al 1 por 100, y al 2,5 por 100 a los depósitos a noventa días o más. Estos topes se levantaron en 1970, pero sólo en 1978 se eliminó la prohibición de pagar interés a los depósitos a la vista. Lógicamente, los bancos trataron de captar clientes en el exterior ofreciendo intereses competitivos a sus depósitos. El impuesto sobre las inversiones en el extranjero (Interest equalization tax), las «Johnson guidelines», el Foreign Direct Investment Programme y otras medidas para proteger la balanza de pagos contribuyeron a que las empresas norteamericanas que operaban en el exterior busca-

[10] Bernal, R.: *loc. cit.*, p. 117.

ran financiamiento en los países donde tenían filiales. Obviamente, la internalización fue una manera de eludir la limitación a la competencia, y de compensar los obstáculos que hubo en los sesenta en Estados Unidos para exportar capital. Así nacieron los eurodólares.

Pero aquí hay que recordar lo que decíamos antes de que los gobiernos siguen con autoridad y poder para controlar a sus bancos multinacionales. Lo que sucede es que los gobiernos generalmente toleran y aun fomentan la operación internacional de sus bancos, porque es una manera de permitir que estos sigan la búsqueda de su mayor lucro sin necesidad de que los gobiernos tengan que retirar o revocar la legislación vigente, que sigue teniendo razón de ser a nivel interno. Yendo a operar libremente al extranjero no hay contradicción entre la legislación y el deseo de que los bancos propios prosperen al máximo.

f) *Estrategias oligopolistas*

No debiéramos olvidar que los grandes bancos son oligopolios, cuyo comportamiento a nivel internacional, a través de su expansión como empresas multinacionales, está perfectamente estudiado. Los oligopolios se mueven por el mundo en base a una estrategia competitiva que tiene como escenario y como horizonte el mundo entero. Los movimientos de una de estas grandes empresas a una región del mundo o a un sector de la economía obliga a sus más cercanos competidores a dar pasos semejantes para no perder posiciones para el futuro o su porción del mercado en el presente más inmediato. Esta explicación de las multinacionales de la industria, que ofreció el economista canadiense Stephen Hymer [11], se puede aplicar con el mismo rigor a los bancos, en cuanto son empresas competitivas en un mercado oligopólico y multinacionales que operan en todo el mundo. Algunos de los préstamos a América Latina, que se hicieron de hecho con los riesgos mal calculados, se deben sin duda a esta tendencia a seguir al líder o a seguir a la competencia a terrenos nuevos, que pudieran ser determinantes en el futuro.

El líder indiscutible en esa «industria» oligopolista en Estados Unidos, en que dominan cinco grandes «money-center-banks», fue la Citicorp, que bajo la dirección optimista y agresiva de Walter B. Wriston guió a los grandes bancos de Estados Unidos, Europa y Japón en la concesión de préstamos gigantes a los países en desarrollo. Wriston enunció los principios, las concepciones y las visiones de los banqueros en este negocio. Sus palabras y sus acciones establecieron pautas de comportamiento

[11] HYMER, Stephen H.: *The International Operations of National Firms,* The M. I. T. Press, London, 1976.

entre los banqueros de todo el mundo. El Citibank, la vanguardia financiera del Citicorp, fue el líder de los préstamos a los países en desarrollo. En 1976, en plena efervescencia de Wriston, el Citibank obtenía el 13 por 100 de sus beneficios totales de Brasil solamente, mientras en Estados Unidos obtenía el 29 por 100 [12]. Siendo el banquero más agresivo en el campo de los préstamos a los países en desarrollo, Wriston hizo del Citibank el mayor y más rentable banco de Nueva York, ganando fácilmente al Chase Manhattan y al Morgan Guaranty, sus principales competidores.

La competencia entre los bancos para colocar préstamos a los gobiernos de los países más prometedores está perfectamente documentada en artículos y libros; el de Anthony Sampson, *The Money Lenders,* es probablemente el más famoso y el más rico en anécdotas para mostrar a qué extremos llegaron los banqueros en su caza de clientes. Desde la perspectiva de los banqueros la competencia en la concesión de los préstamos se imponía de una manera implacable, no imaginada por las personas ajenas al negocio bancario. Para 1980, una vez que los japoneses y europeos entraron en la dinámica de los grandes préstamos, la competencia se hizo encarnizada, reduciendo los márgenes sobre los costos de los fondos hasta menos del 1 por 100. La competencia oligopolista se manifestó como una fuerza nefasta en la retención mutua de información, sobre todo cuando los bancos comenzaron a ocultar los préstamos a corto plazo bajo la apariencia de «self-liquidating-loans», o préstamos al comercio, para no descubrir a los competidores sus verdaderas relaciones con los clientes comunes a todos ellos.

«Algunas personas más reflexivas —comentaba John Makin— se preguntaban por qué el riesgo de los préstamos a Zaire o las Filipinas tendrían que evaluarse con un premio de sólo medio punto porcentual sobre el de la ATT; pero eso era el negocio. La competencia para hacer préstamos —esta era la manera de crecer y aumentar las ganancias— mantuvo los márgenes bajos y además, los países "prestatarios soberanos" no caen en bancarrota. Prestar a los países en desarrollo era donde estaba la acción. Incluso durante la recesión de 1981 había mucha acción, especialmente en los mercados a corto plazo y a un día, donde, al menos hasta agosto de 1982, México y Brasil renovaban miles de millones de préstamos a corto plazo para pagar las cargas de otros préstamos a largo plazo» [13].

---

[12] Datos de SAMPSON, Anthony, *The Money Lenders,* Penguin, 1981, p. 178, que cita como fuente a Solomon Brothers.

[13] MAKIN, John H.: *The Global Debt Crisis. America's Growing Involvement.* Basic Books, New York, 1984, p. 149.

Antes del despliegue de la nueva estrategia en los años setenta, los bancos comerciales habían intervenido en una forma limitada en el financiamiento del desarrollo: financiando las exportaciones de los países industrializados con las garantías de sus respectivos gobiernos o instituciones públicas creadas para estos fines. Además de atractivas comisiones, los programas de ayuda y los esquemas de garantía daban a los bancos una sustancial protección gratuita contra el riesgo de operar con países del Tercer Mundo. Gradualmente los bancos fueron entrando en el seguro negocio de la co-financiación a tipos de interés subsidiados, con facilidades de descuento y el respaldo de la garantía estatal para el caso de insolvencia del deudor. Así se fueron preparando a la financiación del desarrollo, aunque las cantidades implicadas de esta forma nunca fueron grandes. Fue, sin embargo, la necesidad de reciclar —una palabra que describe perfectamente la naturaleza de la operación— los excedentes generados por los países exportadores de petróleo después de 1973 lo que activó la estrategia financiera de los países industrializados. Los gobiernos animaron a los bancos comerciales privados a entrar, con la nueva estructura y los nuevos instrumentos de que disponían, en este campo relativamente nuevo para ellos del «sovereign lending», es decir, el prestar sin garantías oficiales a países soberanos, sobre los que no tenían ningún recurso legal para imponer el pago de las deudas.

Los excedentes del petróleo

Hoy en día se considera que los préstamos que se hicieron a algunos países más desarrollados del Tercer Mundo fueron vitales para mantener funcionando el sistema monetario internacional en unos tiempos de severa crisis. Constituyeron, en aquel momento, una operación de ayuda mutua en que las dos partes se beneficiaron grandemente, aunque con el tiempo se creó una marcada asimetría: mientras los bancos de los países industrializados salvaron el escollo de la crisis del petróleo, los países del Tercer Mundo que contribuyeron al salvamento con su absorción de fondos prestables están hoy encallados en los bajíos del servicio de la deuda.

Los cambios en los precios del petróleo que se dieron en 1973 y años sucesivos trajeron como consecuencia un cambio sustancial en el patrón de los pagos internacionales y en la composición de las balanzas de pagos de muchos países.

Las cifras del cuadro 3.3, un tanto globales, nos dan una idea de los cambios que se producen en la esfera de los pagos internacionales. Mientras el conjunto de los países industrializados veían reducirse sus exceden-

CUADRO 3.3

BALANZA DE CUENTA CORRIENTE, COMO PORCENTAJE DEL P.I.B., 1960-1984

País	*1960*	*1973*	*1974*	*1975*	*1979*	*1980*	*1981*	*1982*
A)	−2,3	−0,8	−3,5	−4,0	−2,6	−3,4	−3,9	−3,4
B)	9,7	21,2	51,5	40,2	21,2	31,4	32,2	20,1
C)	1,0	0,7	−0,2	0,6	0,0	−0,5	0,0	0,0

A) Países subdesarrollados importadores de petróleo.
B) Países exportadores de petróleo de altos ingresos.
C) Países industrializados.

FUENTE: World Bank, *World Development Report. 1985*, p. 17.

tes históricos, los países subdesarrollados, importadores netos de petróleo, aumentaban sus déficits considerablemente, a la vez que surgían unos pocos exportadores de petróleo que desarrollaron unos excedentes monumentales en la cuenta corriente. Para poder evaluarlo en términos absolutos se ofrece el cuadro siguiente:

CUADRO 3.4

BALANZA DE CUENTA CORRIENTE ENTRE 1970 Y 1982
(En miles de millones de dólares)

País	*1970-1972* *	*1973*	*1974*	*1975-1978* *	*1979*	*1980*	*1981*	*1982*
A)	−12,8	−9,1	−21,0	−39,5	−51,7	−68,0	−105,0	−99,2
B)	2,0	9,1	55,9	33,8	61,9	99,6	56,3	3,3
C)	7,0	10,3	−14,6	12,2	−5,6	−38,8	3,1	1,2

* Representan promedios anuales.

FUENTE: World Bank, *World Development Report, 1985*, p. 33.

El resultado de los cambios en el patrón internacional de los flujos de fondos financieros fue el trasvase de fondos de países con una propensión a ahorrar mediana o baja, como podemos considerar a los industrializados y subdesarrollados, a países con una elevada propensión a ahorrar, como eran los mayores exportadores de petróleo del Oriente Medio, Arabia Saudita, Kuwait, los Emiratos Arabes Unidos, Qatar y, en su medida, Libia. Estos son países de baja absorción —mucho ahorro— porque carecen de habitantes y, en definitiva, de capacidad suficiente para gastar, en consumo o en inversión, los ingresos del petróleo. Eso reflejan sus ingresos per cápita, que estaban en 1983 entre los 8.480 dólares de Libia y los 22.870 dólares de los Emiratos (España, en esa misma fecha, tenía 4.780, según datos del Banco Mundial). Los cambios aumentaron casi súbitamente y en una gran cantidad la oferta de ahorros —de fondos prestables— en el sistema financiero internacional, contribuyendo a la depresión de la actividad económica y reduciendo los tipos de interés, como reflejo de la abundancia de fondos. Naturalmente, mucho más se hubiera deprimido la actividad de los países industrializados y los tipos de interés si no hubiera sido por los préstamos a los países en desarrollo.

El reciclaje de los excedentes

El reciclaje de los excedentes de los países exportadores de petróleo, lo que se dio en llamar «petrodólares», se hizo a través de los «money center banks» de los países industrializados, que pusieron en juego en esta operación sus nuevos modos de operar y nuevos instrumentos que se iban inventando para cada ocasión. Los bancos más importantes, que atrajeron los mayores volúmenes de depósitos, no sólo hicieron préstamos a los países del Tercer Mundo, sino que distribuyeron fondos, a través del mercado interbancario de depósitos, a bancos menores que se encargaron también de hacer a su vez préstamos a los mismos clientes de los bancos grandes. Estas operaciones fueron facilitadas por el hecho de que los inversores árabes mostraron una extraordinaria preferencia por los depósitos bancarios.

Un rápido cálculo nos indica que en el «reciclaje» se trataba de dar salida hacia inversiones rentables a 333.500 millones de dólares que se acumularon en el sistema bancario solamente de los excedentes de los países árabes. El 40 por 100 de estos fondos fueron a Estados Unidos e Inglaterra, los países donde están los principales «money center banks», pero también se colocaron sumas importantes en Japón, Suiza, Francia y Alemania. La forma concreta que tomaron esas colocaciones variaron con el tiempo, pasando de ser el 50 por 100 en depósitos a corto plazo, es decir, la forma de activo (pasivo para el banco) a más corto plazo, al 3,8 por 100 en 1980; pero fue del 65 por 100 después de la segunda subida de 1979. El patrón es el mismo en 1973 y 1979: pasado el primer momento, los países de la OPEP colocaron sus excedentes en activos de mayor rentabilidad y menos liquidez, como títulos de deuda del gobierno de Estados Unidos, bonos y acciones de empresas, propiedades y terrenos,

CUADRO 3.5

LA COLOCACION DE LOS EXCEDENTES DE LA OPEP, 1974-1982
(En miles de millones de dólares)

	1974	*1975*	*1976*	*1977*	*1978*	*1979*	*1980*	*1981*	*1982*
A1)	4,2	0,6	1,9	0,4	0,8	5,1	−1,3	−2,0	4,6
A2)	7,3	7,3	9,2	6,9	−0,4	1,9	18,4	19,8	8,1
B)	22,0	8,7	11,2	16,4	6,6	33,4	43,0	3,9	−16,5
C)	2,4	0,6	−0,9	1,2	0,0	2,0	2,6	0,5	−0,4
D)	20,3	26,0	21,0	20,9	18,6	19,7	37,5	40,7	18,2
TOTAL	56,2	43,2	42,2	45,8	25,6	62,1	100,2	62,9	14,0
E)	50,9	22,9	28,8	39,3	28,9	65,2	44,2	3,8	—

A1) Depósitos bancarios en Estados Unidos.
A2) Otras inversiones en Estados Unidos.
B) Depósitos bancarios en el mercado de eurodólares.
C) Otros depósitos bancarios.
D) Otras inversiones.
E) Porcentaje de los depósitos sobre el total.

FUENTE: World Bank, *World Development Report, 1985,* p. 89.

dedicando una parte a préstamos de ayuda oficial al desarrollo (AOD) de países subdesarrollados.

El problema del reciclaje, o mejor, de la necesidad del reciclaje, no era sólo una cuestión de volumen, un exceso de oferta, como si dijéramos, de fondos prestables en los mercados financieros tradicionales. Era también que los bancos estaban aceptando grandes cantidades de depósitos —pasivos— a corto plazo, mientras que sus inversiones —activos—, tenían que ser en su mayoría de mediano largo plazo por falta de otras oportunidades. Los bancos se veían forzados a hacer lo que se denomina en términos técnicos «borrowing short and lending long», que es una situación muy comprometida para cualquier tesorería. El problema se resolvió una vez más a través del mercado interbancario con los préstamos sindicados, que repartían el riesgo entre muchos bancos, la mayoría de los cuales tenía que obtener depósitos de los «money center banks» que patrocinaban los préstamos y que garantizaban el automático «rollover» (renovación) de los préstamos, cuando les llegaba el vencimiento. De esta manera los bancos secundarios evitaban problemas de liquidez, pues siempre podían reponer sus reservas y sus activos líquidos acudiendo a los «money center bank», que les daban nuevos fondos para componer sus balances. Los grandes bancos receptores de fondos primarios confiaban en el mismo volumen de sus préstamos para evitar problemas de liquidez.

La operación de reciclaje de estos depósitos suponía un cambio de gran envergadura en la estrategia global de los bancos comerciales. Según el *Informe del desarrollo mundial de 1985* del Banco Mundial:

> Los excedentes de la OPEP se reciclaron con una facilidad sorprendente... Los excedentes fueron reciclados mayoritariamente a los países subdesarrollados, no a los industrializados. Esto fue posible por un cambio importante en la estructura de los flujos financieros entre países industrializados y subdesarrollados [14].

El mencionado cambio fue de grandes consecuencias. Se refiere al cambio de los agentes y los canales para transferir el capital necesario para el desarrollo de los países que lo tienen a los países que carecen de él. Tradicionalmente las fuentes de financiamiento del Tercer Mundo han sido:

A) *Donaciones* de todo tipo, pero normalmente como parte de B.

B) *Ayuda oficial al desarrollo (AOD),* que la suelen dar gobiernos, organizaciones no gubernamentales (NGOs) e instituciones multilaterales como el Banco Mundial, el BID y otros bancos para el desarrollo. Aparte de las donaciones, esta ayuda toma la forma de préstamos de capital en condiciones muy favorables: bajos tipos de interés (del 5 al 7 por 100, por ejemplo), plazos largos (un promedio de veinticinco años) y períodos de gracia generosos (hasta de diez años).

C) *Flujos oficiales en condiciones normales,* es decir, según las condiciones imperantes los mercados financieros, aunque generalmente en el límite inferior de las exigencias.

D) *Inversión directa privada,* que es básicamente la inversión de las empresas multinacionales.

E) *Préstamos de la banca comercial,* en términos estrictamente comerciales.

F) *Mercados de bonos* y otros títulos de deuda pública y privada.

La evolución de los arreglos institucionales para suministrar capital al Tercer Mundo refleja las evoluciones de la economía internacional, y especialmente los cambios en las instituciones y prácticas financieras de los principales países industrializados como consecuencia de su nueva estrategia financiera. En la provisión de capital al Tercer Mundo se pueden distinguir tres períodos:

---

[14] World Bank, *World Development Report, 1985,* p. 32.

1. Desde el final de la guerra mundial hasta bien entrada la década de los sesenta, las principales formas del financiamiento externo de los países subdesarrollados fueron los flujos de ayuda oficial, las inversiones de empresas multinacionales y el financiamiento a corto plazo del comercio, como créditos de proveedores privados o garantizados por el gobierno del país exportador. Los déficits en cuenta corriente eran financiados normalmente por medio de arreglos específicos entre estados o acudiendo al Fondo Monetario Internacional, que está dotado de un fondo para aliviar problemas temporales de las balanzas de pagos. En este período, la banca comercial privada jugó un papel marginal, financiando, como ya hemos visto, las operaciones exportadoras de sus clientes más seguros o colaborando a la financiación del comercio exterior con garantías del estado. Sus operaciones estaban además limitadas institucionalmente en sus respectivos países por las regulaciones que dificultaban la exportación de capitales y por la política de mantenimiento del tipo de cambio que era bajo el sistema de tipos de cambio fijos.
2. Desde finales de los años sesenta hasta 1982, en que estalla la crisis del endeudamiento, el ambiente financiero se hace más inestable y problemático. Los tipos de cambio flexibles, con la volatilidad generalizada, y eventualmente la recesión y el desempleo, forzaron a los bancos a adaptarse a las nuevas circunstancias —que en parte habían contribuidos a crear— consiguiendo cambiar los arreglos institucionales que obstaculizaban su expansión internacional. Entre otros cambios que ya hemos mencionado, pasaron a realizar actividades totalmente nuevas para ellos, como fueron el financiamiento de los déficits en la cuenta corriente de países soberanos y las operaciones de inversión a mediano y largo plazo de gobiernos y de instituciones privadas con garantía oficial. En este período los flujos oficiales continuaron creciendo, aunque concentrándose, en virtud de una clara división del trabajo, en los países subdesarrollados con menor dinamismo, dejando el financiamiento externo de los países más dinámicos y con mayores reservas de recursos a la banca privada. La distribución aparece en el cuadro siguiente:
3. A partir de 1983 comienza otro período marcado por el creciente repliegue de los bancos comerciales y de las empresas multinacionales de las economías subdesarrolladas, pero procurando que este repliegue no sea tan grande que ponga en peligro la posibilidad de recuperar al menos una parte sustancial de los préstamos anteriores. Esta etapa se está caracterizando además por una trans-

CUADRO 3.6

FLUJOS DE CAPITAL A LOS PAISES SUBDESARROLLADOS, POR FUENTES DE LOS MISMOS, 1970-1983

(En miles de millones de dólares)

Fuente	*1970*	*1975*	*1980*	*1981*	*1982*	*1983*
A) y B) *	9,0	21,4	39,8	39,3	37,0	36,8
C)	3,9	10,5	24,5	22,2	22,0	19,6
D)	3,7	11,4	10,5	17,2	11,9	7,8
E)	3,0	12,0	23,0	30,0	26,0	36,0
F)	0,3	0,4	1,4	1,1	0,5	0,5
G)			26,0	22,0	15,0	−2,0
TOTAL	19,9	55,7	99,2	109,8	97,4	99,7
E/TOTAL	15,1 %	21,5	23,2	27,3	26,7	36,1

* Las letras corresponden a la clasificación de la página anterior. G) representa los préstamos bancarios a corto plazo.

FUENTE: World Bank, *World Development Report, 1985*, p. 21.

ferencia neta de recursos de los países subdesarrollados, al menos de los de América Latina, a los países industrializados, cambiando radicalmente los términos del problema. De esto nos ocuparemos más adelante.

4. La peligrosa naturaleza de los préstamos

La necesidad de reciclar los excedentes de la OPEP dio forma a una nueva estrategia de financiamiento del desarrollo de los países del Tercer Mundo. Esta estrategia reunía tanto las tendencias en la expansión internacional de los grandes bancos comerciales como las nuevas concepciones políticas en las relaciones entre los países industrializados y los subdesarrollados. Ahora tenemos que examinar más en concreto los instrumentos usados por los banqueros en la nueva y masiva operación de dar préstamos a países soberanos.

Los bancos, reconociendo los nuevos riesgos que asumían, trataron de protegerse contra los más conocidos o previsibles. La falta de un colateral o garantía prendaria, cuando se presta a gobiernos de países soberanos, y la ausencia de instancia supranacionales para forzar al pago de este tipo de deudas, obligó a los bancos a emplear nuevos instrumentos, que descargaban la mayor parte del riesgo sobre los deudores. Estos instrumentos tenían una gran lógica desde la perspectiva de acreedores individuales, pero, al acumular cada uno por su parte los riesgos en los deudores, hicieron a todo el sistema más vunerable. El endeudamiento de los países latinoamericanos resultó así, como los acontecimientos se encargarían de demostrar, de una naturaleza peligrosa para la relación de mutua dependencia que se establece entre deudores y acreedores.

Los nuevos clientes

En cierta manera, la calidad de la nueva clientela de los grandes bancos internacionales (en inglés, «creditworthiness») no podía ser mejor.

Los banqueros de la época repetían una y otra vez que los países no pueden quebrar. Funcionaban con el supuesto de que los préstamos estaban, en definitiva, respaldados por los recursos que poseía el país y la capacidad de los gobiernos de recaudar impuestos. «¿Es que México no vale más de 85.000 millones de dólares?», preguntaba en 1982 Walter B. Wriston, presidente del Citicorp. Los recursos de México valen ciertamente mucho más. Pero la falacia del razonamiento hecho por este director de banco está en que ni el Citicorp, ni ninguna otra empresa privada, tiene la capacidad jurídica ni el poder real para apoderarse del petróleo mexicano, por ejemplo, en caso de que éste no pague sus préstamos. Excluimos, por supuesto, la posibilidad de las guerras colonialistas del siglo XIX. Ese es el inconveniente para los banqueros del «sovereign lending». No había duda sobre la posesión de grandes activos por parte de los deudores; el problema reside en la accesibilidad a esos recursos por parte de los bancos.

La diferencia de estos préstamos con los préstamos hechos a personas y empresas privadas bajo la tutela de un régimen jurídico común y respaldado por un aval, prenda, hipoteca o cualquier tipo de «collateral», es que no tienen defensa legal para el caso de suspensión de pagos por parte del deudor. Lo cual, en cierta manera, tendría que haber hecho a los bancos más cautos sobre la extensión global de este tipo de operaciones. Sin embargo, la falacia de un respaldo global de créditos individuales, basado en los recursos de los deudores pudo más que las consideraciones más tradicionales. La competencia entre bancos, el afán de no perder una parte alicuota del negocio del siglo, en que estaban metidos los bancos más grandes y respetados del mundo, les hizo sobreestimar la calidad, la creditworthiness, de su propia clientela.

Como finamente ha notado John Makin [1], los hombres que regían los grandes bancos americanos en la década de los setenta estaban muy impresionados por el aura de control que rodeaba a los gobiernos latinoamericanos de la época. A los banqueros las transformaciones que habían tenido lugar en las economías latinoamericanas les afectaban como una racha de aire fresco. Un cómodo vuelo de Nueva York a Río o a Buenos Aires era para ellos como un viaje en el túnel del tiempo, que les hacía sentirse como si estuvieran en los Estados Unidos del siglo pasado, en un país rico en recursos naturales y lleno de personas dispuestas a tomar en serio la tarea de desarrollar su país. Dejaban atrás un laberinto de regulaciones y restricciones, leyes anti-trust, protección del medio am-

[1] MAKIN, John H.:, *The Global Debt Crisis. America's Growing Involvement*, Basic Books, New York, 1984, pp. 77-79.

biente, igualdad de oportunidades, etc. Les fascinaba sobre todo el control. Hombres como Delfim Neto en Brasil, o Krieger Vasena en Argentina parecían tener todas las riendas en sus manos. Estas riendas sujetaban los grandes conglomerados gubernamentales, como Pemex de México o Petrobras en Brasil. Las institutuciones económicas del gobierno estaban controladas por hombres en quienes los banqueros podían fiarse, tecnócratas educados en Harvard, MIT o Chicago, que hablaban el lenguaje de las finanzas internacionales y se identificaban con los objetivos globales del sistema capitalista. Fue en estas instituciones donde los banqueros colocaron sus inversiones para ulterior distribuición a las empresas estatales. De esa manera no era necesario invertir proyecto por proyecto. Al contrario, en lugar de gastar meses y miles de hombre-horas investigando diez proyectos de 10 millones de dólares cada uno, era más fácil reunir un crédito sindicato de 100 ó 200 millones para un solo préstamo al gobierno.

Los bancos en un primer momento se cubrieron del riesgo en que estaban incurriendo en base al principio actuarial de difuminar el riesgo en los grandes números, aunque lo hicieron aumentando el número de préstamos más que el número de clientes. De hecho, los países beneficiarios de los préstamos nunca fueron muchos. Pesaba, sin embargo, entre los economistas que asesoraban a los banqueros otro razonamiento, que también resultó falso, a saber, que siendo los clientes, o sea los países prestatarios, muy diferentes en estructura económica y política, los riesgos serían menores. Y así se hicieron préstamos a países exportadores de petróleo e importadores de petróleo, capitalistas y comunistas, afro-asiáticos y latinoamericanos. Pensaban que era altamente improbable que todos a la vez tuvieran problemas para pagar el servicio de la deuda.

El banquero Richard Lombardi, en su libro *Debt Trap* ha dado mucha importancia al hecho de que los préstamos se dieron atendiendo más a las condiciones generales de las economías de los países prestatarios, tal como se percibían en los gabinetes económicos de los bancos, que a los usos concretos a que se habrían de destinar los préstamos. Cuenta Lombardi que un préstamo a Costa Rica se dio en base a la información contenida en un recorte del *Time*. Esto puede ser un caso extremo, pero en general se abandonó el principio de dar préstamos a proyectos, como había sido la norma, con pocas y frustrantes excepciones, en la financiación del desarrollo por parte de las instituciones multilaterales especializadas y los fondos nacionales de la Ayuda Oficial al Desarrollo. Más aún, ni siquiera se siguió la estrategia del financiamiento por programas, que ya hubiera requerido concreción y estudio de la capacidad de cada programa para generar los recursos necesarios para el servicio de la deuda. La mayor parte de los créditos a los estados y organismos para-estatales se dieron para los «objetivos generales» (for the General Purposes) de los gobiernos prestatarios. Los créditos al Tercer Mundo se salieron de todas las normas de prudencia que fueron —y han vuelto a ser— normales en la selección de clientes internacionales y en la evaluación de la capacidad de pagar de los mismos. Los estudios sobre el riesgo-país con que se quiso justificar la heterodoxa práctica de los préstamos al Tercer Mundo han resultado, a la luz de los acontecimiento posteriores, ingenuos y simplistas cuando no dogmáticos, y un gran monumento —construido de naipes— al «whishfull thinking».

La escasez de estadísticas publicadas sobre las actividades individuales de los bancos contribuyó a aumentar el riesgo por falta de información global. Esta es quizá la circunstancia más grave de todo el proceso, como reconoce el Informe Económico del Presidente de los Estados Unidos:

> La actividad de los bancos de los años setenta fue más frecuentemente para la financiación general de las balanzas de pagos. En esto no hay propiamente nada de malo. Pero ello permitió que los préstamos totales sobrepasaran en mucho a la inversión total en proyectos. El hecho de que hubiera muchos bancos implicados en ello y de que al principio no hubiera buenas estadísticas agregadas añadió a la confusión. Es posible que los bancos no se dieran cuenta de la dimensión de la inversión colectiva [2].

Después de esto, sólo queda por añadir dos cosas. La primera es que los cambios en el entorno económico internacional, provocados por la política económica del nuevo presidente de los Estados Unidos, fueron algo inesperados; dicho sea en descargo de los economistas. Y también que los banqueros, aunque no se preocuparon excesivamente de la calidad de sus clientes, sí se preocuparon de arbitrar instrumentos financieros que redujeron sus riesgos. Alguno de estos instrumentos, los préstamos a interés flotante, por ejemplo, resultaron una trampa funesta para todos los actores de este drama.

El recurso al mercado de eurodólares

La mayor parte de los créditos que se dieron a América Latina procedían del mercado de eurodólares. En los años setenta el mercado de eurodólares se habían convertido en un enorme «pool» de fondos prestables, no ligado por las trabas que tiene la movilidad de capital aún en

---

[2] *Economic Report of the President. 1984,* U. S. Government Priting Office. Washington, 1984, p. 74.

los países con la legislación más liberal. El hecho de que una gran parte, el 33 por 100, de los excedentes petroleros fuera a parar como depósitos a este mercado, no hizo sino reforzar la tendencia, que ya era manifiesta antes de 1973, de depositar todo tipo de excedentes o reservas en el Euromercado, en el cual se podían mover con mucha agilidad y flexibilidad para optimizar los beneficios.

CUADRO 4.1

EVOLUCION DE LOS PRESTAMOS DEL SISTEMA FINANCIERO INTERNACIONAL Y DEL MERCADO DE EURODOLARES, 1973-1984
(En miles de millones de dólares)

	A)	*B)*	*C)*
1973	335	270	80,6 %
1976	620	500	80,6 %
1979	1.350	1.100	81,5 %
1982	2.100	1.600	76,2 %
1983	2.450	1.850	85,5 %
1984	2.520	1.970	78,2 %

A) Stock de préstamos del sistema financiero internacional.
B) Stock de préstamos del mercado de eurodólares.
C) Relación B)/A).
(Los datos están redondeados y son aproximados en todo caso.)

FUENTE: World Bank, *World Development Report, 1985,* p. 114, que cita como fuente el *Informe trimestral 1974-1985* del Banco de Pagos Internacionales de Basilea.

Se ha dicho que el recurso al mercado de eurodólares fue un error de los gobiernos latinoamericanos, ya que éste es un mercado indisciplinado y caótico, carente de vigilancia institucional, y sólo débilmente regulado por convenciones informales y «pactos de caballeros» entre los banqueros, es decir, autorregulado. Estas y otras afirmaciones semejantes repiten el mito de la independencia y libertad de la banca internacional y encubren la responsabilidad de los gobiernos en el problema de la deuda. Por lo tanto, son necesarias algunas precisiones.

En primer lugar, los saldos de eurodólares en manos de no residentes de los Estados Unidos, todavía constituyen pasivos externos del sistema bancario norteamericano. Son, en realidad, obligaciones hacia los bancos extranjeros, que mantienen cuentas a la vista en los bancos de Nueva York, para, a través de ellas, hacer la compensación de saldos —clearing— en dólares. En este sentido, la masa de eurodólares que circula por el mundo no escapa a la regulación monetaria del Sistema Federal de Reserva. Sólo se escaparían a su supervisión los saldos depositados en las filiales externas de los bancos norteamericanos, cuyos pasivos no se incluyen en las estadísticas de la oferta monetaria de Estados Unidos. Según este criterio, se estima que los «dólares sin estado» eran en 1979 entre 100 y 120 mil millones de dólares y no los 600 mil millones en que se estimaba la masa neta de eurodólares en circulación ese año [3]. Es todavía una cantidad considerable en términos absolutos, pero no deja de ser una pequeña parte del total.

En segundo lugar, es necesario matizar la creencia de que el mercado de eurodólares tomó sólo la iniciativa de hacer préstamos al Tercer Mundo. Una vez que los gobiernos de los países industrializados decidieron dejar a la banca comercial el financiamiento de los países más dinámicos del Tercer Mundo, habrían tomado medidas, en la ausencia del mercado de eurodólares, para facilitar la operación a sus bancos nacionales tradicionales. Si no hubiera habido mercado de eurodólares lo hubieran inventado entonces. Pero no hay duda que la existencia del mercado de eurodólares facilitaba de hecho la adopción de un doble standard en cuestiones de regulación bancaria.

Según el análisis que hace el semanario *The Economist:*

> Las autoridades norteamericanas no obstaculizaron este proceso. El dogmático Tesoro norteamericano no podía ver nada malo en la intermediación entre la oferta y la demanda en el mercado de dinero. Desde el principio se opuso a todas las propuestas para enfrentar colectivamente los problemas de la deuda internacional... Paradójicamente, el Sistema Federal de Reserva consideraba la dependencia (de otros bancos) de los bancos americanos en el proceso de reciclaje como un instrumento para fortalecer la política internacional de los Estados Unidos y se sentía muy a gusto con el hecho de que los grandes bancos norteamericanos jugaran el papel de líderes [4].

The Economist opinaba también que los bancos no americanos, que participaban en la operación de hacer préstamos a través del mercado de eurodólares, siempre creyeron que las autoridades monetarias de los Estados Unidos actuarían como «lenders of last resort», si alguna vez había falta de liquidez en los mercados de eurodólares. Los europeos creían firmemente que la negligencia de las autoridades monetarias era una manera de expresar su tácita aprobación de unos hechos que conocían muy bien.

---

[3] VERSLUY, Eugène: *The Political Economy of International Finance,* Gower, London, 1981, p. 34.

[4] «How it all went wrong», *The Economist,* 30 de abril de 1983, p. 11.

Sin embargo, no cabe duda que, aunque hubiera un control general o político de los préstamos al Tercer Mundo, el mercado de eurodólares funcionó con una gran flexibilidad, si no con completa libertad. La expansión del crédito asumió grandes proporciones en la medida en que el modo de operar del euromercado vino a parecerse a un sistema federal de reserva sin los requisitos de reservas ni control del banco central. «La demanda más que la oferta dictaba su tamaño», se ha afirmado [5]. Respondiendo a estas acusaciones, el banquero Pedro Pablo Kuczynski escribía:

> Es, desde luego, cierto que el mercado de eurodólares no está regulado formalmente en el sentido de que las autoridades monetarias no determinan las reservas que tienen que mantener y no fijan los tipos de interés de la manera que se hace en cada país internamente. Sin embargo, el mercado, dominado por el dólar norteamericano, es virtualmente una extensión del sistema monetario de los Estados Unidos y tiende a sentir rápidamente los efectos de la política monetaria de los Estados Unidos. Una efectiva regulación del Euromercado contribuiría probablemente a crear un nuevo mercado, una especie de Euromercado II, en la medida en que los fondos tienden a evitar limitaciones impuestas sobre los tipos de interés y los beneficios. La verdadera necesidad no es tanto una regulación como disponer de una buena información sobre los créditos [6].

Sea como sea, la verdad es que sin las facilidades que proporcionaba el mercado de eurodólares los países latinoamericanos y del Tercer Mundo no hubieran recibido tantos fondos prestados como recibieron de 1973 a 1982. Esto quizá hubiera sido mejor para ellos a la larga. En su momento, pocas objeciones se hicieron a la manera básica de funcionar del Euromercado. Sólo cuando surgió la crisis, se dieron cuenta los gobiernos que se habían ido metiendo en una trampa.

Préstamos sindicados

La forma principal que tomaron los créditos del mercado de eurodólares fue la de los *préstamos sindicados*. Estos préstamos eran suscritos por algunos pocos bancos importantes, que aportaban la mayor parte de los fondos, y por una mayor cantidad de bancos pequeños, que o bien aportaban sus propios depósitos o bien los recibían de los bancos grandes

[5] *The Economist, Loc. cit.*, p. 12.
[6] KUCZYNSKI, Pedro Pablo: «Latin American Debt», *Foreign Affairs*, invierno, 1982/1983, pp. 351-352.

para participar en el crédito. Era una manera de extender el riesgo de los créditos de gran volumen entre muchos participantes. La mecánica para establecer un «syndicated loan» es simple. El solicitante de un préstamo, supongamos el gobierno brasileño, emite una carta-mandato a un banco, que actúa como «lead manager bank», solicitando un crédito grande de, por ejemplo, mil millones de dólares. Esta carta-mandato iba normalmente acompañada de un documento que contenía información detallada sobre la situación económica y financiera del país. Con estos documentos el banco líder comienza las gestiones para la participación de otros bancos en el préstamo. El banco líder y los bancos participantes entrarán en una relación jurídica independiente del contrato del préstamo suscrito entre el banco líder y el deudor. De hecho, después de la crisis de la deuda ha habido algunos litigios ante los tribunales entre bancos participantes en algunos préstamos y el banco líder.

Por este medio se conseguía diversificar el riesgo-país y se minimizaba el riesgo del servicio, a la vez que se hacía posible la concesión de préstamos de mayor volumen con grandes economías de escala para los bancos y unos vencimientos adecuados a las necesidades de los países receptores. «Wholesale lending» y «jumbo loans», son expresiones consagradas para préstamos de tal magnitud, que nunca se habían concedido a ningún cliente privado. De esta manera, también se hizo posible la participación en el financiamiento del desarrollo del Tercer Mundo de bancos relativamente pequeños, que no tenían ni la experiencia ni la infrastructura necesaria para entrar con posibilidades de éxito en el nuevo negocio del «sovereign lending». Las dificultades que esta participación ha supuesto a la hora del salvamento de los créditos anteriores es algo que veremos más adelante.

Se estima que unos 2.000 bancos participaron en las operaciones de financiamiento del Tercer Mundo. Cuando en 1982 se dio la necesidad de restructurar la deuda mexicana, aparecieron en el proceso de las negociaciones unos 1.600 bancos involucrados, sólo en los préstamos a México. A cambio de la ventaja de la diversificación y la difusión de los riesgos, que funcionó sobre todo en beneficio de los grandes bancos, se incurrió en el inconveniente de introducir en el negocio una diversidad tan amplia de intereses y mentalidades, que haría la situación difícil de manejar en caso de crisis. Pero la crisis, ya lo hemos visto, no se la esperaba nadie.

Los préstamos sindicados en eurodólares concedidos a América Latina y el Caribe aumentaron de 2.000 millones en 1972 a 22.200 millones en 1982, siendo los créditos desembolsados bajo esta modalidad en 1983 de unos 125.000 millones de dólares. De todos los préstamos sindicados en eurodólares América Latina recibía en 1982 el 58 por 100.

Cláusula de incumplimiento cruzado

Además de los préstamos sindicados, se institucionalizó en los préstamos oficiales o con garantía oficial la *cross-default clausel*, cláusula de incumplimiento cruzado, en virtud de la cual un acreedor puede exigir el pago de un préstamo (todavía no vencido), cuando el deudor ha faltado al cumplimiento de alguna de sus obligaciones financieras con otro acreedor. Esta cláusula borra de hecho la distinción entre préstamos públicos y privados, ya que que el estado tiene que hacerse cargo de las obligaciones privadas por él garantizadas en caso de impago, o si no ver a sus acreedores reclamar el pago de sus otros créditos oficiales. La aceptación de esta cláusula equivale a una oficialización de todos los préstamos privados garantizados por el estado (como sucedió en Chile). A través de esta cláusula, el sistema bancario obtiene una protección adicional destinada a impedir que un deudor pueda optar por cumplir unas determinadas obligaciones y otras no. La mencionada cláusula le priva de esta opción y le fuerza al cumplimiento de todas y cada una de sus obligaciones [7]. De esta manera, el deudor que tenga dificultades con el servicio de la deuda se verá «motivado» a pedir una restructuración antes de dejar de pagar un determinado préstamo.

Este sistema fortalece las garantías de los préstamos soberanos, pero hace irrelevante los diferentes grados de riesgos de entidades y proyectos concretos dentro de un país deudor. En consecuencia, los bancos no tenían por qué preocuparse de investigar la viabilidad económica de las inversiones financiadas por ellos, ni del uso dado a los créditos, ahorrando así importantes costos en recoger y evaluar información no fácilmente accesible. Les bastaba con conseguir que el contrato de préstamo contuviera la cláusula de incumplimiento cruzado para sentir asegurada su inversión. Por eso, quizá, se dio mucha menos atención a la viabilidad de proyectos concretos y más a las condiciones económicas generales del país.

La trampa del interés variable

De todos los instrumentos para evitar los riesgos ninguno fue eventualmente más nocivo que el contrato a interés variable. Según el Informe del Banco Mundial de 1985:

---

[7] BIGGS, Gonzalo: «Aspectos legales de la deuda pública latinoamericana: la relación con los bancos comerciales», *Revista de la Cepal,* Santiago de Chile, abril de 1985, p. 170.

La naturaleza de los instrumentos financieros usados en los años setenta significó que los países subdesarrollados cargaron con los riesgos de los sucesos desfavorables en la economía mundial. Una de las funciones esenciales del sistema financiero, que es reparto de los riesgos —risk sharing— no se realizó efectivamente [8].

En ningún caso tuvo tanta aplicación esta aseveración del Banco Mundial como en los préstamos a interés variable o flotante. Muchos de los contratos de préstamo se hicieron sobre la base de un tipo de interés variable: el LIBOR (London Interbank Oferred Rate), que se aplica a los préstamos en eurodólares, y el «prime rate» (tipo de interés preferencial), que se aplica en los Estados Unidos a los clientes de mayor solvencia. El LIBOR es el tipo de interés que los «bancos de referencia» (reference banks) aplican a los préstamos a un plazo nunca superior a un año que hacen a otros bancos en el mercado interbancario de Londres. Lo más frecuente son plazos de tres y seis meses, para poder adaptar el interés a los cambios en la situación del mercado.

El tipo de interés de los préstamos se fijaba de la siguiente manera: Sobre la base del LIBOR o del «prime rate» se añadían unos «spreads», o premios contra el riesgo, y unos «fees» o comisiones de negociación y costos del préstamo. Dado el volumen de muchos préstamos y la difusión de los riesgos, los «spreads» y los «fees» de los préstamos a América Latina resultaban menores de lo que hubieran sido en una operación tradicional con muchos bancos prestando por separado, aunque fueron mayores que los aplicados a clientes más seguros (países europeos y compañías multinacionales).

Ya hemos visto que los préstamos a mediano y largo plazo se hacían con fondos a corto plazo, automáticamente renovables, lo que permitía a los bancos acreedores cambiar el tipo de interés de los préstamos, cuando a los tres o seis meses había cambiado el LIBOR. En realidad, por

CUADRO 4.2

MARGENES *(SPREADS)* PROMEDIO SOBRE LOS PRESTAMOS SINDICADOS, 1972-1984

(Porcentajes)

	1972	*1976*	*1980*	*1984*
Países subdesarrollados	1,30	1,85	1,10	0,80
Países industrializados	1,00	1,50	0,75	0,70

FUENTE: World Bank, *World Development Report, 1985*, p. 119.

[8] WORLD BANK: *World Development Report, 1985*, Washington, 1985, p. 9.

esta operación se transmitía a los préstamos a mediado y largo plazo la dinámica propia del mercado a corto plazo, transmitiendo automáticamente y sin dilaciones a los préstamos las expectativas de inflación y todos los cambios ocasionados por la situación en el área más sensible y volátil de los mercados financieros.

En pura teoría, el cambio de un tipo de interés fijo a otro flotante en los préstamos no implica necesariamente un traspaso de los riesgos de la inflación del acreedor al deudor. Lo importante es la evolución del tipo de interés real (el tipo nominal menos la tasa de inflación), que mide la carga de recursos reales que ocasiona el pago de la deuda. Pero la substitución de un tipo fijo por otro variable no afecta de ninguna manera al tipo de interés real, si los cambios en el tipo nominal están causados por la inflación y reflejan exactamente la tasa esperada de inflación. En ese caso, el tipo de interés real se mantiene constante. Sin embargo, si el tipo de interés nominal cambia por otro motivo distinto de la inflación, y mucho más si cambian en dirección opuesta a la de la tasa de inflación, se modifica el tipo de interés real. En este segundo caso, el acreedor carga con todo el riesgo si los préstamos son a un tipo de interés fijo, y el deudor si el tipo es flexible. Esto último es lo que sucedió a los deudores latinoamericanos.

Mientras el LIBOR se mantuvo ajustado a la tasa de inflación, o incluso, como ya hemos visto, por debajo de ella, y las exportaciones crecían más rápidamente que el tipo de interés, el arreglo fue razonable en sí y no sin ventajas para los países deudores. Sin embargo, contenía ya la semilla de un grave problema para el caso, no tan improbable en tiempos de inestabilidad monetaria, de que el tipo de interés subiera autónomamente y no a causa de la inflación. Así, ante la insistencia de los bancos en contratar préstamos a un interés variable, la deuda contraída por los grandes deudores latinoamericanos fue convirtiéndose rápidamente en deuda flotante.

Como se puede apreciar en el cuadro de la página siguiente, para 1983 casi todos los países, aun los pequeños deudores como Costa Rica y Uruguay, tenían más de la mitad de su deuda a interés flotante, destacando los porcentajes de los mayores deudores. También es evidente en el cuadro que el aumento de la deuda flotante se da precisamente a finales de la década de los setenta, cuando las condiciones externas habían comenzado a deteriorarse. Es decir, que a medida que aumentan los riesgos, los bancos acreedores insisten en conceder préstamos flotantes, lo cual es en parte lógico para cada banco en particular, aunque supone una gran miopía para el conjunto de ellos.

En este contexto convendría mencionar la composición por monedas de la deuda externa del Tercer Mundo. En 1982 era en un 73,4 por 100

CUADRO 4.3

PROPORCION DE LA DEUDA A INTERES FLOTANTE, 1973-1983
(Porcentajes)

	1973-75	*1980-82*	*1983*
Argentina	13,9	53,6	34,0
Brasil	43,5	66,0	76,5
Chile	9,6	58,2	72,0
Colombia	6,2	39,2	42,1
Costa Rica	24,6	50,2	57,0
Ecuador	11,9	50,5	71,1
México	46,8	74,0	82,4
Perú	31,0	28,0	37,4
Uruguay	11,6	33,5	65,0
Venezuela	20,6	81,4	87,9

FUENTE: World Bank, *World Development Report, 1985*, tabla A.12, p. 155.

en dólares norteamericanos, 6 por 100 tanto en yens como en marcos alemanes, 3,6 por 100 en francos franceses, 1,6 por 100 en libras esterlinas y 1,3 por 100 en francos suizos para el conjunto de países subdesarrollados. La deuda latinoamericana era en 1982 deuda en dólares en casi el 90 por 100, como corresponde a países del área —informal— del dólar. Es necesario retener esta característica de la deuda latinoamericana por las consecuencias que va a tener en los años de la sobrevaloración del dólar, como luego veremos.

Plazos y períodos de gracia

Otra de las medidas tomadas por los bancos para reducir el riesgo de sus crecientes actividades en el Tercer Mundo fue la de acortar los plazos de los préstamos. Los préstamos para el desarrollo, concedidos por las instituciones internacionales y los fondos nacionales de ayuda al desarrollo, eran normalmente de largo plazo, con una media de veinte años de vencimiento, y con períodos de gracia entre diez y doce años. Por otra parte, los préstamos a corto plazo, que también habían existido anteriormente en la financiación al Tercer Mundo, eran casi exclusivamente préstamos al comercio exterior. Eran, por ejemplo, frecuentes los préstamos de cosecha, para financiar las operaciones de recogida y embarque de los productos primarios de exportación, que a los pocos meses se pagaban con los ingresos generados por la exportación misma. Eran lo que se llama «self-liquidating loans», o simples adelantos sobre las ventas futuras. Sin embargo, la deuda a corto plazo nunca había sido un componente importante de la deuda externa de los países latinoamericanos y de los subdesarrollados en general.

El recurso a la banca comercial para financiar el desarrollo trajo como consecuencia el acortamiento del tiempo medio de vencimiento de la deuda externa.

CUADRO 4.4

TIEMPO MEDIO DE VENCIMIENTO Y PERIODOS DE GRACIA DE LA DEUDA PUBLICA EXTERNA, 1970 y 1983

(En número de años)

	Vencimientos		*P. de gracia*	
	1970	*1983*	*1970*	*1983*
Argentina	12	5	3	2
Brasil	14	9	3	3
Chile	12	9	3	4
Colombia	21	14	5	4
Costa Rica	28	11	6	5
Ecuador	20	10	4	3
México	12	9	3	3
Nicaragua	18	14	4	4
Perú	13	12	4	3
Uruguay	12	7	3	2
Venezuela	8	7	2	3

FUENTE: World Bank, *World Development Report, 1985*, Apéndice, tabla 17, pp. 206-207.

Estos datos subestiman la realidad global, porque sólo se refieren a la deuda pública y no contienen información sobre la deuda privada, que siempre es a plazos más cortos que la oficial. Sin embargo, ilustran el argumento con suficiente claridad. En cuanto a los períodos de gracia, hay una pequeña reducción de los plazos, como consecuencia de que los préstamos comerciales han pasado a representar una mayor parte del total. La situación global sobre la relación deuda a corto y a largo plazo para América Latina aparece en el cuadro siguiente.

CUADRO 4.5

ESTRUCTURA DE PLAZOS DE LA DEUDA EXTERNA DE AMERICA LATINA
(En porcentajes del total)

		A.	B.	C.	D.	T.
Deudores públicos *largo plazo.*	1975	8,7	12,8	29,0	9,1	59,6
	1979	6,5	7,6	38,4	8,4	60,9
	1981	5,9	5,8	33,9	6,2	51,8
Deudores privados *largo plazo.*	1975			25,7		25,7
	1979			22,7		22,7
	1981			24,9		24,9
Públicos y privados *corto plazo.*	1975			14,7		14,7
	1979			16,5		16,5
	1981			23,3		23,3
TOTAL	1975	8,7	12,8	69,4	9,1	100,0
	1979	6,5	7,6	77,5	8,4	100,0
	1981	5,9	5,8	82,1	6,2	100,0

A. Oficial multilateral.
B. Oficial de gobiernos.
C. Privada de bancos.
D. Privada de otras fuentes.
T. Total.

FUENTE: Banco Interamericano de Desarrollo, *La deuda externa y el desarrollo económico de América Latina,* Washington, 1984, p. 15.

El valor nominal de los pasivos a corto plazo casi se sextuplicó en el quinquenio considerado, al aumentar de 11.000 millones de dólares en 1975 a 65.000 millones en 1981, mientras que la deuda a mediano y largo plazo solamente se triplicó en el mismo período. Como resultado de este crecimiento las obligaciones a corto plazo aumentaron su ponderación en el total de la deuda, pasando del 16,5 por 100 en 1979 al 23,3 por 100 en 1981. El saldo de los pasivos externos a corto plazo, expresado como una proporción de las importaciones de mercancías, aumentó de un 26 por 100 en 1975 a un 65 por 100 en 1981. Esto refleja un fenómeno detectado de varias maneras: que los créditos a corto plazo habían sido canalizados para otros fines distintos del tradicional financiamiento del comercio, como por ejemplo, el arbitraje de intereses, la especulación financiera, el mantenimiento del tipo de cambio y el financiamiento del déficit global de la balanza de pagos resultante, en algunos países, de la fuga de capitales. En cualquier caso, siempre que los créditos no se hubieran usado para los fines tradicionales del comercio, el uso de los créditos a corto plazo resultó una fuente de dificultades en la balanza de pagos y un gran lastre para el servicio de la deuda.

La explicación del aumento del endeudamiento a corto plazo hay que buscarla sobre todo en las condiciones cada vez más estrechas que los bancos internacionales ponían a los países latinoamericanos en 1980 y 1981, cuando comenzó a alarmarse la comunidad financiera por el problema de Polonia y el recrudecimiento de la recesión en los países de la OCDE. Los países deudores, cuando ya habían entrado en el proceso de endeudarse más para poder pagar el servicio de la deuda anterior, sólo pudieron conseguir mayores sumas a márgenes menores si se avenían a recibir fondos por plazos cortos de un año o menos. Pedro Pablo Kuczynski analiza así la situación:

> Tanto los prestamistas como los prestatarios estaban en realidad tratando de ganar tiempo con la esperanza de que los tipos de interés bajaran y que revivieran las ganancias por exportaciones, como consecuencia de la muy anunciada y nunca materializada recuperación del ciclo económico en Estados Unidos y Europa Occidental. Desgraciadamente, parece que los acreedores no midieron las consecuencias de lo que cada cual por su parte estaba haciendo, hasta que, en parte por el retraso de la mejoría esperada, en parte por el retraso en conseguir estadísticas fiables sobre la situación de la deuda, se hizo evidente que se necesitaba todavía más crédito a corto plazo. En ese momento, a mediados de 1982, tuvo lugar una gran contracción de los préstamos [9].

No hay duda ahora de que los instrumentos adoptados por los banqueros para reducir el riesgo de sus préstamos a América Latina se volvieron contra sus bancos. Cada uno de esos instrumentos: préstamos sindicados, cláusula de incumplimiento cruzado, tipos de interés flotantes, préstamos a corto plazo, tiene pleno sentido y son eficaces, si los hubiera aplicado exclusivamente un solo banco o unos pocos bancos. Pero lo que es bueno para un miembro de un conjunto no es necesariamente bueno para el conjunto como tal. Es lo que se llama en lógica la «falacia de composición», que tiene múltiples aplicaciones en el campo de las finanzas y de la banca. Al aplicar todos los bancos a la vez los instrumentos de crédito que disminuyen el riesgo de un banco individual, aumentaron los riesgos de todos, poniendo sobre los deudores una carga imposible de llevar y encerrándose ellos mismos en una dependencia estructural de sus deudores.

---

[9] KUCZYNSKI, Pedro Pablo, *loc. cit.*, p. 348.

5. ¿En qué se usaron los préstamos?

Volvemos de nuevo nuestra atención a los países de América Latina para abordar la cuestión de cómo se usaron los préstamos. Desde la perspectiva de los acreedores este es un aspecto fundamental de la crisis. Para los banqueros, la obligación de pagar la deuda se deriva no solamente del principio jurídico de que las deudas de los países tienen que ser servidas (pagadas) —sin el cual se derrumbaría el sistema financiero internacional—, sino también del principio económico de que todo crédito debe generar los recursos adicionales para pagar la deuda. Los banqueros no admiten que el pago de la deuda sea una transferencia unilateral, algo así como las reparaciones impuestas a Alemania después de la Primera Guerra Mundial[1]. Ellos resaltan, con razón, que los créditos se hicieron en el entendido de que por su medio los gobiernos iban a financiar el crecimiento económico de sus países y, en el proceso, generar los recursos necesarios para pagar la deuda contraída libremente. No aceptan, en general, que los países se hayan vuelto insolventes; reconocen que tienen problemas de liquidez, y por eso tienen que ser ayudados a superar esos problemas. Pero no aceptan que hayan perdido la capacidad de pagar.

[1] El autor defiende que, aunque histórica y jurídicamente las situaciones son diferentes, los procesos de cumplir con obligaciones económicas de naturaleza diferente se asemejan mucho si los deudores, por la razón que sea, se volvieran insolventes. El proceso de procurarse los recursos para cumplir las obligaciones con el exterior lleva a situaciones que son analíticamente comparables.

DE SEBASTIAN, Luis: «El análisis del «transfer problem» aplicado a la deuda externa del Tercer Mundo», *Información Comercial Española. Revista de Economía,* 640, diciembre 1986, pp. 131-136.

Sin embargo, a pesar de las manifestaciones públicas de los banqueros, la situación económica de los países latinoamericanos tiene más visos de insolvencia que de liquidez. Precisamente por eso mismo, hay que preguntarse: ¿Por qué las ingentes transferencias de capital de la banca internacional no han generado los recursos suficientes para pagar los intereses y amortizar el principal? ¿A dónde han ido a parar los 370 mil millones de dólares que adeuda América Latina? ¿Cómo se usaron los créditos?

Para matizar mejor el estado de la cuestión hay que decir, todavía en general:

a) Que no toda la deuda responde a transferencias de recursos.
b) Que los créditos no se invirtieron bien.
c) Más aún, que en parte ni siquiera se invirtieron, si no que se consumieron, y
d) Que en parte nunca quedaron en los países deudores.

Pasamos así a examinar detenidamente cómo se usaron los préstamos. Sin embargo, este examen no dará la respuesta final y completa a la pregunta que nos hacíamos en la introducción: ¿Por qué los préstamos no generaron recursos para hacer posible el pago de la deuda? Los usos de esos préstamos de naturaleza peligrosa no encierran la clave del problema, son elementos importantes, son elementos de riesgo, pero no lo son todo. Tendremos que esperar a explicar el cambio repentino que dio el ambiente económico internacional a partir de 1981 para tener la respuesta completa. Ese cambio activó todas las potencialidades de riesgo que había en la naturaleza y en el uso de los préstamos, y los hizo confluir hacia la crisis.

Los usos que se hicieron se pueden clasificar en las siguientes amplias categorías:

— Financiamiento del sector público (inversiones y funcionamiento).
— Financiamiento de los gastos militares.
— Financiamiento, a corto plazo, de la balanza de pagos y el servicio de la deuda.
— Financiamiento del consumo privado.
— Fuga de capitales.

En este capítulo comenzaremos por analizar los préstamos que se aplicaron al sector público de la economía, incluidos los gastos militares. En el siguiente veremos otros usos, que ponen de manifiesto los beneficios privados de la deuda.

Financiamiento del sector público

Algunos analistas del Primer Mundo han dado mucha importancia a los gastos del sector público en la generación del problema de la deuda. Para muestra, reproducimos un comentario un tanto farisáico del semanario inglés *The Economist:*

> Casi todos los líderes latinoamericanos prefieren echar la culpa a los extranjeros por sus problemas de deuda y males económicos. Señalan con un dedo acusador a los irresponsables banqueros internacionales que les prestaron demasiado dinero; al presidente Reagan, cuyo déficit fiscal aumentó el tipo de interés real y el tipo de cambio del dólar; a los mercados de materias primas, que han deprimido el precio mundial de sus exportaciones en términos del dólar, al hacerlo, pasan por alto los grandes y ruinosos sectores públicos de sus países que han contribuido a la deuda externa de la región [2].

The Economist sabe muy bien que los reproches de los líderes latinoamericanos son justificados, aunque quizá no sean los únicos que hay que hacer. Pero no cabe duda que para analizar y comprender el proceso de endeudamiento hay que dedicar una atención especial a las empresas públicas, que han tenido un papel muy preponderante en el modelo de industrialización que se promovió en los años setenta, un modelo que recuerda mucho la industrialización de España en los sesenta.

En México el estado es propietario de unas 550 empresas, de las cuales son monopolios de fabricación y venta las de energía, petroquímica básica y papel de periódico (con lo que controlan a los periódicos para que no sean excesivamente críticos). Las demás producen todo tipo de mercancías, desde neveras hasta motores diésel y cigarrillos. El estado mexicano, como el español, extrae sulfatos y plata del subsuelo, y mármol de las canteras, corta madera, cosecha trigo, administra hoteles y publica un diario. Las dos compañías aéreas son nacionales, así como la mayoría de los bancos después de la nacionalización de 1982. El estado gasta tanto en el ruinoso sistema ferroviario como en la sanidad pública. La única empresa pública mexicana que tuvo beneficios sustanciales en 1984 fue Pemex (Petróleos Mexicanos), el monopolio petrolero, que ganó 2,380 millones de dólares. PEMEX aportó en 1981 el 50 por 100 de todos los ingresos generados por las empresas estatales y sus gastos de capital representaron el 60 por 100 de los gastos de capital del sector público productivo. El resto de empresas tuvieron una pérdida neta conjunta de 789

[2] «Latin America's Corporate States», *The Economist,* London, 16 de febrero, 1985, p. 67.

millones de dólares. CONASUPO se ha distinguido por sus pérdidas: de 1980 a 1981 su déficit operativo aumentó en un 185 por 100. ¡Estas cantidades comparadas con las pérdidas del INI no resultan gran cosa!

El presidente Miguel de La Madrid se ha comprometido a deshacerse de algunas de estas empresas, pero hasta ahora no ha habido muchas transacciones. Los bancos están vendiendo acciones de empresas que compraron antes de su nacionalización en 1982. Pero todavía está muy lejos el día en que el sector público mexicano pierda el peso específico que tiene en la economía del país. El gobierno mexicano estima en un 25,6 por 100 del PIB el tamaño relativo del sector público. Otros lo cifran en un 50 por 100 del PIB. En cualquier caso los préstamos que recibieron el gobierno y las empresas estatales representan el 70 por 100 de los 96.000 millones de deuda externa, es decir 67.500 millones[3].

Argentina también tiene un importante sector público con 118 empresas que empleaban en 1982 a 1,6 millones de personas, la cuarta parte de la fuerza de trabajo y gastaban alrededor de dos quintas partes (40 por 100) del PIB. Su empresa petrolera, Yacimientos Petrolíferos Fiscales, tiene el triste récord de ser probablemente la única gran empresa petrolera que pierde dinero. Las empresas públicas cubren las áreas clásicas de energía y utilidades: Servicios Eléctricos del Gran Buenos Aires, Gas del Estado; ferrocarriles: Ferrocarriles Argentinos; telecomunicaciones: Empresa Nacional de Telecomunicaciones (ENTEL), y otros: Aerolíneas Argentinas y Fabricaciones Militares que, aunque originariamente era un pequeño complejo industrial militar, es en la actualidad una especie de holding que factura 2.200 millones de dólares anuales (cerca del 2,5 por 100 del PIB) y tiene intereses variados, desde armas a madera, petroquímica y construcción.

El presidente Alfonsín descubrió después de haber sido elegido presidente que la deuda total de las empresas estatales era de 14.200 millones de dólares, o 23 por 100 del PIB de un año. De estas deudas 11.300 habían sido contratadas en el extranjero. La pérdidas acumuladas en 1983 se estimaban en 1.700 millones de dólares.

El sector público en Brasil es, como el país, verdaderamente colosal y muy complejo. El sector público se compone del gobierno general y de un gran número de empresas públicas. El gobierno general abarca el central, el de los estados y los gobiernos municipales. El gobierno central incluye por su parte a la Tesorería general, cuatro fondos de seguridad social y unos 500 organismos descentralizados de forma diversa; también es titular, en diverso grado, de unas 400 empresas productivas. Las empresas públicas comprenden nueve de las diez empresas más importantes del

---

[3] *The Economist, loc. cit.*

Brasil y aproximadamente un tercio de las 100 empresas de mayor envergadura. Sus actividades incluyen la banca, el petróleo, la petroquímica, minería, siderurgia, los servicios públicos, las telecomunicaciones y los ferrocarriles y la navegación fluvial. El grueso de las inversiones se hace por medio de estas empresas sobre las que se dispone de poca información, En 1981 las principales empresas eran PETROBRAS, ELECTROBRAS, SIDERBRAS (acero), TELEBRAS (teléfonos), etc. Según los datos del Banco Central para marzo de 1984, 65.000 millones de los 100.000 que debe Brasil son deuda de su sector público, aunque es muy difícil definirlo porque el gobierno mantiene que las empresas de propiedad estatal hay que considerarlas como parte del sector privado y a sus cuentas como parte de las del mismo.

Durante el gobierno militar, Brasil invirtió sumas enormes en proyectos enormes, como el de la mina de hierro de Carajas (3,200 millones de dólares), con una planta hidroeléctrica aneja, una planta de aluminio, ferrocarril y puerto que le sirven; la presa del Itaipú, en el río Paraná, entre Paraguay y Brasil (18.000 millones de dólares gastados en 1983), de la que hasta ahora sólo Paraguay se ha beneficiado algo; los altos hornos de Acóminas en Ouro Branco, etc. Sin embargo, la participación del sector público en la deuda externa de Brasil está distorsionada por dos razones. La primera es que algunos préstamos externos los obtuvo el Banco Central para los ferrocarriles y luego se gastaron en otras áreas, y segundo, porque fondos obtenidos en la reestructuración de la deuda para dar préstamos al sector público y algunos préstamos al sector privado han ido a parar al Banco Central como una carga del sector público. En general las cuentas del sector público brasileño son poco transparentes y frecuentemente discrepan las que publica el gobierno de las que elabora el Fondo Monetario Internacional.

En Chile la participación del gobierno central (gastos administrativos) en los gastos del sector público con relación al gasto de las empresas públicas disminuyó durante el gobierno de Salvador Allende, reflejando la mayor participación de las empresas públicas en el presupuesto nacional. En 1971 los ingresos y gastos de éstas eran del 12,2 y 17,3 por 100, respectivamente, pasando en 1973 al 19,3 y 30,8 por 100, que es el máximo de participación de las empresas públicas en los gastos del sector público. El gobierno del general Pinochet vendió o privatizó algunas empresas públicas con lo que los gastos administrativos del gobierno central asumieron de nuevo un papel preponderante en el gasto público, llegando a ser del 90,5 por 100 del total en 1978. Sin embargo, al hacerse cargo el gobierno de algunas empresas privadas en dificultades financieras, las empresas públicas han vuelto en los últimos tiempos (1982) a tener un papel importante: 27,1 por 100 de los ingresos y 26,8 por 100 de los gastos. Desde 1975 la facultad de dar créditos del Banco Central quedó limitada a los bancos comerciales e instituciones financieras y al gobierno central, quedando excluidas las empresas públicas de un fácil acceso al crédito público. En 1981 el sector público contrajo préstamos en el exterior por primera vez desde 1978. Los empréstitos extranjeros netos fueron equivalentes al 2,8 por 100 del PIB.

El sector público en Perú está integrado por el gobierno general y 42 empresas públicas no financieras. El componente más importante del gobierno central es el Instituto Peruano de Seguridad Social (que en 1970 era un contribuidor neto al sistema financiero del país). Las empresas públicas han aumentado en magnitud, número y áreas de actividad desde 1969. Operan principalmente en petróleo y productos químicos, minería y procesamiento de minerales, electricidad, organismos comercializadores como ENCI (insumos industriales, licores y frutas) y ECASA, la compañía comercializadora del arroz. En 1982 más del 86 por 100 del déficit operativo de todas las empresas del Estado correspondía a estas seis empresas, que constituía el componente principal del desequilibrio fiscal de las operaciones del sector público. Con el deterioro progresivo de las operaciones del sector público en 1980 y 1981, tanto el financiamiento externo, como el interno aumentaron considerablemente. Aunque el financiamiento interno continuó siendo la fuente principal durante estos dos años, el financiamiento externo neto se acrecentó más rápidamente que el crédito interno.

El sector público de Venezuela, dominado por el petróleo, está compuesto por el gobierno general y 46 empresas no financieras más 30 instituciones financieras. En 1980 las empresas de petróleo y minería representaban el 22 por 100 de los ingresos y el 26 por 100 de los gastos totales del sector público. Además el petróleo y la minería, las empresas estatales abarcan una amplia gama de sectores como el cemento, aluminio, fertilizantes, pertoquímica, comercialización y almacenamiento de productos agrícolas, transportes y comunicaciones, producción de armamentos. Las principales instituciones financieras estatales, además del Banco Central, son la Corporación Venezolana de Fomento y el Fondo de Inversiones de Venezuela, que canalizan los ingresos del petróleo y los minerales a la inversión del sector público. En los años en que el sector público registró un déficit en sus operaciones (1977, 1978 y 1980), la principal forma de financiamiento utilizada fue el crédito externo. En 1982 esta tendencia había variado y más del 60 por 100 del déficit fue financiado internamente.

Algunos datos sobre los gastos e ingresos del sector público en algunos países latinoamericanos aparecen en el cuadro siguiente.

CUADRO 5.1

ESTRUCTURA DEL SECTOR PUBLICO EN ALGUNOS PAISES. 1980
(Porcentajes del total o del PIB cuando se indique)
Argentina (1981)

	Ingresos	*Gastos*	*Déficit*
Argentina (1981)			
— Gobierno general	70,0	71,1	
— Empresas públicas	30,0	28,9	
— Porcentaje PIB	34,8	41,9	−7,1
Brasil (1979)			
— Gobierno central	71,5	62,6	
— Tesorería	33,0	29,9	
— Seguridad Social	30,7	24,0	
— Otros	7,8	8,7	
— Gobierno regional	24,3	28,3	
— Gobierno local	4,2	9,1	
Chile (1982)			
— Gobierno general	72,9	73,2	
— Empresas públicas	27,1	26,8	
Colombia (1981)			
— Gobierno general	66,4	68,6	
— Empresas públicas	33,6	31,4	
México (1980)			
— Gobierno general	45,0	46,0	
— Empresas públicas y organismos descentralizados	55,0	54,0	
— PEMEX	29,1	25,7	
(Porcentaje del PIB	31,4	37,4)	−6,0
Perú (1981)			
— Gobierno general	44,0	43,2	
— Empresas públicas	56,0	56,8	
Venezuela (1980)			
— Gobierno general	52,0	31,0	
— Empresas públicas	48,0	69,0	
Porcentaje del PIB	53,0	66,0)	−13,0

FUENTE: B.I.D., *La deuda externa y el desarrollo económico de América Latina. Antecedentes y perspectivas,* Washington, 1984, Anexo B, pp. 151-203.

El sector público en el desarrollo de América Latina

Hay, pues, abundante evidencia de que una buena parte de los préstamos contratados en los años setenta se destinó para financiar el crecimiento del sector público en Brasil, principalmente, pero también en México, Venezuela, Perú y otros países deudores más pequeños. ¿Es económicamente razonable que se destinaran créditos externos al financiamiento de la expansión del sector público? La respuesta requiere algunas acotaciones sobre el rol que juega el sector público en las economías latinoamericanas [4]. En América Latina el financiamiento de este creciente volumen del sector público en la economía tiene un significado diferente que en Europa, porque aquí se generan ahorros abundantes al interior de los países y los sistemas de recaudación fiscal para canalizar esos ahorros a la financiación de los déficits fiscales son mucho más eficientes que en América Latina, donde, «coeteris paribus», la necesidad del recurso al exterior es, por esta misma razón, mucho más grande.

Por otra parte, para entender lo que ha significado el sector público en el desarrollo de estos países, podemos compararlo con el funcionamiento del sector público en España, para ver los beneficios y los inconvenientes que tiene este modelo de industrialización y desarrollo. El sector público español, representado por los tres holdings básicos, INI, INH y Patrimonio del Estado, ha impulsado en momentos cruciales el establecimiento y expansión de la base industrial de la economía nacional, dotándole de una infraestructura adecuada. Nadie cuestiona el papel desempeñado por las empresas públicas en el despegue industrial español. Más tarde, ya en otra fase de desarrollo, el sector público se dedicó al salvamento de empresas privadas, para que no se perdieran los puestos de trabajo en ellas y para consolidar ciertos sectores industriales que acabó monopolizando, como el de la construcción naval. Al final, el sector público productivo ha acabado tomando una existencia propia por encima y más allá de sus objetivos originarios. La empresa pública española se ha convertido en un fin en sí misma y se ha gastado enormes cantidades de recursos en mantenerse funcionando fuera de toda proporción, de una manera onerosa para el conjunto de la economía.

[4] «El crecimiento de los gastos del sector público en A. L. —nos dice el Informe del BID sobre la deuda— no ha sido, sin embargo, un fenómeno exclusivo de la región. Los países industrializados también registran una experiencia similar a la de los países latinoamericanos. Según las cifras de la OCDE (diciembre 1983), el gasto corriente en consumo del gobierno central, medido como proporción del producto interno bruto, ha venido aumentando del 26 por 100 en 1961 a 28 por 100 en 1969, 35 por 100 en 1975 y 38 por 100 en 1981. En los países nórdicos esa proporción estaba en torno al 50 por 100 en los últimos años.»

Pues bien, en América Latina, en los años setenta, se pretendió que el sector público jugara un papel semejante al español en el despegue de la industrialización pesada. Sus inversiones en la industria fueron cuantiosas y sus resultados en la sustitución de importaciones de la segunda generación no fueron despreciables. Brasil y México tienen ahora unos sectores industriales respetables y competitivos a escala mundial, en parte por el impulso del estado. No hay duda que el uso más razonable y más sano financieramente que se hizo de la deuda externa fue el financiamiento de proyectos industriales y de infraestructura física, aunque aquí también se hicieron excesos. Esto en cuanto a los gastos en inversión.

Pero en América Latina el sector público cumple otras funciones. A falta de mecanismos de redistribución más directos y eficaces, el sector público cumple la función de repartir, por lo menos entre sus muchos empleados, una parte de la riqueza que genera el país. En sociedades donde el empleo es precario, el sector público emplea, aun con un cierto costo y una innegable ineficiencia, a una parte considerable de la fuerza de trabajo urbano. Las crecientes demandas de estos grupos sociales hicieron que parte de los créditos externos se dedicaron también a los gastos de funcionamiento del sector público. Esta es quizá la parte de los préstamos que más directamente llegó a obreros, empleados y otras capas urbanas. Cumplió, en esta medida, un papel de redistribución, que era necesario y conveniente, desde el punto de vista de la estabilidad social del modelo de desarrollo, aunque, desgraciadamente, no generó recursos para pagar la deuda. La mayor parte de estos fondos destinados al funcionamiento acabaron como fondos para financiar el consumo privado de los trabajadores del sector público.

En resumen, el financiamiento del sector público ha sido una de las causas del problema de la deuda, no sólo porque fuera ineficiente, sino también porque el sector público era la piedra angular del proceso de desarrollo dependiente del financiamiento exterior. La concepción de un desarrollo orientado y apoyado por el sector público, en un papel subsidiario de la empresa privada, era lógico dentro del modelo. El haber destinado la mayor parte de los créditos externos a su financiamiento era coherente con el papel pivotal que se le asignaba en el modelo. El error de fondo está en el modelo mismo, como ya hemos visto. Pero también hubo errores y defectos en la concepción y ejecución de los proyectos públicos de inversión, que agravaron la situación estructural. La falta de proporción, la corrupción interna y externa, la extravagancia y el gigantismo, la irresponsabilidad en el uso de las divisas —los factores preferidos por los analistas del Primer Mundo—, aunque no tuvieron el papel esencial que se les asigna en la génesis del problema de la deuda, no dejan de ser factores que contribuyeron a la ineficiencia de muchas inversiones.

Se puede decir en general que los flujos de préstamos tuvieron un efecto, tanto más positivo sobre el crecimiento y el desarrollo económico, cuanto: *a*) más regulados estuvieron los flujos de capital, a la entrada y a la salida; *b*) los flujos externos incidieron sobre una economía, donde el estado tenía una concepción clara de la estrategia de desarrollo y donde, directa o indirectamente, se canalizaron en una medida importante hacia proyectos de inversión, y *c*) el estado más siguió políticas deliberadas para orientar a las fuerzas del mercado hacia un crecimiento sostenido en sectores productivos específicos. Al fin de cuentas, las estrategias de desarrollo debt-led (impulsadas por la deuda), fracasaron por el conjunto de circunstancias en que se vieron obligadas a funcionar. Las situaciones más comprometidas se dieron en economías en las que los préstamos no se integraron en una estrategia bien definida de desarrollo nacional y sirvieron más bien para lubricar el juego de fuerzas individualistas y disgregadoras de proyecto alguno.

Financiamiento del despilfarro

La revista americana *Time,* en un artículo sobre el destino de la deuda, citaba al Ministro de Industria y Comercio brasileño, Joao Camilo Penna:

> Tenemos unos 50.000 millones de dólares en proyectos incompletos que son prácticamente inútiles [5].

La falta de proporción y de talante planificador eficiente, fomentados por la misma abundancia de los créditos, se hicieron visible en muchos proyectos. La realización de algunos proyectos no dependía tanto de que tuvieran una rentabilidad demostrada a mediano plazo, cuanto de que había dinero fácil para financiarlos. La abundancia de financiamiento exterior hizo posible que se pasara por alto con excesiva facilidad la necesidad de generar el flujo de fondos necesario para pagar la deuda. El principio de rentabilidad quedó subordinado a consideraciones de economías de escala en la inversión y en consideraciones de muy largo plazo. Algunos proyectos resultaron agujeros sin fondo, en parte por la mala planificación y la defectuosa administración. Por ejemplo, la estación hidroeléctrica de Chingaza en Colombia, presupuestada en 300 millones de dólares, acabó costando 1.000 millones; empezó sus operaciones y cuatro meses después sus túneles centrales se hundieron y tuvieron que cerrar la planta para ser reparada.

[5] TAYLOR, Alexander L.: III, «The vexing question: where did all the money go?», *Time,* 2 de julio de 1984, p. 6.

La incompetencia y la corrupción de las clases dirigentes también fue un importante principio de ineficiencia. De la corrupción también se aprovecharon los proveedores extranjeros, que, en connivencia con los funcionarios nacionales cargaron precios desorbitantes a muchos de los equipos de alta tecnología. En conjunto resultó un costo adicional, un gran obstáculo al uso eficiente de los préstamos exteriores. México invirtió masivamente en PEMEX y consiguió triplicar su producción hasta 2,8 millones de barriles diarios. Pero PEMEX emplea tres o cuatro veces más personal que las instalaciones comparables en Venezuela, quizá por razones políticas y sociales. Más aún, una auditoría parcial de sus operaciones descubrió que habían desaparecido grandes sumas de dinero sin que se dieran cuenta de ellas. El antiguo director de PEMEX, Jorge Díaz Serrano, estaba en 1984 en la cárcel esperando juicio por fraude a la compañía petrolera [6].

El título del capítulo siguiente sugiere de alguna manera que hubo mucha gente en América Latina para quienes el endeudamiento externo fue una bendición, que les proporcionó ganancias enormes, que siguen disfrutando a pesar de las medidas de austeridad que se han impuesto a las mayorías populares de sus países respectivos. El semanario *Time* (2 de julio de 1984) se planteaba la cuestión: «¿Dónde ha ido todo este dinero?», y responde, citando al presidente de Argentina Raúl Alfonsín:

> El aspecto que más irrita a los argentinos sobre la deuda exterior es que el dinero no se tradujo en expansión de la economía ni en creación de capital, sino todo lo contrario.

Este amargo comentario podría aplicarse a casi todos los países latinoamericanos. Aunque la carga de la deuda se ha cuadruplicado desde 1973 hasta llegar a 370.000 millones, las mayorías populares de los países deudores poco han ganado a cambio. Por más que duelan estas consideraciones, sobre todo porque muchas veces vienen de críticos poco afectos a los pueblos de América Latina, hay que someterlas a consideración, porque nos revelan el tipo de sociedad en la cual se gestaron los problemas nuevos de la deuda. Estas consideraciones llevan a la conclusión lógica de que sin una revolución social, que cambie los hábitos corruptos de las élites económicas y políticas de los países latinoamericanos y las estructuras que los posibilitan y toleran, no se solucionarán definitivamente problemas como el del uso de una deuda, que en otro contexto social y con otra correlación de fuerzas se hubiera podido emplear en reformas estructurales profundas que hubieran cambiado la faz de la eco-

[6] TAYLOR, *loc. cit.*, pp. 6-7.

nomía y las relaciones internacionales con los países del mundo industrializado.

Financiamiento de gastos militares

Una parte de los préstamos externos se destinó, naturalmente, a financiar gastos militares corrientes. En el caso de Argentina para financiar una aventura como la guerra de las Malvinas, una guerra mal concebida y peor ejecutada, que puso en entredicho para varias generaciones la posibilidad de recuperar la soberanía de Argentina sobre Las Malvinas por otros medios más civilizados y realistas.

Los datos sobre gastos militares son normalmente de difícil acceso y sólo por informaciones indirectas nos podemos formar una idea global de sus dimensiones. Según el prestigioso *Sipri* de Estocolmo, las importaciones de armamento del Tercer Mundo se triplicaron en dólares constantes entre la década de los sesenta y la de los setenta, llegando a ser en 1982 de 74.000 millones de dólares a precios de 1975. Este enorme aumento se debe en parte a la insaciable hambre de armamento moderno de muchos regímenes, especialmente los militares y los más represivos, del Tercer Mundo. Con ello la venta de armas a estos países ha pasado de ser el 31 por 100 al 41 por 100 del comercio mundial. En América Latina, en concreto, el gasto militar aumentó en 12,4 por 100 de promedio entre 1972 y 1982 y el gasto en importación de armas en un 13,2 por 100, mientras el gasto público no militar crecía a un 6 por 100 en el mismo período.

Se ha estimado, por otra parte [7], que los créditos a países en desarrollo no petroleros para compra de armas suponían, entre 1972 y 1982, un 20 por 100 en promedio de los préstamos netos. Por otro lado, las importaciones de armas entre 1972 y 1981, según el *Sipri,* totalizaban 51.100 millones de dólares (constantes de 1975), mientras la deuda del Tercer Mundo en ese año estaba en torno a los 200.000 millones (medidos de la misma manera), una proporción de 1/4, confirmada por otros estudios. En cambio, en un estudio de la Rand Corporation, una institución norteamericana, ligada al Pentágono, se concluye que sólo un 8 por 100 de la deuda externa del Tercer Mundo a finales de 1979 se debía a la compra de armas [8].

[7] McWilliams Tullberg, Rita: «La deuda por gastos militares en los países en desarrollo no petroleros, 1972-1982», *Comercio Exterior,* México, marzo 1987, p. 199.

[8] Lever, H., y Ch. Huhne: *Debt and Danger. The World Financial crisis.* Penguin Books, 1985, pp. 47 y 48.

Se estima que Perú ha gastado la quinta parte de sus 13.000 millones de deuda en comprar armas, en parte a la Unión Soviética, para gran desesperación de los comentaristas norteamericanos. Se dice que con el gobierno anterior Perú gastaba de 300 a 400 millones de dólares anuales en dotar a su ejército con los armamentos más modernos, incluyendo 25 aviones Mirage 2000, que se compraron con un crédito comercial [9]. Argentina gastó, según el mencionado articulista del *Time,* 13.900 millones en importar armamento entre 1981 y 1982, un 11 por 100 de su producto nacional bruto, y algunos miles de millones más tuvieron que emplearse en la desastrosa guerra de Las Malvinas.

Estos datos globales, aunque son tristes, ponen sin embargo en su recta perspectiva la afirmación, lanzada irresponsablemente por algunos comentaristas, de que la deuda latinoamericana se debe a la compra de armas. Comparando 1962-71 con 1972-81, el aumento efectivo en las importaciones de armamento por América Latina fue de 6.000 millones de dólares constantes de 1975, que no es suficiente para explicar el aumento de unos 115.000 millones de la deuda en ese mismo período [10]. Los gastos de Argentina a partir de esa fecha son, naturalmente, una excepción.

[9] McWilliams Tullberg, Rita: *loc. cit.,* p. 201.
[10] Lever y Huhne: *Debt and Danger,* p. 48.

6. Capitales de ida y vuelta

Años de vino y rosas

Una parte importante de los préstamos, que en alguna medida trataremos de cuantificar, se usaron de una manera que beneficiara grandemente a los sectores dirigentes y a los ricos latinoamericanos. La abundancia de moneda extranjera que trajeron los préstamos sirvió para calmar la insaciable sed de dólares de las burguesías, grandes y pequeñas, de los países latinoamericanos. Desde hace mucho tiempo es habitual para las capas medias y altas de estos países el mantener una parte de su riqueza fuera del país, lejos del alcance de las revoluciones, las confiscaciones, la inestabilidad económica y la inflación. Visto desde un punto de vista estrictamente económico, la fuga de capitales es tanto una manera de maximizar las ganancias como una simple medida de diversificación de activos para reducir el riesgo de la cartera.

Los préstamos externos hicieron posible en algunos países el establecimiento y funcionamiento de modelos económicos ultraliberales, diseñados para beneficiar al capital, a los empresarios y a las clases dirigentes; en otros, facilitaron políticas liberalizadoras so pretexto de fomentar el ahorro y la empresa privada. En estas circunstancias el lucro personal de funcionarios, especuladores, banqueros, exportadores e importadores y ricos en general, se facilitaba grandemente por la misma abundancia de la moneda extranjera y por el uso que de ella hicieron algunos gobiernos. No hablamos aquí de la corrupción administrativa, que ya hemos mencionado en el capítulo anterior y que no deja de ser un vicio del sistema.

Hablamos del funcionamiento legal, oficial y pretendido, de un sistema de lucro montado sobre los préstamos externos, como parte de un modelo social y económico con un determinado cuño político. Pasemos a analizar algunas de esas políticas.

Financiamiento a corto plazo

Parte del dinero de los préstamos se empleó en el financiamiento a corto plazo de los déficits en la balanza de pagos y en sostener la paridad de las monedas. El uso de préstamos comerciales para estas actividades puramente financieras de los bancos centrales era una cosa inusitada. Anteriormente los problemas de balanza de pagos se habían financiado con los fondos especializados del Fondo Monetario Internacional y los préstamos de gobiernos marcados para estos usos. Este empleo de los recursos financieros, por definición, no puede generar un flujo de fondos para servir la deuda; es una inversión a fondo perdido. Se esperaba, naturalmente, de una manera general que los préstamos empleados en inversiones productivas, operando en un ambiente financiero saneado, acabarían generando fondos suficientes para el servicio de la deuda, cualquiera que hubiera sido su empleo. Sin embargo, las presiones monetarias y las obligaciones de corto plazo fueron exigiendo a los gobiernos aplicar cada vez una mayor proporción de los préstamos externos a usos puramente financieros. A partir de 1978, una parte creciente de los préstamos contraídos se emplean en el servico la deuda, comenzando un proceso cumulativo, cada vez más desesperado, pero cada vez más necesario.

Los préstamos externos, que eran préstamos de moneda extranjera no ligados a importaciones específicas, se pueden considerar como préstamos de carácter general a los residentes del país receptor, que se otorgan con la esperanza de que los países se las arreglen para pagar la deuda generada. Pero los bancos acreedores no tienen poder para delimitar el uso de los préstamos de este tipo. No pueden evitar que las divisas entregadas se conviertan en fondos para financiar un déficit de cuenta corriente, o de la cuenta de capital o una acumulación de reservas internacionales.

Ciertos errores de la condución macroeconómica de los países latinoamericanos entre 1974 y 1982 llevaron a los gobiernos al recurso de la deuda como una opción más fácil que la de tomar medidas de ajuste de carácter impopular o poner en peligro las reformas neo-conservadoras. La mayoría de analistas señala la sobrevaloración de las monedas con respecto al dólar —y mucho más con respecto a otras monedas—, como una política que afectó sustancialmente las finanzas a corto plazo. El mantener su tipo de cambio con el dólar más alto de lo que exigían las fuerzas del mercado (básicamente la diferencia enorme entre importaciones y exportaciones), a que muchos gobiernos se comprometieron para frenar tensiones inflacionistas, les obligó a mantener la paridad y la convertibilidad de la moneda nacional, asediada por los especuladores, con enormes costos financieros a corto plazo. Con estas políticas, las exigencias de acumular reservas era muy grande y el endeudamiento exterior vino a solucionar temporalmente el problema. Luego analizaremos más detenidamente el caso de México, pero algo semejante sucedió por algún tiempo de Argentina y Chile, y hasta 1982 en Venezuela.

Financiamiento de la importación de bienes de consumo

Hay bastantes datos que muestran que en algunos países una gran parte de los préstamos se gastaron en financiar importaciones de bienes de consumo no esenciales. La liberalización unilateral del comercio internacional, que formaba parte del paquete de reformas liberales, impuestas en Argentina, Uruguay y, sobre todo, Chile, por las dictaduras militares, facilitó la importación de todo tipo de productos no esenciales.

Chile, a pesar de que la tasa de desempleo en 1981 estaba alrededor del 35 por 100, se convirtió en uno de los principales importadores americanos de radios, televisores, neveras y coches. Tanto es así que la abundancia de automóviles hizo a la capital, Santiago, una de las ciudades con más alto grado de polución del mundo, con 2,5 más contaminación de la que la Organización Mundial de la Salud considera aceptable. La importación masiva de automóviles creó además una demanda futura de gasolina, neumáticos, respuestos y coches más sofisticados, la mayor parte de los cuales tienen que ser importados. El nivel promedio de los aranceles bajó del 93 por 100 en 1973 a un 10 por 100 en 1979. El tipo de cambio real descendió desde mediados de 1976 hasta finales del 1977, quedando a ese nivel hasta 1979. El resultado de estos cambios fue por el costo de las importaciones se redujo en un 42 por 100, lo que provocó una furia importadora por parte de la burguesía.

La importación de bienes de consumo no alimentarios aumentó entre 1970 (antes del triunfo de Allende) y 1981 en 1.093 por 100, mientras que el total de importaciones durante ese período sólo aumentó en un 127 por 100, y las importaciones energéticas en un 484 por 100. En ese mismo período, la importación de cosméticos, colonias y perfumes aumentó en un 19.500 por 100; la de televisores en blanco y negro y en color aumentó en un 7.943 por 100, la de coches y motocicletas en un 1.248 por 100 y la de bebidas alcohólicas y tabaco en un 2.400 por 100[1]. En 1981 el volumen de importaciones no esenciales, como las descritas, suponía la mitad de su gran déficit en la balanza comercial. Parte de los préstamos que contrató Chile, que eran préstamos privados de los bancos e instituciones financieras de crédito al consumo, se emplearon en financiar las importaciones de bienes de consumo, como una manera de contrarrestar la sobrevaloración de la moneda. Cuando las condiciones externas se agravaron y hubo que limitar las importaciones, varios de estos bancos y financieras quebraron y el gobierno chileno tuvo que cargar con una deuda que había avalado.

En Argentina también hubo una situación parecida a partir de 1976, bajo la égida de los militares y de los «Chicago boys», el más eminente de los cuales, Martínez Hoz, está ahora perseguido por la justicia argentina por malversación de fondos y fraude al estado. Los argentinos frecuentaban los grandes almacenes de Miami, París y Londres, cargaban sus maletas de bienes de consumo de lujo y regresaban a sus países con un sobrepeso de importaciones innecesarias. Nunca después de la Gran Depresión se habían importado tantas cosas lujosas e inútiles en los países de Suramérica como entonces. Pero esto fue posible porque los bancos centrales se endeudaron a corto plazo para poder vender divisas a sus ciudadanos sin renunciar a la sobrevaloración de la moneda. Los beneficiados fueron los de siempre, la burguesía grande y pequeña, que logró diversificar sus activos de una manera verdaderamente impropia del nivel de desarrollo de su país.

Financiamiento de la fuga de capitales

Y venimos, finalmente, a la fuga de capitales. Sobre este tema no hay muchas estadísticas oficiales, aunque algo se puede ver en el capítulo de «errores y omisiones» de las balanzas de pagos de los países que permitieron los flujos de capital. En efecto, una gran parte de estas salidas de capital son clandestinas por ser ilegales y no están documentadas en publicación oficial alguna.

[1] Datos tomados de GRIFFITH-JONES, Stephany, y Osvaldo, SUNKEL: *Debt and Develpoment Crises in Latin America. The End of an Illusion,* Clarendon Press, Oxford, 1986, p. 108, que cita como fuentes sendos trabajos del economista chileno R. French-Davis. Datos parecidos se encuentran en un trabajo de FOXLEY, Alejandro: *Latin American Experiments in Neoconservative Economics,* University of California Press, London, 1983, p. 85.

Hay una persuasión generalizada entre burgueses, políticos y público en general de que la salida de capitales de América Latina ha sido enorme en estos últimos años. Una parte no despreciable de los préstamos dedicados a financiar transacciones financieras a corto plazo han acabado en las cuentas particulares de ciudadanos latinoamericanos en el extranjero. Es interesante a este respecto el testimonio de algunos testigos cualificados. En su intervención en la Conferencia *Beyond the Debt Crisis*, organizada conjuntamente por el Banco Interamericano de Desarrollo y el International Herald Tribune en Londres el enero de 1986, el banquero retirado David Rockefeller hablaba de «una desvastadora (devastatingly large) fuga de capitales»:

> Se ha estimado que la fuga de capitales de América Latina y el Caribe desde 1980 totaliza bastante más de 100.000 millones de dólares. ¡Qué diferente sería si regresaran sólo la mitad de estos fondos y qué ánimo daría a los inversores extranjeros! [2].

Razones tienen los banqueros para saber si hay mucha o poca fuga de capitales de América Latina, porque son ellos los que reciben, colocan y se benefician del capital fugado. En la Conferencia citada también mencionaron el problema otros banqueros, que analizan las causas de las salidas de capital legales o clandestinas. El análisis, sin embargo, es excesivamente economicista y a corto plazo, y no parece tener en cuenta la tendencia generalizada entre los latinoamericanos a diversificar sus activos con una buena proporción de moneda extranjera. Así, por ejemplo, en su intervención ante la conferencia, Robin Leigh-Pemberton, gobernador del Bank of England, decía:

> Los países de América Latina tienen que mantener la confianza de los inversores privados. Trabajos realizados en el Banco de Inglaterra indican que en los cuatros años 1981-1984 al menos 80.000 millones de dólares han dejado América Latina en la forma de fuga de capitales. Para ponerlo en un contexto más significativo: se puede decir que prácticamente toda la deuda contraída por los países de América Latina en esos cuatro años se ha usado en realidad para financiar, directa o indirectamente, la fuga de capitales. Ciertamente los bancos británicos, a la vez que dan su apoyo a la nueva iniciativa, esperan que se haga mucho más para evitar que los nuevos

[2] Los papeles de la Conferencia han sido publicados por el BID. BID e INTERNATIONAL HERALD TRIBUNE: *Más allá de la crisis de la deuda: América Latina en los próximos diez años.* (Ponencias de la Conferencia de Londres, 28-29 de enero de 1986), Washington, 1987. El autor, sin embargo, cita a partir de los papeles que se repartieron a los asistentes.

préstamos no sirvan más que para facilitar la huida de capitales de América Latina [3].

Obviamente, los banqueros echan la culpa de la fuga de capitales a las políticas concretas de los gobiernos latinoamericanos, que ahuyentan los capitales porque no «mantienen la confianza de los inversores privados». La responsabilidad de los banqueros en facilitar tales fugas está fuera de discusión y las consideraciones de solidaridad y patriotismo no entran a la hora de maximizar los rendimientos del capital. Ellos tienen que recibir los fondos que se les entrega sin preguntar de dónde vienen y cómo han viajado. Pero no hay duda que si los bancos estuvieran decididos a cortar la fuga de capitales latinoamericanos, no les faltarían medios para hacerlo, al menos en una buena y útil medida. En la misma ocasión, un banquero alemán, Werner Blessing, presidente del Deutsche Bank, daba los remedios:

> Tenemos, pues, que hacer un llamamiento a todos los gobiernos latinoamericanos a que sigan una política económica estrictamente orientada al mercado para fortalecer la confianza, local y extranjera, en la eficiencia de las economías respectivas. Tenemos que invitar a la comunidad empresarial latinoamericana para que cree condiciones generales propicias para una efectiva movilización del capital nacional al interior mismo del país [4].

El rudo economicismo de este banquero no merece mucho comentario, pero es una muestra de que cuando se tiene poder no se está obligado a ser muy sutil. Lo que no parecen querer entender es que en un ambiente de insolvencia externa, sin apenas crecimiento económico y con la inestabilidad social y política que genera el pago de la deuda, los latinoamericanos ricos continuarán colocando sus ahorros en el extranjero mientras puedan. El fortalecer la confianza local pasa por fortalecer las condiciones básicas para un crecimiento continuado.

The Economist de Londres también exploraba el tema:

> «Parece que la posición externa en América Latina se ha agravado por los flujos de capital del sector privado», dice el Bank for International Settlements (BIS), el banco central de los bancos centrales, en su informe anual... La delicada prosa de la institución implica que si los ricos de América Latina repatriaran lo que han ganado con su dinero en el extranjero sus países no estarían en semejante lío [5].

---

[3] LEIGH-PEMBERTON, Robin: «How the Financial System should adapt», BID e IHT: Más allá de la crisis de la deuda.

[4] BLESSING, Werner: «A Commercial's Bankers's View», BID e IHT, *loc. cit.*

[5] Latin America: the other side of debt», *The Economist,* junio 23, 1984, páginas 75-76.

Dimensiones de la fuga de capitales

Lógicamente, es difícil estimar las dimensiones de la fuga de capitales. Las distintas instituciones y personas que lo ha intentado tienen que usar métodos indirectos, que no siempre dan los mismos resultados. El Banco de Pagos Internacionales (BIS) de Basilea estima que 50.000 millones de dólares salieron de América Latina entre 1978 y 1982. Por su parte, investigadores del Federal Reserve Board de Estados Unidos han calculado que la tercera parte de los 252.000 millones de dólares en que aumentó la deuda de Argentina, Brasil, Chile, México y Venezuela entre 1974 y 1982 (o sea, unos 84.000 millones) se destinó a comprar activos en el extranjero o se sacó a cuentas bancarias en Estados Unidos y Europa.

CUADRO 6.1

DIMENSIONES ESTIMADAS DE LA FUGA DE CAPITALES. 1974-1982

(En miles de millones de dólares y porcentajes del aumento de la deuda externa)

País	*Incremento deuda (1975-1982)*	*Capital fugado* (1)	
Argentina	30,65	(61 %)	18,70
Brasil	59,86	(12 %)	7,20
Chile	12,30	0	
México	65,55	(43 %)	28,20
Venezuela	26,10	(96 %)	25,05
TOTAL	194,46		79,15

(1) Los porcentajes se deben aplicar a la columna anterior para dar la tercera columna. La fuente aplica este porcentaje al período 1974-1982.

FUENTES: Los incrementos de la deuda están calculados del estudio del B.I.D., *La deuda externa y el desarrollo económico de América Latina.* Los porcentajes de capital fugado están tomados del artículo mencionado de *The Economist,* 23 de junio de 1984, p. 75, quien cita a su vez el estudio del Federal Reserve Board, sin dar la metodología.

Otra estimación más reciente de los economistas del Banco Mundial da que las fugas de capital entre 1974 y 1982 representaban el 17,8 por 100 de la deuda externa bruta en Argentina, el 49,1 por 100 de la de Venezuela, 34,3 por 100 de la de México, 32,8 por 100 de la de Perú y 4,3 por 100 de la de Brasil[6].

[6] KHAN, Mohsin S., y Nadeem UL HAQUE: «Capital Flight from Developing Countries», *Finance and Development,* marzo de 1987, pp. 2-5.

También se dispone de algunos datos de los activos que propietarios privados latinoamericanos tienen en el extranjero, como aparece en el cuadro siguiente:

CUADRO 6.2

EVOLUCION DE LOS ACTIVOS DEL SECTOR PRIVADO LATINOAMERICANO EN EL EXTRANJERO
(En miles de millones de dólares. Aproximadamente)

Países	*1975*	*1976*	*1977*	*1978*	*1979*	*1980*	*1981*	*1982*
Argentina	0,0	−0,3	0,8	2,7	1,6	7,0	7,8	−0,6
Brasil	3,0	−2,0	2,2	4,5	1,3	1,7	−0,4	0,4
Chile	1,0	−0,5	−0,8	−0,7	0,4	−0,2	−0,4	0,8
México	1,1	3,6	4,5	0,8	3,0	7,5	8,2	6,8
Venezuela	0,6	−0,3	−1,2	1,0	4,8	4,8	7,2	8,3
TOTAL	5,7	0,5	5,5	8,3	11,1	20,8	22,4	15,6

FUENTE: *The Economist, loc. cit.,* p. 75.
Los números están sacados de un gráfico, por lo que resultan aproximados, aunque el orden de magnitud está garantizado.

Según los economistas del Banco Mundial, arriba citados, en 1984 los depósitos de ciudadanos e instituciones de Venezuela en bancos extranjeros representaba el 34,2 por 100 de la deuda externa. Esta estadística era del 17 por 100 para Argentina, 15,1 por 100 para México, 11,2 por 100 para Perú, 9,9 por 100 para Chile y 7,4 por 100 para Brasil [7].

Comentando este tipo de estimaciones, *The Economist* opinaba que el orden de magnitud de las cifras que se barajan son probablemente demasiado bajas:

> Lo son probablemente, porque la salida de capitales fue realmente fácil en Argentina, México y Venezuela antes de que se impusieran controles de cambio en México a mediados de 1982 y en Venezuela y Argentina en 1983. Otras formas de fugas disfrazadas que no están recogidas en estos datos han sido probablemente muy importantes, incluyendo la *sub-facturación* de exportaciones.

Y la sobrefacturación de importaciones, añadiríamos nosotros. Este procedimiento para sacar capital del país consiste en facturar más de lo

[7] KHAN M. S., y UL HAQUE, N.: *loc cit.,* p. 5.

que valen las importaciones. Para lo cual hay que contar con la colaboración del proveedor extranjero que escribe la factura. Una vez obtenidas las divisas en el banco central para pagar las importaciones, el proveedor ingresa el exceso de facturación en una cuenta del comprador en un banco extranjero. La subfacturación de las exportaciones funciona al revés. El exportador justifica ante su banco central una cantidad menor de la que ha exportado realmente, contando con la colaboración del importador extranjero, quien deposita la diferencia en la cuenta del exportador en un banco extranjero. Estos métodos permiten convertir el comercio ordinario de mercancías en un vehículo privilegiado de la fuga de capitales, que los negociantes latinoamericanos han usado con gran eficiencia.

Menciona también *The Economist* el tráfico de drogas como una fuente de capital en el extranjero que no aparece en ninguna publicación estadística:

> Las estadísticas del gobierno norteamericano indican que las exportaciones colombianas de cocaína y marihuana a los Estados Unidos el año pasado (1983) fueron de cerca de 2.000 millones de dólares. La mayor parte de las ganancias de las drogas no regresa a su país de origen. Se abren camino a los bancos del Caribe para volver a los Estados Unidos una vez blanqueadas.

No vamos a insistir en este tema que todos los que hemos vivido en América Latina, por desgracia, conocemos y entendemos muy bien. El problema con estos capitales depositados en el extranjero no es tanto que hayan salido una vez de su país de origen, donde la riqueza se creó en buena parte explotando a los trabajadores del campo y de las minas. Lo peor de todo, especialmente para los problemas financieros actuales, es que las ganancias de esa riqueza, de esos fondos invertidos en el extranjero, no regresan casi nunca a su patria. Muchos países tienen grandes deudas externas, como los Estados Unidos, que están compensadas por sus activos en el extranjero, cuyos rendimientos repatriados van a aumentar los ahorros internos y los fondos de inversión. Si solamente los intereses de los 20.000 millones de dólares que tendrían depositados los ciudadanos mexicanos en los bancos norteamericanos regresaran a México, podrían pagar el 10 por 100 del servicio de la deuda del país. Desgraciadamente, nada indica que los latinoamericanos ricos estén dispuestos a llevar sus ahorros de regreso a sus países. Los bancos de los países industrializados quizá podrían hacer algo para que al menos una parte de estos inmensos fondos se aplicaran a servir la deuda de los países de origen. Pero la filosofía de los bancos al respecto no permite tampoco albergar muchas esperanzas.

Desde el punto de mira de los bancos, esos fondos han sido, como dice el título de este capítulo, *capitales de ida y vuelta.* Lo que ha sucedido con la parte de préstamos que se usó para las fugas de capital es realmente paradójico. En los países deudores de América Latina, los bancos centrales vendieron a ciudadanos del país por moneda nacional la moneda extranjera prestada, que ahora tienen que devolver. Por otra parte, una determinada cantidad de esa moneda (dólares, marcos, libras y yens) han regresado ya —vía fuga de capitales— como depósitos de ciudadanos latinoamericanos a los bancos, o al sistema de bancos, de donde salió, y están produciendo ganancias para los bancos que la mueven y para sus depositantes. Sin embargo, por ironías del proceso, los bancos centrales latinoamericanos tienen que devolver esa cantidad juntamente con el resto de los préstamos. Es decir, tienen que devolver, por segunda vez, como si dijéramos, un dinero que de hecho ya ha vuelto a los bancos, porque en la contabilidad de estos sigue figurando como un desembolso, como unos recursos que ellos han enajenado y tienen derecho a reclamar. Naturalmente, en la contabilidad del banco los préstamos a un banco central latinoamericano y los depósitos de los ciudadanos latinoamericanos, aunque han usado el mismo dinero, son dos operaciones perfectamente distintas, que nada tienen que ver entre sí. Contable y legalmente la paradoja descrita es impecable; desde otros puntos de vista, quizá, no deja de tener algo de grotesco y aun de injusto. Ciertamente dice poco de la solidaridad y patriotismo de los ciudadanos latinoamericanos que han sacado el capital de su país y mucho de la falta de sensibilidad y flexibilidad del sistema bancario.

La masiva fuga de capitales de los ciudadanos latinoamericanos es una piedra de escándalo para la opinión pública de los países acreedores, que no comprenden por qué sus bancos, sus economías y, en el peor de los casos, ellos mismos van a tener que pagar las consecuencias de un comportamiento tan poco solidario de los ricos latinoamericanos. El argumento acaba incidiendo en la cuestión de quién o quiénes son un país. Desde la perspectiva de los acreedores, la deuda externa de Argentina es la deuda del país, es decir, tanto la deuda de los funcionarios, militares y especuladores que sacaron dinero de Argentina, como la de los obreros, empleados y campesinos, que nunca pusieron su mano sobre un dólar prestado. Y, sin embargo, el análisis económico y sociológico da que la cosa no es así. Da que, siendo todos de un país, unos se beneficiaron del endeudamiento (y ahora tienen defensas para aguantar la austeridad del ajuste), y otros se beneficiaron poco o nada. Ante el derecho internacional público, a que apelan los acreedores, sólo los estados son sujetos de derecho y, por lo tanto, sólo son responsables de la deuda, pero ante la conciencia de los pueblos tiene que haber lugar para la acepción de personas y para la distinción de responsabilidades personales. No se puede, pues, exigir ética y políticamente una solución del problema que haga pagar igual, y con frecuencia desproporcionadamente, a los que nada sacaron del endeudamiento de su país como a los que se enriquecieron con él. Aunque el hacer esta distinción en el problema de la deuda no sea empresa fácil.

7. Una deuda que crece como la espuma

Las consideraciones anteriores sobre la peligrosa naturaleza y el mal uso de los préstamos no ofrecen, como ya hemos dicho, una explicación completa de la crisis de la deuda que estalló en 1982. Para completar la explicación tenemos que analizar el entorno económico mundial que se daba en 1982, un entorno determinado por la política económica del país más grande del mundo capitalista, los Estados Unidos. El endeudamiento fue imprudente por parte de los bancos, que no se preocuparon de informarse y vigilar la evolución de un proceso financiero que utilizaba instrumentos peligrosos, e ineficiente por parte de los países, que usaron los créditos subordinando la rentabilidad a mediano y largo plazo de las inversiones a otras consideraciones más generales o más urgentes. Aunque el proceso llevaba en sí la semilla del desastre, a comienzos de 1981 no había germinado todavía. No se puede negar que fueron circunstancias ajenas a los sucesos en América Latina y a la dinámica interna de la gran banca comercial las que activaron todas las potencialidades del desastre.

En este capítulo se da una importancia especial a la política económica seguida por el presidente Reagan a partir de su toma de posesión en enero de 1981. Sus acciones no tuvieron los efectos que sus asesores, el senador Jack Kemp y el profesor Arthur Laffer, le habían pronosticado que tendrían. Reagan pensaba que su línea de actuación iba a devolver el crecimiento a la economía americana e iba a reducir el déficit fiscal heredado de su predecesor, que representaba el 2 por 100 del PIB. No hizo ni una cosa ni la otra. Antes al contrario, al principio de su gobierno provocó una recesión y para salir de ella generó un enorme déficit fiscal, que pesó como una losa sobre las economías de los países industrializados y mucho más sobre los subdesarrollados con problemas de deuda. La recesión de 1982 generó en la esfera de las finanzas y en la esfera del comercio las peores condiciones posibles para la situación de la deuda: subió el tipo real de interés y se restringió el comercio internacional. Poco a poco, a medida que aumentaban las dificultades para el servicio de la deuda, se secaban las fuentes de financiamiento que con tanta abundancia habían saciado la sed de fondos prestables a corto y mediano plazo de las economías latinoamericanas.

Es ahora una cuestión banal preguntarse qué hubiera pasado si el presidente Reagan hubiera adoptado una política diferente. En su día, nadie pensó en la Casa Blanca ni en el Federal Reserve Board que la estabilidad del sistema financiero internacional tenía problemas de fondo y que una política de altos tipos de interés podría exacerbarlos. Por ejemplo, Paul Voucker, presidente del FRB, argumentaba en un discurso en marzo de 1980:

> La impresión que tengo de los datos que he revisado es que el proceso de reciclar (los excedentes de la OPEP) no ha llevado el riesgo de los acreedores ni el de los deudores a un punto insostenible, especialmente para los bancos americanos, cuya participación en el total de préstamos a los países subdesarrollados no petroleros en los últimos años ha declinado, y cuya participación de los créditos a esos países en el conjunto de sus activos también se ha reducido. Pero existen casos problemáticos aislados y no dejarán de aparecer otros [1].

La naturaleza del proceso era tal, que algunos países, antes o después, hubieran acabado con serios problemas para pagar su deuda. Pero, probablemente, con otra política en Estados Unidos, la crisis no hubiera sido tan grave y, sobre todo, no hubiera sido tan general y simultánea en países de diferente estructura productiva.

El déficit fiscal de los Estados Unidos

No es antiyanquismo gratuito el atribuir a la política fiscal del presidente Reagan el haber agravado hasta los límites del desastre el problema de la deuda latinoamericana. Su política fiscal creó las condiciones necesarias y suficientes para que subieran los tipos reales de interés y

[1] Citado por LEVER, Harold, y Chistopher HUHNE: *Debt and Danger. The world Financial Crisis,* Penguin Books, 1985, p. 57.

para que se revalorizara el dólar. Lo primero elevó automáticamente el servicio de los intereses sobre los préstamos contratados a tipos flexibles y lo segundo no sólo encareció en recursos propios de los países deudores el pago de una misma cantidad de dólares, sino que afectó negativamente al mercado de materias primas.

Aunque en círculos académicos se siguen proponiendo argumentos teóricos que niegan la vinculación de los elevados tipos de interés con el monto del déficit fiscal, probablemente para salvar la política del presidente, hay un amplio consenso entre académicos y políticos sobre que el, hasta ahora, imparable déficit fiscal de los Estados Unidos es responsable tanto de la subida del dólar como de la de los tipos de interés. En esta cuestión tenemos el testimonio incomparable de Martín Feldstein, profesor de economía de la Universidad de Harvard, que desde 1982 a 1984, en que dimitió por desacuerdos con su jefe, fue el presidente del Consejo de Asesores Económicos (Council of Economic Advisers) y principal asesor económico del presidente Reagan. Feldstein, en un excelente artículo traducido en *Papeles de economía española* en 1985, no deja dudas a este respecto:

> En mi opinión, la influencia dominante sobre la economía mundial durante los dos últimos años ha sido el déficit presupuestario de los Estados Unidos, y la próxima resolución del desequilibrio fiscal estadounidense tendrá efectos profundos en los años venideros. El déficit presupuestario de los Estados Unidos ha sido la causa primordial de la elevación de los tipos de interés, y, por lo tanto, del alza del dólar... Al mismo tiempo, sin embargo, el déficit estadounidense ha elevado los tipos reales de interés en el mercado mundial de capitales e inducido a los gobiernos europeos a adoptar políticas monetarias y fiscales contractivas que contrarrestaran la presión inflacionista generada por la caída de sus respectivas monedas [2].

Explicando el origen del déficit fiscal, escribía el Premio Nobel de Economía, Paul A. Samuelson:

> Hacia el otoño de 1981 se hizo evidente que las promesas y anuncias del *lafferismo* (las teorías de Arthur Laffer, un profesor de Chicago, que propuso un argumento teórico, la *curva de Laffer,* para defender la reducción de los impuestos como estímulo al crecimiento) no iban a materializarse a la hora de liquidar, y que un gran déficit estructural sería la cosecha de los recortes tributarios de Reagan [3].

---

[2] FELDSTEIN, Martin: «La política económica de los Estados Unidos y la economía mundial», *Papeles de economía española,* Madrid, 24, 1985, pp. 347-355.

[3] SAMUELSON, Paul A.: «Una evaluación de la Reaganomics», *Papeles de economía española,* Madrid, 24, 1985, pp. 336-346.

Los asesores de Reagan, partidarios de la llamada «economía de la oferta», predecían que una importante reducción de impuestos tendría un fuerte impacto sobre la inversión y el crecimiento, a través del aumento de los ahorros privados. En consecuencia, se redujeron los impuestos en 1981, inmediatamente después de la toma de posesión del presidente. Por medio de la Economic Recovery Tax Act se reducían los tipos impositivos sobre el ingreso de las personas físicas en un promedio del 23 por 100 acumulado durante tres años. Pero antes de que esta reducción tuviera algún efecto, se incrementaron sustancialmente los gastos, especialmente los de defensa. El déficit que en 1980 representaba un 2,3 por 100 del PIB, se convirtió en 3,6 por 100 en 1982 y 6,1 por 100 en 1983, como aparece en el cuadro siguiente:

CUADRO 7.1

PRESUPUESTO DE LOS ESTADOS UNIDOS. 1980-1985
(Porcentaje del PIB en el año fiscal)

	1980	*1981*	*1982*	*1983*	*1984* *	*1985* *
1. Gastos totales	22,4	22,8	23,8	24,7	24,0	24,3
— Defensa nacional	5,2	5,5	6,1	6,5	6,7	7,3
— Intereses	2,0	2,4	2,8	2,8	3,0	3,0
— Seguridad social	4,6	4,8	5,1	5,3	5,0	4,9
— Medicare	1,2	1,4	1,5	1,6	1,7	1,8
2. Ingresos totales	20,1	20,8	20,2	18,6	18,7	19,0
— Tributarios	14,8	15,2	14,4	12,9	12,9	12,9
3. Déficit	2,3	2,0	3,6	6,1	5,3	5,3

* Estos datos son estimaciones. El dato histórico para 1984 ha sido del 5,1 por 100.

FUENTE: *Economic Report of the Presidente. 1984,* Government Printing Office, Washington, 1984, p. 29.

Cada punto de cambio porcental supone, naturalmente, enormes cantidades de dinero en términos absolutos. Ver cuadro en la página siguiente.

El déficit fiscal fue financiado emitiendo deuda pública, cuyo crecimiento aparece en la línea 4 del cuadro. No se recurrió a la financiación a través del Sistema Federal de Reserva (creación de dinero), porque hubiera sido inflacionario. Por el contrario, el Sistema Federal de Reserva mantuvo su política anti-inflacionista de estricto control del crecimiento de la masa monetaria. Samuelson caracteriza así la situación creada:

CUADRO 7.2

PRESUPUESTO DE LOS ESTADOS UNIDOS. 1980-1983
(En miles de millones de dólares corrientes)

	1980	*1981*	*1982*	*1983*
1. Gastos totales	576,7	657,2	728,4	795,9
— Defensa	134,0	157,5	185,3	210,0
— Seguridad social	118,6	139,6	156,0	170,7
— Medicare	32,1	39,2	46,6	52,6
— Intereses netos	52,5	68,7	85,0	108,2
2. Ingresos totales	517,1	599,3	617,7	600,6
— Impuestos d. p.	244,1	285,9	297,7	288,9
3. Déficit	59,6	57,9	110,7	195,4
4. Deuda federal	914,3	1.003,9	1.146,9	1.591,6

FUENTE: *The Economic Report of the President. 1984,* p. 305.

Los monetaristas (Beryl Sprinkel era su portavoz típico) defendieron los déficits de Reagan de acuerdo con las líneas siguientes. Todo lo que importa a efectos de la demanda total es la magnitud y la tasa de crecimiento de la oferta monetaria. Por consiguiente, el déficit y la deuda pública como tales no importan, siempre que la Reserva Federal haga las cosas bien. Hacer las cosas bien significa, por supuesto, seguir una regla estricta de crecimiento monetario, que no admita la menor concesión a la financiación del déficit público mediante incrementos acomodantes de la oferta monetaria [4].

El resultado inmediato fue una «expulsión del mercado» de inversores privados no muy poderosos, lo que llaman en inglés «crowding out», en virtud de la enorme absorción de ahorros por parte del gobierno federal, que provocó una escasez de «fondos prestables» y por lo tanto un encarecimiento de los mismos. Los tipos de interés reales aumentaron, reflejando la condición de escasez en los mercados financieros. (Este «efecto de expulsión» explica por qué los banqueros y los empresarios privados en España están en contra del déficit fiscal, un déficit que no proviene de ninguna reducción de impuestos, y que compite con las empresas privadas en la captación de los ahorros privados de la población.)

Cuando Wall Street vio satisfechos los deseos de su corazón —cuenta Samuelson— extrajo rápidamente las consecuencias. Los recortes tributarios

[4] SAMUELSON, Paul A.: loc. cit., p. 340.

significaban unos enormes déficits estructurales en el futuro... Significaban unos tipos de interés lo suficientemente altos aquí como para atraer la inversión exterior, proceso que es probable que empujara al alza a un dólar ya sobrevalorado, atendiendo a los indicadores de la balanza de cuenta corriente... Desde mediados de 1981, ya adoptadas las medidas fiscales, Wall Street actuó inmediatamente de un modo natural. Inundó con sus bonos el mercado haciendo aumentar los tipos de interés en ese proceso... [5].

La subida de los tipos reales de interés

La combinación de una política fiscal expansiva, que llevó a extremos inauditos al déficit presupuestario, y una política monetaria sumamente restrictva empujó a los tipos de interés hacia arriba de una manera drástica. El compromiso del gobierno de los Estados Unidos con una política del control de la inflación —esta vez de hecho y no sólo de palabras— desde marzo de 1981 hasta agosto de 1982 (en que Paul Volcker aflojó las riendas del control monetario) fue el mayor shock dado a la economía mundial después de la subida de los precios del petróleo en 1973. Pero mientras la subida del petróleo fue un shock del lado de la oferta, en cuanto afectaba los costos de producción, la política monetaria

CUADRO 7.3

EVOLUCION DE LOS TIPOS DE INTERES. 1980-1984

	1977	*1978*	*1979*	*1980*	*1981*	*1982*	*1983*	*1984*
1)	6,00	9,50	12,00	13,00	12,00	8,50	8,50	8,00
2)	5,27	7,22	10,04	11,62	14,08	10,72	8,6	9,57
3)	6,82	9,06	12,67	15,27	18,87	14,86	10,79	12,04
4)	5,96	8,73	11,93	14,07	16,84	13,29	7,92	10,94
5)	6,50	7,60	11,30	13,50	10,40	6,20	3,20	4,30
6)	−0,54	1,13	0,63	0,57	6,44	7,09	6,52	6,54

1) Tipo de descuento.
2) Tipo de los títulos del Tesoro.
3) «Prime rate», interés preferencial a los mejores clientes.
4) LIBOR a tres meses, depósitos en dólares.
5) Tasa de inflación en Estados Unidos, CPI (1980 = 100).
6) Tipo de interés real, 4) − 5).

FUENTE: IMF, *International Financial Statistics. Yearbook 1985, pp,* 97-105, 644-645.

[5] SAMUELSON, Paul A.: *loc. cit.,* p. 340.

de los Estados Unidos causó un shock a la demanda, algo para lo que nadie, ni los bancos acreedores ni los países deudores, estaban preparados. Los tipos de interés flotantes que tenían los préstamos a América Latina no ofrecían protección suficiente contra el doble problema de un aumento de los costos reales del servicio de la deuda y un colapso de los precios de los productos primarios. No hay instrumento bancario que pueda defender a los acreedores contra las peores circunstancias para el pago de las deudas, sobre todo si estas circunstancias son totalmente inesperadas.

La evolución de los tipos de interés fue realmente impactante por la rapidez y la cuantía de su aumento.

Este es el panorama de los tipos de interés. Según el estudio del BID sobre la deuda tantas veces citado, cada punto porcentual de aumento en los tipos de interés significa un cambio en el monto de los intereses de la deuda externa latinoamericana de aproximadamente 2.500 millones de dólares anuales [6]. Según este criterio de cálculo, el cuadro siguiente nos da una idea de cómo creció la deuda entre 1977 y 1982 debido al aumento del tipo de interés.

CUADRO 7.4

AUMENTO DEL MONTO DE LA DEUDA POR EL AUMENTO DEL TIPO DE INTERES

Período	*Aumento en millones de dólares*
1977-1978	6.925
1978-1979	8.000
1979-1980	5.350
1980-1981	6.925
TOTAL 1977-1981	27.200

FUENTE: Cálculo basado en los datos anteriores. La estimación es muy incompleta porque no tiene en cuenta los perfiles temporales de la deuda, pero por lo menos tiene el rigor de explicar la metodología del cálculo que no siempre se hace.

Los datos de que disponemos en la actualidad nos permiten evaluar el aumento de carga que la subida de los tipos de interés supuso para el servicio de la deuda.

Como se puede observar, en los cinco años que van de 1978 a 1982 casi todos los países vieron duplicarse el pago de intereses como porcen-

[6] BID: *La deuda externa y el desarrollo económico de América Latina,* p. 43.

CUADRO 7.5

EVOLUCION DE LOS PAGOS DE INTERESES COMO PORCENTAJE DE LAS EXPORTACIONES, 1978-1983

(Porcentajes)

	1978	*1979*	*1980*	*1981*	*1982*	*1983*
Exportadores de petróleo						
Bolivia	13,7	18,1	24,5	32,1	43,5	44,4
Ecuador	10,3	13,6	18,2	24,3	30,1	27,4
México	24,0	24,8	23,3	29,0	46,0	39,3
Perú	21,2	14,7	16,0	24,1	25,1	29,8
Venezuela	7,2	6,9	8,1	12,7	21,0	21,6
Importadores netos de petróleo						
Argentina	9,6	12,8	22,0	35,5	53,6	58,4
Brasil	24,5	31,5	34,1	40,4	57,1	43,5
Colombia	7,7	10,1	11,8	21,8	25,8	26,5
Costa Rica	9,9	12,8	18,0	28,0	36,1	32,8
Chile	17,0	16,5	19,3	38,8	49,5	39,4
Nicaragua	9,3	9,7	17,8	22,2	32,2	14,3
República Dominicana	14,0	14,4	14,7	20,2	22,6	24,5
Uruguay	10,4	9,0	11,0	12,9	22,4	24,8

FUENTE: CEPAL, «Balance preliminar de la economía latinoamericana en 1985», *Comercio Exterior*, febrero de 1986, p. 20.

taje de las exportaciones. Esto en parte se debe a la disminución de las exportaciones y en parte también al aumento de la deuda; pero ni las exportaciones disminuyeron tanto ni la deuda aumentó en tales proporciones (ver el cuadro 2.1) como para justificar la duplicación. El prodigioso aumento de los pagos de intereses sólo tiene la explicación de que se acortaron los plazos de los préstamos, como ya hemos visto en el capítulo cuarto, y sobre todo la subida de los tipos de interés.

El profesor Sjaastad, de la Universidad de Chicago, comentaba a este respecto:

> Si no hubiesen aumentado los tipos de interés y disminuido el período promedio de vencimiento, los costos del servicio de la deuda serían, para los países que no son de la OPEP, sustancialmente inferiores: 63.000 millones en lugar de los 98.000 de 1982... [7].

[7] SJAASTAD, Larry A.: «¿A quién debemos el atolladero del endeudamiento internacional?», *Información Comercial Española,* abril 1984, p. 48.

Más aún, si los países interesados hubieran podido seguir aplazando el pago del pricipal, las necesidades para el servicio de la deuda en 1982 habrían sido en conjunto de sólo 19.100 millones o el 4 por 100 de sus exportaciones. Incluso para Brasil, que muestra la peor situación en el cuadro anterior, el pago de sus exportaciones habría supuesto sólo el 13,6 por 100, en vez del 57,1 por 100 de sus exportaciones en 1982, el año en que explotó la crisis.

La revalorización del dólar

El elevado tipo real de interés en los activos en dólares atrajo a los inversores institucionales (las compañías aseguradoras, los fondos mutuos, las grandes multinacionales, trading companies, etc.) a comprar activos en esta moneda, por lo que su precio con respecto a todas las demás monedas de los países de la OCDE subió a los cielos. La apreciación del dólar a partir de 1982 fue un fenómeno que parecía desafiar las leyes de la gravedad o, por lo menos, las leyes hasta entonces aceptadas sobre la determinación del valor internacional de las monedas. Con unos déficits constantes en la balanza comercial y eventualmente en la de cuenta corriente, el dólar, en un sistema de tipos de cambio variables, tendría que haberse devaluado hasta encontrar un valor que equilibrara el valor de las exportaciones y el de las importaciones. A falta del mecanismo teórico de ajuste, por lo menos cabría esperar que los déficits tenderían a cerrar las diferencias entre el dólar y otras monedas, pero nunca a ensancharlas más. Pero la determinación del dólar parecía funcionar exactamente al revés. Descubrimos entonces que el valor del dólar no se determinaba en los mercados de bienes y servicios, sino en los mercados financieros, por la acción de una demanda creciente, alimentada por las expectativas de que los tipos de interés se mantendrían altos mientras continuaran los déficits fiscales, y la falta de alternativas en otros países industrializados de bajo crecimiento (ocasionado en parte por el nivel de los tipos de interés norteamericanos).

La apreciación del dólar siguió el curso que aparece en el cuadro 7.6, en la página siguiente.

Así, pues, en términos del yen el dólar se apreció en un 19,3 por 100 entre 1978 y 1983; en términos del marco alemán (DM) en 27,1 por 100 en el mismo período y en un 123,5 por 100 con respecto a la peseta. Esto no es nada comparado con la apreciación del dólar con respecto al cruzeiro brasileño, que era a finales de 1982 del 891,7 por 100 y del 324,6 por 100 con respecto al peso mexicano. En estos últimos casos,

CUADRO 7.6

EVOLUCION DEL DOLAR CON RESPECTO AL MARCO Y AL YEN, 1978-1983
(Promedios a final de año)

	1978	*1979*	*1980*	*1981*	*1982*	*1983*
1. Relación $/Y	194,6	239,7	203,0	219,9	235,0	232,2
2. Relación $/DM	2,008	1,833	1,818	2,260	2,427	2,553
3. Relación $/Ptas.	70,11	66,15	79,25	97,45	125,60	156,70
4. Relación $/Peso	22,72	22,80	23,26	26,23	96,48	143,80
5. Relación $/Cruz.	18,10	26,90	52,70	93,10	179,50	577,00

FUENTE: International Monetary Fund, *International Financial Statistics,* Supplement on Exchange Rates, 1985.

como en el de la peseta, los cambios no solamente reflejan la apreciación del dólar, sino principalmente la devaluación de la moneda del país.

El hecho de que la mayoría del endeudamiento de los países latinoamericanos estuviera denominado en dólares, provocó que los costos del servicio de la deuda aumentaran. No sólo se produjo un aumento en los pagos del interés nominal, debido a la subida de los tipos de interés, sino que el peso del pago de intereses se hizo aún mayor en términos reales como resultado de la reducción del precio en dólares de muchas mercancías de exportación. De octubre de 1980 a finales de febrero de 1981, los precios de muchas exportaciones se redujeron entre el 10 y el 20 por 100 en términos de dólares, mientras aumentaban, lógicamente, en marcos alemanes y yens. Pero un descenso del precio en dólares de las mercancías supone un incremento en el peso real del servicio de un monto de deuda fijado en dólares. La última edición del *World Economic Outlook,* que publica el Fondo Monetario Internacional, estima que cerca de *dos quintas partes* del aumento en los ratios de la deuda (la ratio de deuda a exportaciones) entre 1979 y 1983 han sido ocasionadas por la apreciación del dólar en términos reales [8].

[8] INTERNATIONAL MONETARY FUND, *World Economic Outlook,* Washington. abril 1986, p. 91.

8. La contracción del comercio internacional

La política económica del presidente Reagan también afectó a los países industrializados. La elevación de los tipos de interés en Estados Unidos obligó a los países industrializados a elevar los suyos para impedir la emigración de capitales hacia Nueva York y la depreciación de sus propias monedas. Pero eso no pudo impedir que los mercados financieros se orientaron decididamente a financiar el déficit de los Estados Unidos. Esta reorientación de los mercados tuvo dos efectos. El primero es que retiró capitales de otros países industrializados, agudizando su recesión; y otro que se comenzó a perder interés en el financiamiento del desarrollo de los países latinoamericanos. En Europa, en concreto, la escasez de capitales hizo subir el precio del dinero y retraer sustancialmente la inversión. En América Latina, a partir de 1982, los bancos internacionales, que ya habían encontrado una alternativa de inversión en Norteamérica, comienzan a reducir o endurecer sus créditos a sus deudores en América Latina. Continúan, sin embargo, haciéndoles créditos para que puedan atender al servicio de la deuda y mantener ellos la vigencia de sus préstamos en las respectivas carteras de activos.

En este capítulo, sin embargo, no nos ocupamos tanto de los trastornos financieros que ocasionó en el sistema financiero internacional el financiamiento del déficit fiscal americano, cuanto de otras circunstancias, que paralelamente se habían ido produciendo en la esfera del comercio internacional, que, como ya hemos dicho, es la fuente «natural» de financiamiento externo para los países exportadores de materias primas.

Pierden dinamismo las relaciones económicas internacionales

Antes de que fueran mal las cosas en el campo financiero, ya se habían deteriorado en el comercio internacional. En 1980 comenzaron a sentirse los síntomas de una recesión en los países industrializados, que habría de tener su punto más bajo en 1982, coincidiendo con la «recesión de Reagan». En efecto, el alza de los precios del petróleo en 1979 y otras circunstancias provocaron una inmediata reacción de ajuste en los países industrializados que indujo la recesión de la producción y del comercio en la economía mundial.

Cuadro 8.1

INDICADORES DE LA RECESION DE LOS PAISES INDUSTRIALIZADOS, 1980-1982

(Tasas de cambio)

	1979	*1980*	*1981*	*1982*	*1983*
1. Producción	3,3	1,2	1,4	−0,4	2,6
2. Demanda interna	3,6	0,1	0,5	−0,2	2,8
3. Inversión bruta	4,0	−1,8	−0,4	−4,4	2,9
4. Volumen de importaciones	8,8	−0,7	−1,5	−0,1	5,2

Fuente: International Monetary Fund, *World Economic Outlook*, abril 1986.

El fenómeno está claro: la recesión se manifiesta casi abruptamente en 1980 y va agravándose rápidamente hasta 1982. Las causas de la recesión se han indicado genéricamente como «proceso de ajuste» a las nuevas condiciones en el mercado del petróleo. Los países de la OCDE, actuando casi al unísono, adoptaron medidas recesivas de reducción de la demanda global y de estricto control monetario, para sanear sus finanzas y reducir la inflación. La reducción del gasto público y privado tuvo una notable incidencia sobre el volumen de las importaciones y sobre el ritmo de crecimiento internacional. A partir de 1981, la coyuntura recesiva de ajuste se vio agravada por la subida de los tipos reales de interés en Estados Unidos. Europa y Japón se vieron obligados a elevar, o mantener elevados, sus tipos de interés para defender sus monedas, evitando la salida de capitales hacia el mercado norteamericano, donde los títulos de deuda estatal se ofrecían en condiciones muy atractivas.

CUADRO 8.2

EVOLUCION DE LOS TIPOS DE INTERES DE LOS BONOS DEL GOBIERNO EN LOS PRINCIPALES PAISES INDUSTRIALIZADOS (1978-1983)

	1978	*1979*	*1980*	*1981*	*1982*	*1983*
Japón	6,09	7,69	9,22	8,66	8,06	7,42
R. F. Alemania	5,8	7,4	8,5	10,4	9,0	7,9
Gran Bretaña	12,47	12,99	13,79	14,74	12,88	10,81
Francia	8,96	9,48	13,03	15,79	15,69	13,63
Canadá	9,27	10,21	12,48	15,22	14,26	11,79
Italia	13,70	14,05	16,11	20,58	20,9	18,02

FUENTE: International Monetary Fund, *International Financial Stitstics.* Yearbook, 1986.

Hemos elegido el rendimiento de los bonos porque es el tipo de inversión que compite con los títulos de deuda del Gobierno norteamericano.

El cuadro, sin embargo, no da la imagen completa del encarecimiento del crédito, porque contiene tipos nominales. Con una tasa de inflación decreciente a partir de 1982, estos datos nominales suponen tipo reales claramente crecientes. Así, por ejemplo, en Japón el rendimiento real de los bonos en 1980 era del 1,82 por 100 y del 5,32 por 100 en 1983. En Gran Bretaña, el rendimiento real de los bonos pasó del — 1,4 por 100 en 1980 a 5,3 por 100 en 1983 (tratándose de bonos del gobierno, un 5 por 100 de interés real es una cantidad muy elevada para unos títulos que no tienen apenas riesgo). Lo que hemos ilustrado con la variación del interés real de los bonos podría mostrarse con otros tipos de interés. El dinero y el crédito se encarecieron enormemente en términos reales. Sabido es que un nivel elevado de los tipos reales de interés, al encarecer el precio de los créditos, desanima muchos proyectos de inversión.

Por otra parte, la creciente revalorización del dólar, al aumentar el precio de las exportaciones de bienes y servicios procedentes de los Estados Unidos, dio un nuevo empuje a los procesos inflacionarios de los países europeos, ya estimulados por la nueva, y más drástica, alza del precio del petróleo en 1979. La subida del dólar obligó a los gobiernos europeos, que ya comenzaban a ver la inflexión de las tendencias inflacionarias, a extremar las políticas de ajuste y particularmente el control monetario. Sólo Japón, que ya había tomado sus medidas de ajuste entre 1974 y 1976, pudo seguir creciendo a un ritmo significativo, de 3,7 en 1981 y 3,1 en 1982. Pero Alemania, la «locomotora» europea, vio reducirse su crecimiento real del 4 por 100, que había tenido en 1979, el 1,5 en 1980, fue nulo en 1981 y registró un crecimiento negativo, de — 1,0 por 100, en 1982. Gran Bretaña tuvo también un crecimiento negativo en 1980 y 1981 del — 2,5 por 100 y — 1,5 por 100, respectivamente.

No es este el lugar para entrar en detalles sobre este proceso. Lo que nos interesa en nuestro contexto es que esta corta pero grave recesión creó las condiciones externas para que estallara la crisis de la deuda. La recesión en los países industrializados se trasmitió inmediatamente al comercio internacional en un momento en que la evolución de las condiciones internas de los países subdesarrollados, y los cambios en los mercados financieros exigían el aumento de las exportaciones, para poder atender a un servicio de deuda creciente por efecto de la subida tanto del dólar como de los tipos de interés.

CUADRO 8.3

EVOLUCION DEL COMERCIO EXTERNO DE AMERICA LATINA, 1980-1983
(Tasas de cambio)

	1979	*1980*	*1981*	*1982*	*1983*
1. Volumen de exportación	7,5	1,2	6,1	−2,2	7,1
2. Valor unitario de exportación ...	24,0	28,6	0,6	−7,5	−5,8
3. Términos de intercambio	6,6	7,0	−4,4	−5,8	−2,8
Países con problemas de deuda *					
1. Volumen de exportación	6,3	3,3	−3,0	−4,2	5,4
2. Valor unitario de exportación ...	25,6	28,3	−0,2	−7,5	−5,8
3. Términos de intercambio	6,5	6,3	−2,8	−4,8	−2,8

* En este grupo están incluidos algunos pocos países que no son latinoamericanos.

FUENTE: IMF, *World Economic Outlook,* abril 1986, pp. 205-211.

Se hunde el comercio de los productos primarios

En esta recesión del comercio internacional, la exportación de los productos primarios, a parte del petróleo, se vio inmediatamente afectada. El petróleo también se vería afectado pocos años después.

Como se puede apreciar, comparando los cuadros anteriores, el comercio de productos primarios no petroleros sufre una reducción en volumen y valor unitario mucho mayor que la del comercio internacional en su conjunto. La reducción de los precios de los productos primarios es un fenómeno de mayor profundidad y trascendencia que un mero episodio de un período de recesión de tres o cuatro años. En este decline hay fac-

CUADRO 8.4

EVOLUCION DEL COMERCIO DE LOS PAISES EXPORTADORES DE PRODUCTOS PRIMARIOS, NO PETROLEROS, 1980-1982

(Tasas de cambio; promedio anual)

	1979	*1980*	*1981*	*1982*	*1983*
1. Volumen de exportación	7,2	7,2	3,0	0,9	6,0
2. Valor unitario de exportación ...	19,1	14,5	−7,1	−9,2	−2,9
3. Términos de intercambio	0,4	−7,9	−10,4	−6,2	0,9

FUENTE: IMF, *World Economic Outlook,* abril 1986, pp. 205-209.

tores coyunturales, como puede ser la elevación de los tipos de interés, que encarece los costos de almacenaje de materias primas, o expectativas de los precios a la baja, que aconsejan retrasar lo más posible las compras (a diferencia de los períodos de inflación esperada, en que la prudencia aconseja adelantarlas). Pero también hay factores estructurales permanentes, como puede ser la substitución tecnológica de algunos materiales naturales por productos sintéticos: cinc por plásticos, cobre por fibra óptica, metales por cerámica tenaz («high-tech ceramics»), etc. En el campo de la sustitución permanente hay que contar los cambios —espontáneos o inducidos— en los gustos de los consumidores: edulcorantes por azúcar, coca-cola por café, productos «light», etc.

A todas estas tendencias en la demanda de materias primas se suman los cambios en el origen de la oferta, como la creciente transformación de algunos países industrializados en productores de materias primas: azúcar, cereales, carne, frutos tropicales, petróleo, gas, carbón, etc. Alemania fue en 1985 el segundo exportador mundial de azúcar, después de Cuba, y el Benelux exportó más que la República Dominicana, que vive de este producto. La CEE ha substituido en mercados asiáticos y africanos a los grandes exportadores de granos, de productos lácteos y de ganado vacuno. Es además muy probable que los factores coyunturales hayan acelerado el proceso de transformaciones estructurales que tienden a cambiar los patrones de consumo y de producción de las materias primas en el mundo de hoy. De continuar esta tendencia se crearán en los mercados internacionales unas condiciones muy difíciles para los países que tienen que pagar su deuda a base de la exportación de productos primarios en su gran mayoría.

En América Latina, en concreto, la evolución de los precios de los principales productos de exportación muestra desde 1980 una tendencia a la baja, que no se recuperó al final de la recesión en 1983, y que todavía persistía en 1986.

CUADRO 8.5

VARIACION PROMEDIO ANUAL DE LOS PRECIOS Y LOS VALORES TOTALES DE LOS PRINCIPALES PRODUCTOS PRIMARIOS DE EXPORTACION, 1980-1982
(Porcentajes)

	Valor (1)	*Precio (2)*
Carne vacuno	−10,0	−13,42
Maíz	33,3	−16,00
Bananas	6,2	−0,12
Azúcar *	26,3	−70,66 *
Café	−6,9	−16,65
Cacao	−20,7	−33,10
Soja	14,9	−17,47
Algodón	−10,7	−26,16
Trigo	—	−7,23
Harina de pescado	—	−26,64
Estaño	—	−24,43
Plata	—	−61,37
Cobre	−4,1	−32,19
Mineral de hierro	17,5	−3,78
Bauxita	−1,8	−1,95
Petróleo	29,1	16,05 **

* Mercado libre de Nueva York.
** Variedad: Tía Juana de Venezuela.

FUENTES: 1) BID, *La deuda externa y el desarrollo económico de América Latina,* página 136.
2) IMF, *International Financial Statistics,* Yearbook, 1985, pp. 139 y 141.

De los veinte productos primarios más importantes que exportan los países latinoamericanos, sólo el petróleo, el tabaco, el sorgo, los mariscos y el cinc subieron moderadamente en el período 1980-1982. Todos los demás bajaron, destacando la reducción de los precios del azúcar del Caribe en el mercado libre, que bajó de 28,67 centavos la libra a 8,41 centavos, el de la plata: de 2.057,8 centavos la onza troy a 794,9 centavos, el del cacao, cobre, que es vital para Chile, algodón y estaño, que constituye la principal exportación de Bolivia. Si el valor total de las exportaciones de alguno de estos productos todavía fue positiva en el período, se debió al considerable aumento del volumen de la exportación, que, a precios menores, todavía pudieron registrar un incremento positivo.

La OPEP toca a retirada

Esta tendencia a la baja de los productos primarios acabó por afectar también a los precios del petróleo. La creciente sustitución del petróleo por otras fuentes de energía, sumada a la reducción total en el consumo de energía en los países industrializados, fue generando una demanda cada vez más escasa frente a una oferta que crecía sin cesar. En efecto, los elevados precios del petróleo, como es lógico, indujeron a producir cantidades crecientes a los países ajenos a la OPEP, no comprometidos a mantener techos de producción. Los mismos países miembros del cartel, acosados por la deuda externa —y por la guerra, en el caso de Irán e Irak—, acabaron por no respetar los acuerdos y llevaron al mercado, abierta o encubiertamente, cantidades por encima de su cuota. Perdida la disciplina y reducida su porción del mercado, la OPEP comenzó el lento proceso de disolución como el factor dominante del mercado, que culminó en el derrumbe de los precios en noviembre de 1985. El proceso está ilustrado en los cuadros siguientes:

CUADRO 8.6

CONSUMO DE PRODUCTOS PETROLIFEROS EN LOS PAISES INDUSTRIALIZADOS, 1963-1983
(Tasa de cambio promedio anual)

	1963-73	*1973-79*	*1979-83*	*1982*	*1983*
1. *Países industrializados:*					
Todos los productos	7,9	0,3	−5,5	−5,6	−2,0
Gasolina	4,6	1,2	−2,4	−0,9	1,0
2. *América del Norte:*					
Todos los productos	5,1	1,0	−5,4	−6,0	−1,5
Gasolina	4,0	0,9	−2,3	−1,9	0,7
3. *Japón:*					
Todos los productos	15,8	−0,2	−6,1	−7,2	−1,0
Gasolina	10,9	1,3	−3,8	−3,0	2,3
4. *Europa occidental:*					
Todos los productos	10,6	−0,4	−5,4	−4,5	−3,1
Gasolina	7,5	1,9	−2,0	2,4	2,1

FUENTE: GATT, *International Trade, 1983-84,* Ginebra, 1984, p. 57, que cita como fuentes a *Petroleum Economist.*

Otra influencia importante en el derrumbe de los recios del petróleo es la pérdida de la porción de mercado (market share) de la OPEP. Mientras en 1973, la producción de los países miembros de la OPEP representaba el 54 por 100 de la producción total del mundo, esta proporción era del 39,8 por 100 en 1981, de 35,1 por 100 en 1982 y 32,5 por 100 en 1983, llegando en noviembre de 1985 a una proporción menor del 30 por 100. Gradualmente, la OPEP fue perdiendo su dominio del mercado y la capacidad de mantener el precio de referencia fijado en 32 dólares el barril. Paralelamente, durante el decenio 1973-83, México aumentaba su producción en un 39,5 por 100 (17 por 100 sólo en 1982), Gran Bretaña en un 213 por 100 (15,5 por 100 en 1982), la Unión Soviética en un 7 por 100, China en un 11,5 por 100, y así otros países no miembros de la OPEP, hasta producir el exceso de oferta que comenzó a detectarse a principios de 1982. A mediados de ese mismo año se hace evidente que los precios del petróleo no se va a poder mantener, y mucho menos que vayan a aumentar.

De esta manera, los países deudores se encuentran aprisionados en una tenaza. Por una parte, aumenta el valor nominal y real de la deuda y por otra disminuye el valor de las exportaciones. Como consecuencia, en las ratios deuda/exportaciones y servicio de deuda/exportaciones, aumenta el numerador a la vez que disminuye el denominador. La deuda, por cualquiera de las dos medidas, se hace más pesada y difícil de pagar.

CUADRO 8.7

EVOLUCION DE LA CARGA DE LA DEUDA, 1975-1985

(Porcentajes promedio anuales)

	1975-78	*1979-80*	*1981-82*	*1983-85*
1. Ratio deuda/exportación	187,6	190,3	238,0	285,3
2. Ratio servicio/exportación	33,3	36,3	45,4	43,2

FUENTE: IMF, *World Economic Outlook,* abril 1986, p. 88.

Después de la crisis de la deuda externa de Polonia en noviembre de 1981, que alarmó enormemente a la gran banca internacional, se empieza a limitar gradualmente los créditos a los países de América Latina. En 1982 la banca cierra la espita de los créditos. El flujo neto de capitales, después de haber aumentado considerablemente año tras año durante toda la década, y de haber tenido una cifra de récord de 38.000 millones en 1981, desciende súbitamente a 20.000 millones en 1982 y a unos escasos 8.000 millones en 1983. Un estudio de la CEPAL hace notar que, si se tiene en cuenta el capítulo de «errores y omisiones» de las balanzas de pago (que generalmente incluyen las fugas de capitales), el flujo neto de capitales hacia América Latina se redujo de unos 48.000 millones en 1981 a poco más de 12.500 millones en 1983[1].

La crisis está servida

Así se completa la génesis de la crisis de la deuda latinoamericana. Una crisis tripolar, como decíamos al principio, en la que cada uno de los actores del drama jugó su parte. Los bancos prestando más allá de lo que una visión global del mundo y de la posición estructural, que en él tienen los países subdesarrollados, habrían aconsejado. Los gobiernos latinoamericanos dejándose llevar por la borrachera de dólares que los bancos ponían a su disposición, como si nunca tuvieran que devolverlos. Finalmente, los gobiernos de los países industrializados actuando con estrechos objetivos nacionalistas, sin tomar plena conciencia de lo que sus acciones causaban en un mundo cada vez más entretejido por las finanzas y en gran medida todavía por el comercio. Y, haciendo posible el desarrollo del drama, un sistema financiero internacional, que, habiendo perdido las amarras de los tipos de cambio fijos, navegaba alocadamente como una nave espacial sin más control que las apentencias de lucro, frecuentemente contrapuestas, de agentes individuales sin comunicación suficiente entre ellos y sin la suficiente conciencia de las dimensiones de los problemas que su actividad encuentra y genera.

---

[1] CEPAL: *External Debt in Latin America.* Lynne Rienner, Boulder, Colorado, 1985, p. 13.

9. México da un susto a la comunidad financiera internacional

La crisis de la deuda estalló el día 13 de agosto de 1982, cuando el gobierno mexicano anunció a sus acreedores que no podía hacer frente a sus obligaciones de aquel año en el pago del principal y de los intereses. El anuncio de México sumió al mundo financiero en una gran consternación. A finales del año, Brasil hacía saber a los mismos bancos que no disponía de suficiente moneda extranjera para afrontar todo el servicio de su deuda. «Ergo erravimus» (nos hemos equivocado), tuvieron que confesar los banqueros que habían impulsado la operación. Visiones de bancarrotas en cadena se empezaron a difundir en los medios oficiales que habían apadrinado los préstamos. De pronto, como en una revelación, banqueros y gobernantes comprendieron la magnitud del problema en que se habían metido. A medida que se recogía la información sobre las magnitudes y términos de la deuda y se iba contando el número y grado de implicación de los bancos acreedores, aparecía más cercana la mayor catástrofe que había sufrido el mundo financiero después de la Gran Depresión.

En este capítulo se examina detenidamente los pasos que llevaron a la economía mexicana al borde de la bancarrota. Constituye así un ejemplo del tipo de problemas de carácter financiero, que, en mayor o menor grado, tuvieron todos los grandes deudores, e ilustra el uso que se hizo de parte de los préstamos externos en los meses anteriores a la crisis. A continuación se analiza la situación en que se encontraron los bancos acreedores y todo el sistema monetario internacional. Aquí es necesario adentrarse en algunos detalles de la legislación bancaria norteamericana, para entender la naturaleza de los problemas que la situación creaba a los bancos. Especulamos también sobre lo que hubiera pasado en caso de un impago generalizado de los grandes deudores y apuntamos la estrategia de los bancos para salir de la crisis. Todo ello dejará claro que el abrazo de interés mutuo, que se habían dado los banqueros y los gobiernos latinoamericanos, se había convertido en un abrazo de la muerte, que ligaba la suerte de los dos conjuntos de instituciones para los próximos años.

La crisis financiera de 1982

Ahora, cuando se habla en círculos financieros de la crisis de 1982, se reconoce la gravedad de aquella situación; una situación que parecía realmente amenazar al sistema financiero internacional y que llegó a preocupar a los gobiernos del mundo occidental como si se encontraran ante una de las grandes catástrofes económicas de la historia moderna.

El Ministro de Asuntos Exteriores de Uruguay, Enrique Iglesias, en su intervención en la Conferencia sobre la Deuda Externa Latinoamericana en Londres, tantas veces citada en estas páginas, dividía el problema del ajuste de las economías latinoamericanas en tres períodos:

> El primer período fue el *pánico* de 1982 y 1983. Se realizó un ajuste rápido que implicaba frecuentemente medidas costosas para los países interesados. El segundo período fue 1984, un año muy especial... Las exportaciones aumentaron enormemente en 1984 debido en gran medida al déficit de los Estados Unidos. Además, los tipos de interés comenzaron a bajar y algunos pensaron que la crisis de la deuda ya había pasado... El tercer período es 1985, cuando presenciamos un recrudecimiento de la preocupación con respecto a la deuda [1].

En aquella misma Conferencia, el gobernador del Banco de Inglaterra, refiriéndose a la aparición de la crisis, comentaba:

> Cuando México anunció que no podía responder a sus obligaciones de la deuda en agosto de 1982, seguido de cerca por Brasil y la mayoría de los países latinoamericanos, el *sistema financiero tuvo que enfrentar un desafío crítico*. Menos mal que consiguió adaptarse. Una fuerte dirección vino del FMI y de los bancos centrales. Los objetivos inmediatos eran dos: el pri-

[1] IGLESIAS, Enrique: «Más allá de la crisis de la deuda. América Latina en los próximos diez años», en BID e INTERNATIONAL HERALD TRIBUNE: *Más allá de la crisis de la deuda...*, Washington, 1987. El autor cita a partir de los papeles de la Conferencia.

mero era *evitar un colapso de la confianza que amenazaría el sistema financiero*; el segundo objetivo era *mantener una ayuda constante de los acreedores oficiales y comerciales* [2].

Estas reveladoras palabras dichas en enero de 1986, no hubieran sido pronunciadas en agosto de 1982, cuando una de las tácticas de los banqueros consistió lógicamente en ocultar la gravedad de la crisis. Se habla de pánico, de desafío crítico y de un colapso de confianza: palabras que retrospectivamente evocan lo que debió sentir en 1982 la comunidad financiera internacional. Y no era para menos.

La crisis mexicana

La crisis estalló en agosto de 1982, cuando el gobierno mexicano anunció que no podía hacer frente a sus obligaciones de pago por la deuda exterior. Pero la crisis financiera de México había comenzado antes. En 1981 se inició un nuevo ciclo de devaluación monetaria, inflación acelerada y depresión económica pronunciada, cuya gravedad fue mayor que en ocasiones anteriores porque ese ciclo irrumpió después de un período de extraordinario crecimiento y de unas expectativas claramente optimistas sobre el futuro de la economía mexicana. Fue, en este sentido, una sorpresa para muchos, tanto más cuanto que no sucedió nada «milagroso», como en crisis anteriores, que sacara al país de los problemas.

Según el economista mexicano Rolando Cordera:

> La dimensión más virulenta de la crisis ha sido, hasta ahora, la financiera, tanto en el interior como en el campo de las transacciones internacionales. Ello llevó, incluso, a que en un principio se tratara de calificar a la crisis como «de caja», poniendo énfasis casi absoluto en el problema de los pagos con el exterior... Empero, es claro también que la cuestión financiera no puede verse simplemente como algo derivado de los movimientos «estructurales», sino en todo caso como un componente diferenciado de estos movimientos y cuya dinámica específica es capaz de precipitar y aun gobernar por un cierto lapso (de tiempo) a la dinámica del conjunto [3].

En 1980 y 1981, el *déficit en la cuenta corriente* ascendió a 6.760 y 11.704 millones de dólares, respectivamente. Pero, para entonces, el gobierno mexicano sabía cómo financiar estos déficits: se echó mano, una

[2] LEIGH-PEMBERTON, Robin: «How the Financial System should adapt», en BID e IHT, *loc. cit.* El autor cita a partir de los papeles de la Conferencia.

[3] CORDERA, Rolando: «Dimensiones básicas y perspectivas de la crisis», *Pensamiento Iberoamericano,* Madrid, 4 julio-diciembre 1983, p. 66.

vez más, de los préstamos externos. De esta manera la deuda externa aumentó en dimensión y ritmo de crecimiento.

CUADRO 9.1

MONTO, COMPOSICION Y CRECIMIENTO DE LA DEUDA MEXICANA. 1977-1982

Tipo de deuda	*1977*	*1978*	*1979*	*1980*	*1981*	*1982*
1. A medio y largo plazo:						
1.1. Pública	20.758	25.615	29.242	33.586	42.642	51.925
2.2. Privada sin garant.	5.971	6.914	8.350	7.300	10.200	8.100
3. Total	26.729	32.529	37.607	40.886	52.842	60.025
4. Crecimiento	24 %	22 %	15 %	8 %	29 %	13 %
5. A corto plazo	376	1.071	3.193	11.766	22.654	22.425
6. Crecimiento	62 %	184 %	198 %	268 %	92 %	−1 %
7. Total deuda exterior ...	27.105	33.600	40.800	52.652	75.496	82.454
8. Crecimiento	24 %	24 %	21 %	29 %	43 %	9 %
9. A tasa variable				75 %	75 %	77 %

FUENTE: BID, *La deuda externa...*, loc. cit., p. 96.

Obviamente, los años 1980 y 1981 ofrecen un cuadro alarmante. Es de notar, además del aumento del endeudamiento total de un 29 por 100 en 1979-80 y de un 43 por 100 en 1980-81, el explosivo aumento de la deuda a corto plazo, es decir, de un plazo de vencimiento inferior a un año, buena parte de la cual vence a tres o seis meses. La deuda a corto plazo se multiplica por 59,6 veces entre 1977 y 1982 y pasa a constituir el 27,2 por 100 del total de la deuda externa, cuando todavía en 1977, seis años antes, no era más que el 1,4 por 100 del total. Pocos datos son tan elocuentes para mostrar el tipo de atolladero en que se metieron las finanzas mexicanas al principio de los ochenta. Mientras, la deuda total crecía a un manejable 29 por 100, el componente a corto plazo aumentaba a un ritmo del 268 por 100. De esta manera se fueron acumulando los pagos en el período de la incipiente recesión, haciendo insoportable la carga financiera de la deuda.

Es importante constatar que el pago de intereses aumentó en un 47 por 100 entre 1979-80; en un 53 por 100 entre 1980-81 y en 30 por 100 entre 1981-82, llegando en 1980 a ser una parte más importante del servicio de la deuda que el pago de las amortizaciones, que todavía era superior en más del 100 por 100 el año anterior. Este cambio tiene su im-

CUADRO 9.2

SERVICIO DE LA DEUDA MEXICANA. 1977-1982
(En millones de dólares y porcentajes)

Tipo de operación	*1977*	*1978*	*1979*	*1980*	*1981*	*1982*
1. Intereses	1.974	2.572	3.709	5.477	8.383	10.879
2. Amortizaciones *	3.429	4.734	7.744	3.920	4.623	8.172
3. Total servicio	5.403	7.306	11.453	9.397	13.006	19.051
4. Crecimiento	40%	35%	57%	−18%	38%	46%
5. Servicio/exportación ...	61,7%	66,3%	74,8%	39,8%	44,7%	65,4%

* Sin contar las amortizaciones de los préstamos a corto plazo.

FUENTE: BID, *La deuda externa...*, p. 97.

portancia en cuanto que los pagos de intereses son más difíciles de posponer o de renegociar por parte de los bancos acreedores, como luego veremos. Es cierto que la carga de la deuda fue especialmente fuerte en 1979, pero su diferencia con la situación de 1982 es que en este año los ingresos por exportaciones se estaban reduciendo rápidamente en la medida en que se debilitan los precios del petróleo y no se producía la expansión esperada. Con todo, no era la cuestión de los pagos externos la única pertinente a la nación de «crisis financiera». Sincrónicamente, tanto las decisiones de los ahorradores como la política económica hicieron evidente la vulnerabildad del sistema financiero y dieron lugar a un acelerado proceso de desintermediación financiera, «dolarización» interna (gran demanda dólares) y especulación desproporcionada con el dólar[4].

Las políticas económicas del presidente López Portillo, a fuer de populistas (importación de alimentos baratos) y optimistas sobre la capacidad de crecimiento de la economía mexicana, dieron en inflación galopante, debilitamiento exterior del peso, y sucesivas mareas de especulación que llevaron a dos devaluaciones, que, sin embargo, no impidieron una descomunal fuga de capitales. Las autoridades monetarias mexicanas trataron de retener los ahorros en el país, permitiendo la existencia de depósitos denominados en moneda extranjera. Por esta razón, los pasivos no monetarios en moneda extranjera llegaron a representar el 18 por 100 del PIB en 1980, contra el 8,2 por 100 que eran nueve años antes. Además, la composición de los activos no monetarios en moneda nacional fue cambiando en el sentido de acortar los plazos de vencimiento. En diciembre de 1980, el 40 por 100 de los pasivos vencían antes de un

[4] CORDERA, Rolando: *loc. cit.*, p. 66.

año; en el mismo mes de 1981 ya eran el 65 por 100, y el 79 por 100 en julio de 1982. Paralelamente se elevaron los tipos de interés para hacer más atractivas las imposiciones en instrumentos de ahorro nacionales, pero esta medida no impidió la creciente dolarización de la economía, ni ésta a su vez pudo impedir la fuga de capitales, que se cifraba en 1981 en los 7.000 millones de dólares. (Datos revisados en 1986 ponen la fuga de capitales de aquel año en unos 10.000 millones de dólares.)

En este contexto financiero de creciente falta de confianza en la moneda nacional, la inflación lógicamente se acelera y se agudiza la especulación contra el peso:

CUADRO 9.3

EL DETERIORO DE LA ECONOMIA MEXICANA. 1978-1982

Magnitudes	*1978*	*1979*	*1980*	*1981*	*1982*
1. Crecimiento del PIB	8,2%	9,1%	8,3%	8,1%	−0,2%
2. Precios al consumo	17,4%	18,2%	26,3%	28,0%	98,8%
3. Tipo de cambio (pesos por un dólar	22,72	22,80	23,26	26,23	26,65 (46,5/70)

FUENTE: CORDERA, Rolando, *loc. cit.*, p. 69.

Los últimos datos reflejan las dos devaluaciones a 46,5 pesos el dólar en febrero y a 70 pesos en septiembre. Entre febrero y agosto de 1982 se fue estableciendo una especie de capitalismo financiero vicioso, organizado en torno a un sistema abiertamente especulativo para la obtención de lucro inmediato, comandado y estimulado por los superconcentrados grupos bancarios, que se habían convertido en operadores abiertos de la especulación y la conspiración financiera. Nada más durante el período de enero a agosto de 1982, las utilidades de la banca privada y mixta ascendieron a casi 17.500 millones de pesos, de los cuales cerca del 50 por 100 fueron producto de la gran diferencia entre los precios de compra y venta de dólares que permitía la autoridad financiera [5].

El estado mexicano comprometido casi religiosamente a mantener la libertad de los cambios, en consonancia con los deseos de la gran banca internacional de la que se había hecho tan buen cliente, se vio obligado a hacer deslizar gradualmente el peso a la baja. Con ello se alimentaban las espectativas de inflación y de una próxima devaluación, lo cual a su vez daba pábulo a la especulación contra el peso. La solución desespe-

[5] CORDERA, Rolando: *loc. cit.*, p. 68.

rada fue contratar préstamos a muy corto plazo para financiar la especulación que estaba dando al traste con sus políticas. La deuda no sólo alcanzó en 1981 un incremento espectacular, sino que trastocó del todo su estructura y México se vuelve un país circular: la deuda es, simplemente, para pagar créditos contraídos inmediatamente antes. El aumento del endeudamiento a tres y seis meses es una prueba de ello. En agosto de 1982 no se pudo mantener ya la espiral del endeudamiento a corto plazo y se anuncia la crisis.

A final del año 1982, Brasil anunció igualmente su incapacidad de hacer frente a todas sus obligaciones de la deuda externa. En 1982, la deuda externa total de Brasil había llegado a los 83.000 millones de dólares, teniendo que pagar ese año 17.205 millones de dólares en servicio de deuda, de los cuales 7.205 eran pagos del principal y los 10.000 restantes de intereses. El servicio de la deuda de ese año comprometía el 78,2 por 100 de sus exportaciones. Dado que las exportaciones en 1982 habían disminuido en un 13,5 por 100, y la balanza de cuenta corriente registraba un déficit de —16.279 millones de dólares, 38 por 100 más que el año anterior, Brasil se vio obligado a pedir a sus acreedores condiciones más favorables. Los grandes bancos, por su parte, tuvieron que acudir en ayuda del mayor de sus deudores con un «préstamo puente» (bridging loan) de 2.300 millones para que pudiera salir del atolladero. A esos fondos se añadieron 500 millones del Bank of International Settlements de Basilea y 876 millones del Tesoro de los Estados Unidos. Brasil había solicitado sendos préstamos de 4.900 millones al FMI y de 4.400 a los bancos comerciales, que no se otorgaron a tiempo. Aprovechando el anuncio de México y la consternación del mundo financiero, Brasil dejó de pagar ese año parte de sus obligaciones.

Repercusiones en el sistema financiero internacional

El ex Secretario de Hacienda mexicano, Jesús Silva-Herzog, recordaba en enero de 1986:

> A fines de 1982 y durante los primeros meses de 1983, cuando ya era claro que México no era el único país que afrontaba problemas de deuda externa y que el fenómeno se había generalizado, afectando a la mayor parte de Latinoamérica y también a algunos países de Asia y Africa, un sentimiento de confusión y pesimismo se apoderó de la comunidad financiera internacional. Se percibió que la situación había llegado demasiado lejos y que la enorme acumulación de la deuda resultaba inmanejable. Además, los bancos estaban inevitablemente destinados a incurrir en pérdidas considerables. Las acciones bancarias descendieron y una fuerte presión política se

centró alrededor de su «falta de prudencia y un excesivo otorgamiento de préstamos», así como negligencia en el manejo de la política económica de los países en desarrollo. Después del impacto inicial, las respuestas a la emergencia de la crisis se produjeron paulatinamente, conforme los diversos actores recorrieron los escenarios mundiales en búsqueda de las acciones y de los parlamentos adecuados, en una situación para la cual no había libreto [6].

The Economist de Londres escribía en un editorial, «La deuda sin fondo», del 11 de diciembre de 1982, es decir, en plena crisis de la deuda:

> La exposición de los bancos es difícil de cuantificar, pero desgraciadamente más difícil es exagerarla. Los nueve bancos más grandes de los Estados Unidos han prestado el equivalente del 50 por 100 de su capital y reservas solamente a México. Ahora hay 1.600 bancos, grandes y pequeños, a los que se pide que participen en la operación de rescate de México. Cientos de pequeños bancos locales, no queriendo ser menos que los grandes, se unieron a ellos en los préstamos sindicados a los mexicanos. Peor aún, algunos hicieron negocios dudosos y préstamos personales en los días anteriores a los controles de cambio y antes de que el peso mexicano se devaluara en un 70 por 100; muchos de éstos no se pagarán nunca. La Security and Exchange Commission y el Sistema Federal de Reserva vigilan los sucesos día a día. Alguien en algún lugar va a llorar pronto [7].

En el ya clásico estudio de William R. Cline, *International Debt. Systemic Risk and Policy Response,* se documenta ampliamente la vulnerabilidad de los bancos acreedores que la crisis de 1982 puso en evidencia:

> Al estallar la crisis de 1982, se vio con toda claridad que la interdependencia financiera funcionaba en los dos sentidos. La congelación temporal de nuevos préstamos bancarios a los países en dificultades acarreó perturbaciones en materia de deuda y la necesidad de adoptar dolorosos programas de reajuste. Pero también puso de relieve cuán vulnerables habían llegado a ser los países industrializados con respecto a la deuda de los países en desarrollo debido al alto grado de riesgo de los bancos occidentales [8].

---

[6] Silva Herzog, Jesús: «Evolución y perspectivas del problema de la deuda latinoamericana», *Comercio Exterior,* México, febrero de 1986, p. 182. El artículo es una versión castellana de la intervención del ministro en la Conferencia de Londres en enero de 1986.

[7] «Bottomless Debt», *The Economist,* Londres, 11 de diciembre de 1982, p. 11.

[8] William Cline ha expuesto estas ideas en varias publicaciones. La cita del texto proviene de Cline, William R.: «La gestión de la deuda mundial. Una evaluación provisional», *Papeles de economía española,* 19, 1984, p. 85.

La vulnerabilidad de los bancos acreedores

En efecto, los nueve bancos mayores de los Estados Unidos tenían préstamos pendientes con países en desarrollo y de Europa oriental equivalentes a un 280 por 100 de su capital propio. Cline ha calculado que hubiera bastado que una tercera parte de esa deuda se hiciera del todo incobrable para que los nueve bancos mencionados cayeran en una situación de quiebra técnica. La cancelación, por resultar incobrable, del principal y los intereses de un año adeudados por Argentina, Brasil y México, eliminaría los beneficios y una tercera parte del capital de los nueve bancos. Sólo en Brasil, dos grandes bancos americanos habían colocado fondos equivalentes a las tres cuartas partes de su capital [9]. Hemos podido recoger algunos datos dispersos en varias publicaciones para darnos una idea de la vulnerabilidad de la banca norteamericana ante la deuda latinoamericana.

CUADRO 9.4

PRESTAMOS DE LOS NUEVE MAYORES BANCOS DE ESTADOS UNIDOS A AMERICA LATINA. FINAL DE 1983

(En millones de dólares)

Entidad bancaria	*México*	*Brasil*	*Venezuela*	*Argentina*	*X **
Manufacturers Hanover	1.925	2.125	1.075	1.325	183
Chase Manhattan	1.550	2.550	1.225	800	148
Citicorp	3.000	4.600	1.500	1.200	180
Chemical	1.425	1.275	775	400	143
Bank of America	2.750	2.475	1.625	500	148
J. P. Morgan	1.175	1.775	475	750	122
First Chicago	875	700	225	250	64
Continental Illinois	700	475	425	400	96
Security Pacific *	500	500	—	—	68
Total Banca Estados Unidos ...	26.300	20.700	11.300	8.500	

X: Total de préstamos como porcentaje del capital propio.

* *The Economist,* abril 3, 1983, p. 13, que cita como fuente de sus datos a *The American Banker.*

FUENTES: *The Economist,* junio 2, 1984, p. 75, que cita a su vez como fuente al Federal Financial Institutions Council.

[9] CLINE, William R.: *loc. cit.,* p. 86.

A finales de 1986, la situación seguía siendo parecida, aunque ya los bancos habían reforzado su capital y aumentado sus provisiones.

CUADRO 9.5

LA EXPOSICION DE LOS BANCOS INTERNACIONALES EN AMERICA LATINA, 1986

Bancos	*(A)*	*(B)*	*(C)*
Estados Unidos:			
Citicorp	11,6	80	25
Bank of America	7,3	178	29
Chase Manhattan	7,0	190	15
Morgan Guaranty	4,6	88	20
Chemical	5,3	168	20
Manufacturers Hanover ...	7,6	202	13
Gran Bretaña:			
Barclays	4,0	65	7
Lloyds	8,7	193	7
Midland	7,1	210	8
National Wetsminster	7,6	54	13
*Japón *:*			
Bank of Tokio	5,2	128	> 5
Dai-Ichi Kangyo	3,4	57	> 5
Fuji Bank	2,6	41	> 5
Industrial Bank	2,6	58	> 5
Alemania:			
Deutsche Bank	3,4	40	70
Commerzbank	3,2	115	n. d.
Dresdner	3,4	n. d.	50
Suiza:			
Crédit Suisse	1,6	39	> 30
Swiss Bank Corporation ...	21,0	35	> 30
Union Bank of Switzerland.	2,4	40	> 30

(A) Préstamos a América Latina (en miles de millones de dólares).
(B) Tanto por ciento del total del capital propio.
(C) Reservas como tanto por ciento del grado de exposición.

* Los datos de Japón, Alemania y Suiza incluyen préstamos a países que no son de América Latina. El Standard Chartered, otro Banco británico, tenía una relación de préstamos a capital del 69 por 100 [10].

FUENTE: *The Economist,* mayo 30, 1987, p. 77, que cita diversas fuentes.

[10] Datos citados por SJAASTAD, Larry A.: «¿A quien debemos el atolladero del endeudamiento internacional?», *Información Comercial Española. Revista de Economía,* Madrid, abril 1984, p. 46.

Las posibles consecuencias del impago

¿Qué hubiera pasado si los países no hubieran pagado la deuda? ¿Se hubiera derrumbado el sistema financiero de los Estados Unidos y las finanzas internacionales? Siempre es difícil predecir «lo que pudo haber sido y no fue». Es además banal en la medida en que resulta una pura especulación sin fin práctico alguno. La pregunta, sin embargo, tiene sentido referida al presente y al futuro, porque la coyuntura que se creó en 1982, aunque se ha aliviado para los bancos, no se ha cerrado todavía. Podemos reformular la pregunta así: ¿Qué pasaría a los bancos acreedores ahora, si los países endeudados no pagaran la deuda? Los resultados del análisis, que es útil y provechoso, podrían extrapolarse hacia atrás añadiéndoles un multiplicador de gravedad.

En un estudio reciente, que sin duda contempla más la situación en 1985 que la que impera en 1982, varios expertos en las finanzas internacionales examinan esta posibilidad:

> El riesgo real de la deuda externa para el sistema financiero internacional, proviene menos del riesgo de un abierto derrumbe del sistema bancario que de las dislocaciones financieras y económicas que se seguirían del manejo de una crisis provocada por el impago. Es difícil creer que los bancos centrales iban a permitir que grandes porciones del sistema bancario se derrumbaran, en el sentido de que los bancos cerraran sus puertas y una parte sustancial del dinero —no asegurado— de los depositantes se perdiera. Sin embargo, como la deuda externa debida a los bancos por los países subdesarrollados y de Europa del Este es aproximadamente el 240 por 100 del capital de los nueve bancos mayores de los Estados Unidos, un amplio impago de esta deuda podría causar la insolvencia de estos (y otros) bancos. Los principios de la banca central se oponen a conceder préstamos a bancos insolventes. Si los mayores bancos fueran claramente insolventes, la respuesta política podría incluir una nacionalización de los bancos [11].

Los expertos aquí mencionados citan el ejemplo del Continental Illinois, que casi quiebra en 1984 por una serie de pérdidas en préstamos agrícolas y petroleras, más que por los préstamos latinoamericanos. El Federal Deposit Insurance Corporation (FDIC) compró una buena parte de los préstamos dudosos a cambio de una participación en la propiedad con poder de control, tras exigir el cambio del personal directivo. Así los depositantes que no tenían asegurados los depósitos no perdieron su dinero. Algo más tarde, en un testimonio ante el Senado relativo al caso

[11] BERGSTEN, C. Fred; William R. CLINE, y John WILLIAMSON: *Bank Lending to Developing Countries: The Policy Alternatives,* Institute for International Economics, Washington, 1985, p. 15.

del Continente Illinois, el director del FDIC dio a entender claramente que no se podía permitir que los grandes bancos quebraran. Sin embargo, lo que pasó con el Continental Illinois no puede repetirse fácilmente a la escala tan grande que sería necesario para sacar de apuros a los mayores bancos, si se declararan insolventes. Las reservas del FDIC (aproximadamente, 17.000 millones de dólares, incluyendo los 4.500 millones ya empeñados en el Continental Illinois) no llegan al capital de los grandes bancos (34.000 millones entre los nueve mayores en septiembre de 1984) y son muchos menores que su volumen de depósitos (unos 400.000 millones). Habría, pues, peligro de una retirada masiva de depósitos de los bancos afectados, sobre todo de los no asegurados.

El Sistema Federal de Reserva podría conceder préstamos a estos bancos, si estuviera dispuesto a pasar por alto la distinción entre la insolvencia y la iliquidez bancarias. El SFR podría también asegurar por medio de operaciones compensatorias de mercado abierto que la creación de dinero primario (high powered money) necesaria para esta operación de salvamento, no tuviera efectos inflacionarios [12]. Pero no es probable que el problema pudiera arreglarse sin graves perturbaciones financieras. Haría falta que la banca central concediera enormes créditos a los bancos mayores para hacer frente a una retirada masiva de depósitos. Los bancos regionales, y en general los bancos pequeños, que dependen de los *money center banks* para el abastecimiento de fondos, también sufrirían considerablemente. La opinión más generalizada entre los expertos es que habría una aguda contracción de los créditos internos en los Estados Unidos, en la medida en que los bancos intentaran adaptar sus activos a las exigencias de una ratio activo/capital más adecuada. En una palabra, aún sin llegar al cierre de los bancos, las perturbaciones en el sistema bancario y financiero americano e internacional serían sustanciales. También hay quien opina que en caso de una seria crisis de impagos, el gobierno norteamericano nacionalizaría el sistema bancario para evitar su colapso.

Habiendo tenido tres años para pensar lo que harían si los grandes deudores no pagaran —comenta Lester Thurow en su último libro *The Zero-Sum Solution*— y habiendo tenido la experiencia de una crisis de tamaño medio en el Continental Illinois, es claro que las autoridades monetarias —el FDIC, el Banco Federal de Reserva, el Comptroller of the Currency

---

[12] En efecto, algunos monetaristas han defendido que el derrumbe de los grandes bancos no supondría un problema insuperable, si la oferta monetaria no cambiara sustancialmente. Así, por ejemplo, la colaboradora de Milton Friedman en muchos trabajos empíricos, Ana Schwartz, «Real and Pseudo Financial Crisis» (de próxima publicación).

y el Federal Home Loan Bank Board— nacionalizarían el sistema bancario en una crisis seria y, de hacer algo, sobreestimularían la economía con dinero barato para impedir una repetición del colapso del sistema bancario de los años treinta [13].

En cualquier caso, los resultados de un impago generalizado de la deuda serían lo suficientemente graves como para considerar esta posibilidad como catastrófica. En 1982, en plena recesión de los países industrializados, hubiera habido una recesión mundial de grandes proporciones y de consecuencias imprevistas. Eso se puede afirmar con un elevado grado de probabilidad.

La banca a la compra de tiempo

En 1982, la preocupación de los bancos se concentró en el pago de los intereses, olvidando por el momento el pago del principal. Las regulaciones bancarias vigentes en los Estados Unidos juegan aquí un papel muy importante. Una de estas regulaciones afecta a las condiciones para que los bancos puedan considerar los intereses como parte del ingreso corriente. Lo decisivo en este contexto es si los intereses retrasados pueden seguir siendo «acumulados» (accrued), es decir, tratados como percibidos en el período contable para efectos de cálculo del ingreso, o, por el contrario, si el préstamo tiene que ponerse en una «cash basis», con lo cual sólo los intereses de hecho percibidos contarían como ingreso. Cuando en el contrato de préstamo original se estipula que los intereses retrasados pueden contabilizarse como acumulables, no hay problema; pero si no hay esta estipulación, y luego se pretende actuar retroactivamente, los intereses retrasados no pueden contabilizarse como acumulables.

Los bancos temían que por los retrasos en el pago de intereses las instancias reguladoras clasificaran sus préstamos a América Latina como «nonperforming». Las regulaciones bancarias de los Estados Unidos exigen que todo préstamo con un retraso en el pago de intereses que supere los noventa días tenga que ser declarado «nonperforming» y el interés debido a ese préstamo no puede considerarse como acumulable. Sólo cuando se reciban pagos al contado sobre ese préstamo se podrá contabilizar como ingreso. Si los atrasos pasan de seis meses, el préstamo se clasificará como «value impaired». Normalmente los bancos temían más la primera clasificación que la segunda, porque la decisión para llegar a

[13] THUROW, Lester C.: *The Zero-Sum Solition. An Economic and Political Agenda for the 80's.* Simon and Schuster, New York, 1985, p. 364.

ésta es más flexible que la de declarar al préstamo «nonperforming». Presionados por estas regulaciones, los bancos se esforzaron en que los préstamos no llegaran al final del trimestre en que se hace la información oficial con retrasos mayores de noventa días, aunque antes y después de esta fecha tuvieran retrasos mayores. La operación de salvamento se convertía así en una carrera contra el tiempo, en que la meta era el día de rendir cuentas.

La información oficial suministrada por los bancos tiene gran importancia, porque los mercados de capitales y la bolsa evalúan las acciones de los bancos de acuerdo a sus informes oficiales. En la medida en que los bancos se vean obligados a reportar una disminución de ingresos, balances desfavorables y préstamos dudosos, sus acciones bajarán en la bolsa y la solidez global de las instituciones se pondrán en entredicho. En caso de una pérdida de confianza sustancial por parte de los agentes que operan en la bolsa, no sólo bajaría el valor de las acciones, lo cual ya es grave para los accionistas, sino que se podría poner en peligro el buen nombre y la solvencia del banco a los ojos del público.

CUADRO 9.6

RESULTADOS ECONOMICOS DE LOS GRANDES BANCOS, 1983

	(A)	*(B)*	*(C)*
Citicorp	19	6	6,48
BankAmerica	−1	10	2,18
Chase Manhattan	40	5	10,96
Manufacturers Hanover	14	5	8,37
J. P. Morgan	17	7	10,52
Chemical New York	27	5	9,50
Security Pacific	13	6	7,26
Continental Illinois	30	8	2,46
First Interstate Bc.	12	7	5,72
Bankers Trust N. Y.	15	5	8,40
First Chicago	34	6	3,92
Wells Fargo	12	7	6,03
TOTAL (50 bancos)	7	7	4,66

(A) Porcentaje de aumento de beneficios en 1983.
(B) Price/earnings ratio.
(C) Ganancias por acción en los doce meses.

FUENTE: «Corporate Scoreboard», *Business Week*, 26 de marzo de 1984, p. 56.

Los problemas con la deuda externa en 1982 no dejaron de afectar a los rendimientos de una «industria», que en años anteriores había sido una de las más florecientes en los Estados Unidos. De hecho, el indicador más seguro de la situación de los valores en bolsa, la «price/earnings ratio» disminuyó acusadamente en 1983 y fue la más baja, con un promedio para la «industria» del 7, en todos los grupos de empresas [14].

El tiempo presionaba a los bancos atrapasados en la crisis de la deuda no solamente para evitar el «nonperforoming status» para sus préstamos, sino también para cambiar la ratio capital/assets en sus balances. La *International Lending Supervision Act* de 1983 obligaba a los bancos con operaciones internacionales a que el capital primario (valor de las acciones y provisiones de reservas para pérdidas) fuera por lo menos el 5 por 100 de los préstamos bancarios y otros activos. La medida era necesaria porque los bancos habían mantenido una ratio cercana al 4 por 100. Después de la experiencia del Continental Illinois, los bancos elevaron la ratio a un promedio del 6,27 por 100 a finales de 1984. Esta operación supuso a los mayores bancos el elevar su capital de 29.000 millones a finales de 1982 hasta 34.300 millones en septiembre de 1984. Para hacer este impresionante cambio, que suponía retener 5.300 millones de las ganancias en poco más de un año, se necesitó tiempo, tiempo que hubieron de comprar con la intervención de instancias ajenas a la «industria» bancaria de los Estados Unidos, siempre tan dispuesta a la defensa de su libertad y contraria a la intervención de instancias oficiales en su terreno.

En efecto, los bancos buscaron el apoyo del Sistema Federal de Reserva y de las autoridades de control monetario para reducir los costos del saneamiento de su posición exterior. Pero no sin las protestas de lo que esperaban que las fuerzas del mercado arreglaran la situación de los bancos. Los monetaristas ultra-liberales hicieron oír su voz en esta coyuntura, reconociendo que si hubiera un impago generalizado de los deudores se daría una perturbación en el sistema financiero internacional, pero aseguraban que esta perturbación sería pequeña y de corta duración. Añadían que la dislocación también tendría sus aspectos positivos, porque el efecto disciplinario sobre los bancos de un impago de sus deudores externos les haría revisar sus políticas de préstamos externos. El resultado sería que los bancos repartirían mejor sus créditos entre el mercado internacional y el interno y, en definitiva, un abaratamiento del crédito interno. Esta solución tenía un cierto atractivo para otros grupos de opinión dentro de los Estados Unidos. Quienes proponían una reducción del déficit fiscal apoyaban el argumento de los monetaristas porque

[14] «Corporate Scoreboard», *BusinessWeek*, 26 marzo 1984, p. 56.

una solución por el mercado libre no requería el empleo de fondos oficiales en un tiempo en que los déficits crecían incesantemente. Los críticos de los big business y de los bancos también favorecían esta solución porque dejaba toda la carga del ajuste a los bancos mismos. El gobierno norteamericano en un primer momento nor intervino —en cuanto sabemos— en favor de sus bancos. En cambio, propició la intervención del Fondo Monetario en el problema.

10. El juego del refinanciamiento de los préstamos

La crisis de la deuda creó un nuevo tipo de relación entre acreedores y deudores. Los bancos no podían echar mano de ningún recurso legal para obligar a los países deudores a pagar. En la operación de préstamo no había por medio prenda, hipoteca, aval (fuera del aval de los gobiernos a los deudores privados del mismo país), ni otra garantía efectiva que respaldara los créditos. El impago, sin ejecución de la deuda por otros medios, produce una ruptura de la comunicación funcional entre acreedor y deudor. No quedan, sin embargo, completamente desligados: a los deudores les ata la obligación legal de pagar y la amenaza de represalias si no lo hacen. A los bancos la necesidad de recuperar la mayor parte posible de sus inversiones. Pero estas necesidades e imperativos no son suficientes para emprender acciones concretas que restablezcan la relación normal entre ellos.

Por una parte, los bancos se ven en el «dilema del acreedor»: para salvar créditos anteriores tienen que dar nuevos créditos a unos clientes que ya tienen dificultades para pagar. Es lo que se llama también *involuntary lending* (concesión involuntaria de créditos). Para reducir los riesgos de esta operación, ellos necesitarían que los deudores hicieran en sus economías los cambios necesarios para evitar la insolvencia internacional y acumular suficiente liquidez para efectuar los pagos del servicio de la deuda. Los bancos tienen ideas claras sobre lo que los países acreedores debieran hacer para recuperar la solvencia y la liquidez. Pero, ¿cómo les pueden obligar a hacerlo? Fuera de enviar las cañoneras, cosa que ya no se estila, no les quedaría más remedio que exhortar, amenazar y presionar a través de las instancias políticas para que los gobiernos de los países deudores tomen las políticas adecuadas. Por su parte, los deudores, que no quieren llegar al extremo —lleno de costos, como luego veremos— de repudiar la deuda, necesitarían préstamos en condiciones muy favorables y cambios en el entorno económico internacional para poder hacer frente a sus obligaciones. Los bancos, naturalmente, no pueden hacer ni lo uno ni lo otro; lo primero, porque va contra su naturaleza de empresas privadas de lucro, y lo segundo, porque cae fuera de su esfera de competencia. Y sus gobiernos se lavan las manos, por lo menos aparentemente, en prueba de su respeto a la autonomía de la empresa privada.

Sin embargo, para suerte de los bancos, el sistema financiero internacional tiene una instancia de vigilancia y guardia del buen funcionamiento del sistema. Para establecer un puente entre las acciones requeridas por acreedores y deudores ahí estaba el Fondo Monetario Internacional. El Fondo, aunque es tanto de los países acreedores como de los deudores, intervino «in loco bancorum» presionando a unos y a otros —más a unos que a otros, a decir verdad— para que llegaran a un arreglo. El refinanciamiento de los préstamos bajo la égida del FMI y en las condiciones que éste impuso a los gobiernos restableció por el momento la relación funcional entre acreedores y deudores, aunque a un costo enorme para los deudores y con una lógica provisionalidad. La actuación del FMI ha sido desigual y su presión asimétrica, dejando sin tocar las políticas de los países industrializados, que fueron un factor esencial de la crisis. La intervención del FMI dio un respiro a los bancos, a la vez que dejaba sin respiración a los países deudores. Su intermediación, además, redujo el incentivo de muchos bancos, pequeños y medianos, a participar en el salvamento del sistema, al facilitarles un escape al «dilema del acreedor». Por lo que se vio obligado a emprender una serie de actividades para disciplinar a los bancos rebeldes.

En este capítulo aparecerá claramente que el refinanciamiento de los préstamos, tal y como se viene practicando desde 1983, no hace más que aplazar una crisis mayor. La refinanciación tiene sentido, sobre todo, desde la perspectiva de los bancos, por su necesidad de ganar tiempo para fortalecer sus reservas y aumentar las provisiones, es decir, reducir su exposición al impago. Es en definitiva un medio instrumental para seguir recibiendo intereses. Por parte de los gobiernos de los países deudores, con el refinanciamiento evitan, por el momento, la excomunión financiera, que les apartaría de todos los mercados de crédito. Entre tanto los países continúan trasvasando fondos a los países industrializados con gran detrimento de sus economías.

El Fondo Monetario Internacional entra en escena [1]

El papel del Fondo Monetario Internacional consistió fundamentalmente en llenar el vacío de competencias que se abre entre estados soberanos y bancos privados de otros países. Los bancos no tienen poder ninguno para imponer sobre los países deudores unas condiciones que afecten las decisiones soberanas de sus gobiernos, como sería que tomasen unas medidas económicas para aumentar la liquidez de los países y su capacidad de pagar la deuda externa. El Fondo, en cambio, tiene la capacidad de influenciar a los países miembros a través de la cláusula de la «condicionalidad». Esta cláusula le permite vincular la concesión de préstamos a la adopción por los países que los solicitan de aquellas políticas económicas que, en la opinión del Fondo, son más conducentes para salir de las dificultades que se han invocado para solicitar el préstamo. En su calidad de Institución Multinacional, encargada por los gobiernos de los 147 países miembros de la estabilidad monetaria internacional, tiene una cierta autoridad, tanto sobre los gobiernos como sobre los bancos. Es además «lender of last resort», o prestamista en última instancia, para países deficitarios, en el sentido de que dispone de fondos para prestar a los países en dificultades.

La autoridad del Fondo fue usada no solamente para obligar a los países deudores a costosas políticas de ajuste y de reforma estructural en la línea que demandaba la gran banca internacional, sino que se aplicó también a impedir que los bancos pequeños que habían participado en los préstamos sindicados se inhibieran en las operaciones de rescate, aunque no con todo el éxito que cabía esperar. De nada sirvió, sin embargo, para obligar a los países ricos, sobre todo a Estados Unidos, a emprender las políticas económicas conducentes a un mayor crecimiento del comercio internacional y a reanudar los flujos normales de préstamos multilaterales a los países en desarrollo.

La visión del Fondo sobre el problema de la restructuración de la deuda está expuesta en varias publicaciones, de las que el «Occasional Paper», número 40, de octubre de 1985, *Recent Developments in External Debt Reestructuring* es un buen espécimen:

> La difusión de serias dificultades en el servicio de la deuda entre países subdesarrollados a partir de 1982 planteó una amenaza a las economías afectadas y también al sistema financiero internacional. Para resolver estas difi-

---

[1] Las opiniones del F. M. I. están tomadas de: WATSON, Maxwell; Peter KELLER y Donald MATHTEISON: *International Capital Markets. Developments and Prospects. 1984,* International Monetary Fund, Occasional Paper, 31 agosto 1984 y las demás publicaciones citadas.

cultades se hizo necesario un esfuerzo coordinado de los países deudores, los acreedores oficiales y privados y las instituciones financieras internacionales (el Fondo en primer lugar, aunque también el Bank of International Settlements de Basilea). Este esfuerzo respondía a tres preocupaciones: cómo vincular efectivamente el apoyo financiero a políticas económicas que restablecieran el crédito internacional de los países deudores; cómo aliviar los pagos en formas que restablecieran las relaciones de acreedores y deudores, y cómo coordinar el apoyo entre los grandes y variados grupos de acreedores [2].

Aquí están definidas las tres tareas de la restructuración: *a*) el proceso de «ajuste» en los deudores; *b*) la concesión de créditos multinacionales para seguir pagando a los bancos privados (poniendo de alguna manera las arcas del Fondo al servicio del rescate de los acreedores), y *c*) coordinar la operación de rescate. No deja de reconocer el Fondo la necesidad de cambiar las políticas de los países industrializados:

> También se reconoció como esencial para facilitar la solución... políticas apropiadas en los países industrializados, a causa de su impacto en las condiciones económicas y financieras globales... Políticas favorables a la recuperación del comercio internacional y a la apertura de los mercados a las exportaciones de los países subdesarrollados. Se puso énfasis especial en la necesidad de políticas financieras sanas en los países industrializados para contribuir a bajar los tipos de interés.

Pero no se puede desconocer la gran asimetría en la aplicación del Fondo a promover ajustes en unos países y otros. Mientras se veía crecer con una «benigna negligencia» el déficit fiscal en Estados Unidos durante 1983-1984, con las consiguientes presiones proteccionistas, se aplicó toda la presión de que es capaz el Fondo para que México, Brasil, Argentina, Venezuela, la República Dominicana, Ecuador, Costa Rica, etc., llevaran a cabo severas reducciones en el gasto público, en los niveles de salarios y en las subvenciones con que los gobiernos latinoamericanos suelen apoyar el austero consumo de las mayorías populares.

Para los países embarcados en la reestructuración de su deuda se montaron paquetes financieros que incluían el apoyo oficial y el de los acreedores en base a una consideración de caso por caso en el contexto de programas de ajuste económico promovidos por el Fondo, confeccionando así para las circunstancias y perspectivas de cada país la combinación entre el ajuste y el financiamiento.

---

[2] DILLON, Burke; Maxwell WATSON y otros: *Recent Developments in External Debt Restructuring,* International Monetary Fund, Occasional Paper n. 40, Washington, octubre 1985, p. 9.

Aquí se defiende entre líneas una peculiaridad del enfoque de la restructuración: que se haga caso por caso, y no para bloques o grupos de países (cosa que los bancos y países acreedores temen como al diablo). Lo cual no es óbice para que los bancos y otros acreedores actúen concertadamente, es decir, en grupos, como el Club de París, o los BACs (bank advisory committees), compuestos por un limitado número de bancos, designados por las autoridades de un país para actuar en nombre de todos y como un grupo de contacto con ellos.

A medida que avanzaban las negociaciones sobre los programas de ajuste, las autoridades de los países en que están los mercados financieros y el BIS se convirtieron en instrumentos para proveer ayuda financiera inmediata y provisional por medio de los «bridging loans».

Es una referencia a la ayuda inmediata, a los primeros auxilios, por así decir, que provienen de los gobiernos de los bancos acreedores, del de los Estados Unidos en el caso de América Latina, el de Alemania Federal con Polonia, de Inglaterra con Nigeria, etc., y del Bank of International Settlements (BIS), el Banco de Pagos Internacionales de Basilea, que actúa como una especie de Banco Central de los bancos centrales, y que, aunque no tiene la extensión ni la autoridad universal del FMI, posee tanto poder como él.

«Adjustment or else...»

En los textos que hemos comentado aparece el carácter condicional de estas ayudas: «adjustment or else...» (ajuste o si no...) no hay dinero. Los «bridging loans», o préstamos-puente, son en realidad préstamos de emergencia no estrictamente comerciales que tienden a restablecer la relación comercial entre acreedores y deudores, proporcionando a estos últimos los medios de entrar de nuevo en los circuitos financieros normales. Se otorgan cuando los gobiernos de los países deudores se comprometen con el FMI, firmando una *carta de intenciones,* a emprender las reformas necesarias para restablecer su crédito internacional. Estas reformas deben consistir en aquellas medidas que los banqueros juzgan más apropiadas para restablecer la credibilidad de los gobiernos ante ellos mismos y disminuir el riesgo de que los préstamos se queden sin cobrar. Insisten, en general, en medidas que: *a*) garanticen una balanza de cuenta corriente positiva, ya que los medios de pago tienen que ganarse en el comercio internacional; *b*) aseguren la liquidez del gobierno, reduciendo los gastos públicos, para que el gobierno tenga fondos disponibles para el servicio de la deuda; *c*) eviten la fuga de capitales, porque los capitales fugados son fondos que no se aplicarán al pago de la deuda, y *d*) que frenen la inflación, porque con una inflación elevada no se pueden conseguir los objetivos anteriores.

Las exigencias de los bancos son desgraciadamente bastante inmediatistas, como aparece en la tibieza con que proponen medidas para fomental el crecimiento. Este enfoque fue más evidente al principio de la restructuración, porque últimamente los bancos han comenzado a reconocer que sin crecimiento económico no hay forma de acumular recursos suficientes para pagar las deudas sin que quiebre políticamente el país. En una palabra, los bancos quieren que los países deudores adopten aquellas medidas que les hagan capaces de pagar la deuda en su totalidad. No se puede esperar de los banqueros otros objetivos más altruistas e ilustrados. Pero, por eso mismo, no se puede dejar que los banqueros dicten las condiciones de vida de los pueblos latinoamericanos. Los dictados de los banqueros son trasmitidos normalmente a los países concernientes a través del Fondo, que está especializado en preservar el status quo financiero y no debe preocuparse del desarrollo económico y social de los países, para lo cual, en la división de trabajo que se hizo en Bretton Woods está el Banco Mundial.

Mecanismos del refinanciamiento

Los acuerdos para alterar la estructura de la deuda pública cubren normalmente al principal y al pago de los intereses de préstamos a medio y largo plazo. Los paquetes financieros montados con los bancos acreedores consisten generalmente en una *restructuración de la deuda,* que cubre los plazos, junto con los arreglos necesarios para asegurar las líneas de crédito a corto plazo. Por *debt restructuring,* restructuración de la deuda, término técnico y preciso, se entiende la *reprogramación* (*rescheduling*) o el *refinanciamiento* (*refinancing*) del servicio de la deuda, ya sean atrasos o ya sean pagos futuros, que se hacen en respuesta a dificultades en los pagos del servicio. La *reprogramación* es un aplazamiento formal de los pagos del servicio de la deuda con nuevas fechas de vencimiento; juega, pues, con los plazos únicamente. La *refinanciación* es, o bien la renovación automática de obligaciones que vencen, o bien la conversión de pagos actuales o futuros en un nuevo préstamo a mediano plazo; es decir, implica un cambio de la naturaleza de la obligación.

A veces, cuando se juzga apropiado, las operaciones de restructuración incluyen un paquete de *dinero nuevo,* o préstamos concertados, que implican un riesgo o exposición equiproporcional de los bancos participantes en los préstamos a un determinado país. Estas operaciones están coordinadas por los BACs (Bank advisory committees) teniendo en cuenta el nivel de implementación de los programas de ajuste promovidos por el Fondo. Los préstamos nuevos son por su naturaleza los más fuertemente condicionados al cumplimiento de las políticas de ajuste.

El procedimiento adoptado para resolver los problemas de pagos resultó ser el más adecuado en las circunstancias a los bancos acreedores Volvamos al testimonio de los expertos del Fondo:

> Aunque la movilización de los préstamos bancarios concertados para ciertos países resultó un proceso dificultoso, la experiencia realzó las ventajas de esta manera de proceder para llevar a los deudores y acreedores a un diálogo y para conseguir un equilibrio entre financiamiento y ajuste. Soluciones que hubieran implicado la limitación de los pagos de intereses —el ejemplo más claro es el propuesto y practicado a medias por Alan García, presidente de Perú; pero el escrito se refiere a poner un tope al pago de intereses con cualquier criterio— no fueron aceptados en general por los comités consultivos de los bancos. Estos procedimientos tampoco parecieron ser fomentados por los países que deseaban regresar a los mercados internacionales de capitales porque tales acciones podrían dañar seriamente sus posibilidades de un futuro acceso al crédito bancario [3].

El lenguaje técnico del Fondo esconde apenas las relaciones de fuerza, relaciones desiguales entre el *cartel* de bancos con un monopolio casi absoluto del crédito internacional y países individuales actuando aisladamente.

Mantener los préstamos a los países en desarrollo en términos lo más cercanos posible a los de los mercados financieros parecía también una manera lógica —desde el punto de vista de los bancos, naturalmente— de minimizar el daño al sistema bancario internacional y de evitar un mayor debilitamiento de la capacidad de los bancos internacionales para actuar como intermediarios de fondos a los países en desarrollo a mediano plazo.

En realidad, la intención de los bancos, por lo menos de los mayores, era salir del atolladero pero sin retirarse del negocio, que por muchos años fue altamente lucrativo, de hacer préstamos a los países en desarrollo con más capacidad económica y más perspectivas para el futuro en virtud de sus enormes recursos naturales. Es decir, que actuaban, en términos de un conocido refrán castellano, «como el perro del hortelano: ni comerlo, ni dejarlo». Los primeros intentos de corregir la situación son considerados como fructíferos por el Fondo:

[3] DILLON, Burke; WATSON, Maxwell y otros: loc. cit., p. 10.

En base a esta manera de proceder con el problema de la deuda, se han hecho considerables progresos para resolver las dificultades de pagos de los países deudores desde 1982. Los riesgos sistémicos que había entonces han sido reducidos. En varios países deudores se han puesto los fundamentos para el ajuste a mediano plazo.

Es evidente que el Fondo enfoca la cuestión desde el punto de vista de la banca internacional más que desde el de los países deudores, la mayoría de los cuales son también miembros de la institución. Los países deudores no han progresado nada en términos de bienestar general, antes bien han retrocedido gracias a esta manera de proceder que ensalza como lógico y racional el escrito de los expertos del Fondo. Es claro que los bancos han reducido sus riesgos; pero eso era sólo parte del problema. Tenemos ahora que ver qué precio han pagado las poblaciones de América Latina por ese pequeño aumento de seguridad del sistema bancario internacional.

Los costos de la restructuración

En la primera ronda de negociaciones, que comenzó en agosto de 1982 con México, los países deudores reprogramaron obligaciones que vencían en un plazo de doce a treinta y seis meses. Así mismo, varios países recibieron nuevos créditos en 1983, lo que aumentó en un 7 por 100 el total de préstamos en la cartera de activos de los acreedores. El costo de esta operación, definido en términos del «spread» o margen sobre el LIBOR, las comisiones (fees) y los plazos de amortización, fue muy elevado. En general, el «spread» fue superior al 2 por 100, tuvieron que pagar comisiones fijas del 1,25 por 100, y los plazos de amortización se quedaron en promedio entre los seis y ocho años. Con un LIBOR del 13,2 por 100 en 1982, el interés de un nuevo préstamo se situaba en el 16,45 por 100, que, con una tasa de inflación en Estados Unidos del 7 por 100, resultaba un interés real de 9,45 por 100, unos términos muy próximos a lo que hoy en día se considera usura. Las condiciones de los créditos de la restructuración resultaban así mucho más severas que aquellas de finales de los setenta que estaban a la raíz de la crisis. Utilizando un índice compuesto, construido en base a los «spreads», los «fees» y los plazos, se ha estimado que la mayoría de los deudores sufrió un deterioro en el coste negociado de los préstamos de entre 100 y 250 por 100 [4].

---

[4] DEVLIN, Robert: «Deuda externa y crisis: el ocaso de la gestión ortodoxa», *Revista de la Cepal,* 27, Santiago de Chile, diciembre 1985, pp. 35-53.

CUADRO 10.1

REPROGRAMACION DE LA DEUDA EXTERNA A LOS BANCOS
(En millones de dólares)

A) Primera ronda: 1982-1983

Países	*Vencimientos*		*Nuevos créditos*			
	Montos	*Años*	*Montos*	*M*	*C*	*P*
Argentina	13.000	82-83	1.500	2,16	1,25	6,8
Brasil	4.800	83	4.400	2,32	1,50	8,0
Costa Rica	650	82-84	225	2,25	1,00	8,0
Chile	3.424	83-84	1.300	2,16	1,25	7,0
Ecuador	1.970	82-83	431	2,28	1,25	6,7
México	23.700	82-84	5.000	1,95	1,05	7,6
Perú	400	83	450	2,25	1,25	6,0
Uruguay	630	83-84	240	2,25	1,41	6,0

B) Segunda ronda: 1983-1984

Países	*Vencimientos*		*Nuevos créditos*			
	Montos	*Años*	*Montos*	*M*	*C*	*P*
Argentina	—	—	—			
Brasil	5.400	84	6.500	2,00	1,00	9,0
Chile			780	1,75	0,63	9,0
Ecuador	900	84	—	1,75	0,88	9,0
México	12.000 *	82-84	3.800	1,50	0,63	10,0
Perú	662	84	—	1,75	0,75	9,0

C) Tercera ronda: 1984-1985

Países	*Vencimientos*		*Nuevos créditos*			
	Montos	*Años*	*Montos*	*M*	*C*	*P*
Argentina	13.400	82-85	4.200	1,44	0,15	11,5
Chile	5.932	85-87	714	1,42	0,08	12,0
Ecuador	4.811	85-89	200	1,39	—	11,9
México	48.700	85-90	—	1,13	—	14,0
Venezuela	21.200	83-88	—	1,13	—	12,5

* El acuerdo nunca fue firmado y los vencimientos se incorporaron a los de la siguiente ronda.

M, margen o «spread» sobre el LIBOR.
C, comisiones o «fees» (ambos son porcentajes).
P. plazos en años promedio.
— Cuando ha habido reestructuración de los plazos y nuevos créditos, estos datos representan el promedio de ambos.

FUENTE: Devlin, Robert, «Deuda externa y crisis: el ocaso de la gestión ortodoxa», *Revista de la CEPAL*, 27 de diciembre de 1985, pp. 37 y 38, que cita como fuente la División de Desarrollo Económico de la CEPAL.

Del cuadro anterior resulta evidente que las condiciones de la reprogramación han ido mejorando, hasta llegar en la tercera ronda a condiciones más favorables que las originarias de los préstamos. Tampoco cabe ninguna duda que los términos de la primera ronda fueron muy severos y en cierta manera quitaron incentivos a los países para aceptar la restructuración. La CEPAL ha construido un índice de costo de los créditos con la fórmula (C1/P1 + M1)/P1 : (C0/P0 + M0)/P0, y todo — 1, para comparar el costo en distintas fases de la deuda. Los resultados de la comparación aparecen en el cuadro siguiente:

Cuadro 10.2

LAS CONDICIONES DE ENDEUDAMIENTO. 1980-1985
(Indice: 1980-81 = 100)

	Originales	*Reprogramaciones de la deuda*		
	1980-1981	*1.ª ronda*	*2.ª ronda*	*3.ª ronda*
Argentina	100	317	—	116
Brasil	100	144	108	—
Costa Rica	100	133	—	83
Chile	100	250	151	89
Ecuador	100	342	191	109
México	100	281	160	83
Panamá	100	274	—	81
Perú	100	197	133	—
República Dominicana	100	235	—	
Uruguay	100	349	—	
Venezuela	100	—	—	68

Fuente: Devlin, Robert, *loc. cit.*, p. 38.

La restructuración fue a sus comienzos una operación muy cara, que agravó el problema de la deuda en algunos países, aunque sirvió para saldar los intereses que necesitaban los bancos para sus fines contables. Posteriormente, cuando se aceptó que era ilógico agravar más la deuda para seguir cobrando, se redujo la dureza de los términos en que se estaba llevando la operación. A la vez, sin embargo, se reducía el monto total de los fondos comprometidos. En la segunda y tercera fase de las reprogramaciones los nuevos créditos han disminuido de los 13.646 millones de dólares que fueron en la primera a 11.080 y 5.249 millones, respectivamente.

La historia subsiguiente de los episodios individuales de crisis, que ha tenido su última manifestación en Brasil cuando este libro se terminaba de escribir, muestra que la restructuración conduce a un callejón sin salida para los países endeudados. Para los bancos ha sido un mal menor, que les ha servido para seguir recibiendo, a trancas y barrancas, los pagos de intereses para salvar el estatus contable de sus préstamos a América Latina como activos operantes. Pero los bancos saben que la mera restructuración de la deuda, como estrategia a largo plazo para recuperar su inversión, es totalmente inviable.

11. El proteccionismo cierra la tenaza

Pasada la primera etapa de la crisis, los países deudores comenzaron, bajo la presión —y una moderada ayuda— del Fondo Monetario Internacional, a ajustar sus economías a la nueva situación. Como ya no podían contar con préstamos fáciles y abundantes, tuvieron que recurrir con más intensidad que nunca al comercio exterior como fuente de financiamiento. Para ello redujeron drásticamente sus importaciones y procuraron exportar más. En este último intento se vieron ayudados entre 1983 y 1984 por la pasión importadora que se apoderó de los ciudadanos de Estados Unidos. La sobrevaloración del dólar, que fue aumentando hasta febrero de 1985, aunque perjudicaba al comercio de materias primas fuera del área del dólar, promovió las exportaciones de los países latinoamericanos a Estados Unidos. Este ímpetu exportador dio un leve y pasajero respiro a la situación de la deuda. Por un momento pareció, que, si se seguía exportando al ritmo de 1984 y se contenían las importaciones como se venía haciendo, los mayores deudores, por lo menos, estaban entrando por la vía de solvencia y liquidez que deseaban los bancos acreedores.

Pero entonces el proteccionismo que había aumentado en los países industrializados desde comienzo de la década se intensificó agudamente. El déficit de la balanza comercial de los Estados Unidos fue aumentando rápidamente y llegó a 123.000 millones de dólares en 1984 [1]. Muchas industrias americanas comenzaron a perder ventas no sólo en mercados internacionales, sino en sus propios mercados. El clamor para aumentar

[1] *The Economic Report of the President. 1986,* p. 370.

la protección de las empresas amenazadas por la competencia exterior llegó a oídos de los políticos, quienes comenzaron a proponer y conseguir poco a poco medidas para prcteger algunos sectores industriales. Se creó así un pésimo ambiente para la expansión del comercio internacional, y la actividad exportadora de los países latinoamericanos decayó drástica mente.

Con la reducción de los préstamos y del comercio, los países se vieron ante la única solución de extremar las medidas de ajuste, provocando la oposición de grandes sectores de la población al pago de una deuda tan onerosa. En este capítulo examinamos la evolución del comercio internacional después de la crisis de la deuda, haciendo resaltar que las presiones proteccionistas, que no han cesado de crecer en los países industrializados, constituyen un obstáculo estructura difícil de salvar para hacer posible el pago de la deuda. Si los países latinoamericanos pudieran pagar en su moneda nacional, el pago de la deuda sería todavía duro, pero resultaría manejable. Teniendo que hacer los pagos en moneda extranjera, ganada en gran medida por medio de la dura competencia del comercio internacional, las condiciones que imperan en éste son absolutamente críticas para hacer posible los pagos. La conclusión del capítulo es que, si no se detiene la tendencia a aumentar el proteccionismo y no se establece un comercio internacional libre y generoso, los países industrializados no sólo no estarán tomando sobre sí las responsabilidades que les corresponde en el génesis del problema de la deuda, si no que estarán haciendo insoluble una situación que ellos contribuyeron a producir.

El esfuerzo exportador de América Latina

A partir de 1983, los países latinoamericanos hicieron un gran esfuerzo exportador, a la vez que restringían drásticamente sus importaciones, generando sustanciales superavits en la balanza comercial. Los resultados del comercio latinoamericanos fueron excepcionales en 1983 y 1984. Para el conjunto de países de América Latina, el excedente de la balanza comercial fue de 31.524 millones de dólares en 1983; creció a 38.758 millones en 1984, para luego descender en 1985 a 34.310 millones. La balanza de cuenta corriente, que incorpora los pagos de intereses, vio reducido el déficit de 1982, que sumó la impresionante cifra de 40.613 millones, a la más manejable de 7.409 millones de dólares en 1983, que se vería reducida de nuevo a 1.027 millones en 1984, y que luego subiría a 4.410 millones el 1985. Estos resultados, que en su día dieron un respiro a la comunidad financiera internacional, se debieron en buena parte a la reducción de las importaciones, como luego veremos, pero también al aumento de las exportaciones.

CUADRO 11.1

EVOLUCION DEL COMERCIO EXTERIOR LATINOAMERICANO, 1983-1984

(Porcentajes y millones de dólares)

	1983			*1984*		
	A)	*B)*	*C)*	*A)*	*B)*	*C)*
Argentina	2,8	3.711	−2.440	3,0	3.940	−2.542
Bolivia	−8,8	282	−216	−4,1	312	−238
Brasil	8,6	6.472	−6.842	23,5	13.114	43
Colombia	−4,6	−2.494	−2.762	45,1	330	−1.245
Chile	3,3	1.009	−1.116	−4,6	293	−2.118
Ecuador	0,9	957	−128	10,9	1.055	−268
México	5,1	13.767	5.151	7,7	12.755	3.704
Perú	−8,4	294	−1.091	4,4	1.008	−412
República Dominicana	2,3	−497	−441	13,5	−324	−237
Uruguay	−8,0	416	−60	−20,0	192	−124
Venezuela	−10,8	8.162	4.451	8,8	7.974	5.001

A) Aumento del valor de las exportaciones.
B) Balanza comercial.
C) Balanza de cuenta corriente.

FUENTE: «Balance preliminar de la economía latinoamericana en 1985», *Comercio Exterior,* México, febrero de 1986, pp. 113 y 118.

Los resultados de los principales deudores: Argentina, Brasil, México y Venezuela son particularmente favorables. Todos generaron sustanciales excedentes en el comercio de mercancías. Más aún, a pesar de los pagos de intereses, la balanza de cuenta corriente, que, como ya hemos dicho, refleja más certeramente la situación exterior del país, es positiva en 1984 para Brasil, México y Venezuela. De haber continuado la tendencia que apuntaba en 1983 y 1984, se habría justificado el relativo optimismo con que la comunidad financiera internacional evaluaba los acontecimientos y los bancos sus posibilidades de grandes ganancias. Desafortunadamente, la tendencia se quebró en 1985: México y Brasil vuelven a tener un déficit en la cuenta corriente y Argentina mantiene el suyo. Todos los países de América Latina, menos Venezuela, dan balances negativos en su cuenta corriente.

La extensión del proteccionismo en la presente década

No podía ser menos en un ambiente lleno de proteccionismo, que llevó a una significativa reducción del volumen del comercio mundial en 1985. Este creció en un anémico 2,9 por 100, después de un vigoroso crecimiento de 8,7 por 100 en 1984. Las importaciones de los países industrializados pasaron de un crecimiento del 13 por 100 en 1984 al 5,2 por 100 en 1985. En todos los foros internacionales se daban voces de alarma por el crecimiento del proteccionismo. Así, por ejemplo, en la Conferencia sobre Comercio Internacional, que se celebró en Philadelphia en diciembre de 1985, se hacía notar que el «neo-proteccionismo» se ha acelerado desde la recesión de comienzos de la década. Según la señora Ostry, representante de Canadá en la Conferencia, el neo-proteccionismo, que se caracteriza por el papel preponderante de la «barreras no arancelarias» (Non-tariff-barriers, NTBs), afectó al 30 por 100 del total del consumo de productos manufacturados en los países industrializados en 1983, habiendo aumentado del 20 por 100 que era en 1980. La embajadora canadiense se refirió también a «otras formas insidiosas de proteccionismo», que resultan mucho más difícil de medir: una proliferación de medidas internas a los países, como subsidios, regulaciones, impuestos y transferencias, los cuales tienen el mismo efecto sobre el comercio internacional que medidas dirigidas expresamente a cambiar los flujos del comercio en favor de los países que adoptan estas medidas [2].

El problema es que, a medida que sucesivas negociaciones, como la Kennedy Round (1963-65) y la Tokyo Round (1973-77), han ido eliminando el monto de los aranceles y en general el uso de aranceles como instrumento de protección comercial, los países no han dejado de proteger sus mercados contra la competencia extranjera con instrumentos diferentes de aquellos que prevé el GATT. El papel que antes tenían los aranceles en la política comercial de los países industrializados ha sido tomado por medidas de carácter no arancelario, cuotas, por ejemplo, y otros instrumentos recientes como los «voluntary export restraints» (limitaciones voluntarias de las exportaciones) y los «orderly market arrange-

[2] Silk, Leonard: «Despite Accord for Talks, Trade Threats Continue», *The International Herald Tribune,* 14-15 diciembre 1985, p. 9.

ments» (limitaciones negociadas), que son una forma de cuotas administradas por los mismos países exportadores. Además las políticas de carácter interno para proteger a sectores exportadores, ya sea en la producción, ya sea en la exportación misma, tienen, en un contexto de fuerte interdependencia económica, efectos inmediatos sobre la competitividad diferencial de los países, convirtiéndose así en armas comerciales para disputarse los mercados de países terceros.

Las barreras no arancelarias

La incidencia de las medidas no arancelarias ha sido bien documentada en un reciente estudio del Fondo Monetario Internacional, *Trade Policy Issues and Developments* (julio 1985). El estudio constata que:

> Comparadas con los aranceles, las barreras no arancelarias han surgido como serios impedimentos al comercio. El inventario de la UNCTAD, que se basa en datos recogidos por su *staff*, incluye 21.000 casos de aplicaciones de medidas no arancelarias específicas por producto. Según este inventario, casi el 98 por 100 de los 1.010 grupos de productos de la nomenclatura CCCN (Customs Cooperation Council Nomenclatura) tienen alguna prohibición en algún lugar del mundo... Una estimación del Banco Mundial mostraba que los países industrializados aplican medidas no arancelarias al 13 por 100 de sus importaciones [3].

Todos los estudios que se han hecho últimamente sobre el comercio entre países en vías de desarrollo, particularmente las Newly-Industrialized-Countries (abreviados como NICs), y los industrializados dan cuenta de las crecientes dificutades que aquellos están encontrando para penetrar los mercados de éstos, en parte por el mismo éxito de las políticas de exportación que adoptaron por consejo de los expertos de los países industrializados y los organismos multilaterales de ayuda al desarrollo. En un reciente estudio del National Bureau of Economic Research, un «tanque pensante» del «Establishment» norteamericano, se decía:

> A pesar de que ya hubo intentos (en los años setenta) de adoptar medidas altamente restrictivas, hay una percepción generalizada de que las presiones proteccionistas aumentaron significativamente en los años setenta y que estas presiones tuvieron como resultado un pronunciado aumento de

---

[3] ANJARIA, S. J.; N. KIRMAN y A. A. PETERSON: *Trade Policy Issues and Developments,* Occasional Papel 38, International Monetary Fund, Washington, julio 1985, p. 22.

la protección en la forma de NTBs contra las importaciones de manufacturas provenientes de los países subdesarrollados[4].

En efecto, la incidencia de las medidas no arancelarias aplicadas por los países industrializados es elevada en aquellos sectores en que los países en vías de desarrollo tienen una ventaja comparativa actual o potencial. Los ejemplos más claros son los textiles y confecciones, calzados y artículos de cuero, juguetes, utensilios domésticos y de deporte y más recientemente el sector siderúrgico y, para algunos pocos países, la electrónica doméstica. El cuadro siguiente muestra la proporción de líneas de aranceles (tipos de productos clasificados para efectos impositivos) sujetos a restricciones de precio y volumen impuestos por 20 países desarrollados.

Como se puede apreciar en el cuadro, que no está reproducido en su integridad, los productos que más fácilmente pueden exportar los países subdesarrollados tienen más impedimentos que, por ejemplo, los produc-

CUADRO 11.2

PROPORCION DE LINEAS ARANCELARIAS SOMETIDAS A RESTRICCIONES DE PRECIO * Y VOLUMEN **

(Porcentajes)

Productos	*Total*	*EE.UU.*	*CEE*	*Japón*
Productos animales	47,1	38,2	58,4	41,2
Productos vegetales	32,6	9,7	41,7	25,8
Alimentos preparados, bebidas y tabaco	37,3	18,9	48,3	17,0
Textiles y confecciones	44,6	25,2	79,9	7,8
Calzados, tocados y plumas preparadas	23,1	70,0	24,3	5,0
Metales básicos y objetos de éstos	13,5	20,0	20,9	2,4
Vehículos, aviones y barcos	17,0	18,2	17,8	21,2
Armas y municiones	25,4	42,9	20,4	100,0

* Cubren: cargas variables, precios mínimos, derechos antidumping y compensatorios.
** Cubren: cuotas de todas clases, prohibiciones, permisos administrativos.

FUENTE: Anjaria, Kirmani y Petersen, *Trade Policy Issues and Developments*, International Monetary Fund, julio de 1985, p. 155, que citan como base los datos del estudio de la UNCTAD Documento TD/274, enero de 1983.

[4] HUGHES, Helen, y Anne O. KRUEGER: «Effects of Protection in Developed Countries' Exports of Manufactures», capítulo 11 en: BALDWIN, Rober E., y Anne O. KRUEGER (edits.), *The Structure and Evolution of Recent U. S. Trade Polivy.*, NBER, The University of Chicago, 1984, p. 390.

tos químicos y derivados (11,2 por 100 en el total), la maquinaria (11,5 por 100), pulpa, papel y derivados (9,9 por 100) y equipo óptico y fotográfico (8,0 por 100). También aparece en el cuadro, que en la CEE, la proporción de restricciones de este tipo es mayor que en Estados Unidos y Japón, aunque esto no implique, en base a los datos aquí presentados, que en conjunto la CEE sea más proteccionista que los dos países mencionados.

Solamente a modo de ejemplo, mencionaremos el ramo del textil y la confección, en que el Tercer Mundo tiene sin duda una ventaja comparativa por el menor costo del trabajo y suele ser por donde comienza la exportación de manufacturas al Primer Mundo. Este ramo se vio afectado por las restricciones cuantitativas contenidas en el Multifibre Agreement (MFA). Este acuerdo, que se originó en los Estados Unidos, se adoptó en enero de 1974 como una derogación «temporal» de las reglas normales del GATT para lograr una expansión y liberalización progresiva del comercio mundial en productos textiles, a la vez que evitaba efectos perturbadores en los mercados de los países industrializados. Al acuerdo original (1974-1978) le siguieron el FMA II (enero 1978-diciembre 1981) y el MFA III, que terminaba en julio de 1986. En su versión de 1978, el MFA contenía provisiones para controlar el crecimiento de las exportaciones por producto y por país según acuerdos bilaterales, que complementaban a los arancales vigentes que habían sobrevivido las sucesivas negociaciones arancelarias. A mediados de 1984, había 42 países participantes en el MFA. Pero de hecho, las restricciones que prevé el MFA se han aplicado casi exclusivamente a los productos de los países subdesarrollados. Las restricciones se adoptaron también en la CEE entre 1977 y 1978, resultando particularmente discriminatarias las exportaciones de América Latina por no estar incluidas en los Convenios de Lomé. De los países latinoamericanos han firmado acuerdo bilaterales dentro del MFA los siguientes países:

Con *Estados Unidos:* Brasil, Colombia, República Dominicana, México y Uruguay.

Con la *Comunidad Económica Europea:* Brasil, Colombia, Guatemala, México, Perú y Uruguay.

Con *Canadá:* Brasil y Uruguay.

Con *Suecia y Austria:* Brasil.

Disponemos de datos sobre las medidas comerciales que afectan a los productos manufacturados del principal exportador —y deudor— de América Latina, Brasil.

CUADRO 11.3

EXPORTACIONES DE MANUFACTURAS DE BRASIL SUJETAS A RESTRICCIONES EN LOS PAISES DE DESTINO

(Porcentajes del total de manufacturas)

Destino	*1982*	*1983*
Australia	4,7	3,9
Canadá	22,0	18,1
Comunidad Económica Europea ...	44,7	52,2
Estados Unidos	43,6	37,3

FUENTE: Anjaria, Kirmani y Petersen, *loc. cit.*, p. 156, que citan como fuentes de su tabla 72 a las autoridades brasileñas y estimaciones del Fondo.

Otro ejemplo de proteccionismo perjudicial a los países de América Latina, afecta a una de sus exportaciones tradicionales: el azúcar. La Comunidad Económica Europea ha sido la «gran pecadora en el mercado del azúcar», como dice el periodista americano Jonathan Power. En Europa el sistema de subsidios a la producción de azúcar ha desarrollado, contra toda lógica económica, la producción de azúcar en una medida que su coste, para los consumidores y contribuyentes, se ha estimado en 2.000 millones de dólares anuales [5]. La producción de azúcar en la CEE ha aumentado de nueve millones de toneladas en 1970 a un récord de 15 millones de toneladas en 1982. Esto supone un aumento del 5 por 100 a la capacidad productiva del mundo, lo que ha contribuido, sin duda, a deprimir el precio del azúcar en el mercado libre de Nueva York a cinco centavos por libra a principios de 1986. Es evidente que para los consumidores europeos resultaría más barato importar azúcar del Caribe a este precio que pagar el precio de apoyo que estipula la Política Agrícola Común, que era en enero pasado de 17,50 centavos por libra.

Este somero análisis basta para dar una idea del ambiente generalizado y creciente de proteccionismo en que se da la crisis de la deuda y en el que los países endeudados tienen que exportar para conseguir recursos. Las tendencias aquí expuestas se están agravando en nuestros días y su efecto nefasto sobre el comercio se refleja en una reducción de la tasa de crecimiento del comercio internacional en 1986, que fue del 3,5 por 100, muy inferior al 5 por 100 previsto por el FMI [6].

[5] POWER, Jonathan: «Protestionist Measures Sour the World Sugar Market», *International Herald Tribune*, 18 octubre 1985, p. 6.

[6] INTERNATIONAL MONETARY FUND: *World Economi Outlook. 1987*, tabla A 20, p. 138.

Despierta el proteccionismo norteamericano

La actitud proteccionista de nuestros días tiene mucho que ver, por una parte, con el déficit comercial y en cuenta corriente de los Estados Unidos, causado por la revaluación del dólar. Pero, por otra, está relacionado con el enorme desempleo que se registra en la Comunidad Económica Europea (el 11 por 100 de la fuerza de trabajo a finales de 1986) y la necesidad estructural de exportar que tiene Japón, un país con una absorción baja relativamente a su volumen de producción.

El déficit de la balanza comercial de los Estados Unidos fue de 123.000 millones de dólares en 1984 y de 140.000 millones en 1985; pero, lo que es peor, la balanza de cuenta corriente en 1985 fue de 117.000 millones de dólares, según datos del Commerce Department (en 1984 fue de 107.400 millones), lo que hace a los Estados Unidos un país deudor por primera vez en setenta y un años [7]. La significación de este hecho para las relaciones económicas internacionales fueron en su día bien analizadas por los editoriales de los principales diarios de ese país. Así, *The Washington Post* escribía:

> El Departamento de Comercio ha reconocido oficialmente esta semana un suceso simbólico en la vida económica de América. Hace unos pocos meses, según se acaba de confirmar, las inversiones privadas y públicas de los Estados Unidos en el extranjero ya no sobrepasan a lo que poseen los extranjeros en activos privados y públicos de este país. En este sentido, América se ha convertido en un país deudor... La importancia de la medida de la deuda es que refleja ampliamente la posición económica de los Estados Unidos frente al resto del mundo [8].

Este suceso dramatiza el cambio de la posición de la economía norteamericana en el mundo. La soberana independencia que la caracterizó antaño se ha convertido en una dependencia de acreedores, que, a diferencia de hace setenta y un años, están inundando el mercado norteamericano de productos de tecnología avanzada. Estados Unidos depende ahora —y dependerá cada vez más, si no cambian las tornas— de Japón y los países más ricos de la CEE, tanto en el terreno financiero como en el comercial. Es, pues, natural que Estados Unidos responda a esta creciente dependencia con un esfuerzo para aislar su economía de las decisiones de los extranjeros. Este intento pasa obligadamente por la devaluación del dólar y un aumento del proteccionismo.

---

[7] «U. S. Posts Deficit in Trade. Nation a Debtor after 71 Years», *International Herald Tribune*, 17 septiembre 1985, p. 11.

[8] *The International Herald Tribune*, 21-22 septiembre 1985, p. 4.

En este espíritu de defensa de su economía, el senador demócrata por Texas, Lloyd Bentsen escribía recientemente:

> Los Estados Unidos han tenido un déficit comercial los quince últimos años con sólo dos excepciones. Nuestra base manufacturera se está erosionando diariamente. Los directivos de las empresas norteamericanas, decididos a no perder su porción del mercado, están llevando las fábricas al exterior, dejando obreros desempleados en el país. Desde 1979 hemos perdido 1,7 millones de puestos de trabajo en la manufactura... Este año los Estados Unidos se ha convertido en un país deudor por primera vez desde 1914... Tenemos que dar un aviso a Japón y a los países que pretendan imitarle de que América no va a seguir aceptando enormes déficits comerciales. ¿Cómo? Poniendo un techo a los países con una historia de barreras a nuestros productos y con excesivos superávits comerciales. Específicamente, propongo una legislación que establezca que las ventas de estos países no puedan superar a los que nos compran por más del 165 por 100. Cuando se pase esta ratio, Japón o cualquier otro país tendrá que reducir gradualmente sus excedentes o enfrentar un gravamen inmediato y obligatorio del 25 por 100 sobre las importaciones de Estados Unidos [9].

Esta es la propuesta que en julio de 1985 presentaron al Congreso los senadores Bentsen y Rostenkowski y el representante Gephardt para contener el superávit comercial del Japón y los países de la Cuenca del Pacífico con los Estados Unidos. De ser aprobada hubiera afectado las importaciones provenientes de México y Brasil, en un momento en que estos dos países también exportaban más de lo que importaban de Estados Unidos. Este gravamen no era la única iniciativa comercial que esperaba en el Congreso. En mayo de ese mismo año se había propuesto un gravamen generalizado del 20 por 100 sobre todas las importaciones que hacía Estados Unidos. Aunque la medida, como casi todas, iba dirigida directamente contra Japón, hubiera afectado por igual a las importaciones provenientes de América Latina. En octubre, el senador de Delaware, William Roth, proponía una pequeña «carga de ajuste» sobre todas las importaciones para pagar amplios subsidios de desempleo y gastos de reeducación a todos los trabajadores que perdieran el puesto de trabajo como consecuencia de la competencia extranjera.

Basta seguir la actividad legislativa en el Congreso de los Estados Unidos en los dos últimos años, para darse cuenta de la fuerza que el movimiento hacia la protección de los productores americanos tiene entre los legisladores de ese país. En agosto de 1986 el presidente Reagan vetó una propuesta de ley para imponer una cuota a las importaciones de calzado.

---

[9] BENTSEN, Lloyd: «America is Entlited to Bar Excessive Imports», *International Herald Tribune,* 29 septiembre 1985, p. 4.

En octubre la Cámara de Representantes aprueba y envía al Senado una ley para reducir en un 40 por 100 las importaciones de textiles y confecciones. Normalmente las propuestas para aumentar la protección, generalizada o particular a ciertos sectores más castigados por la competencia externa, no han encontrado el favor del Ejecutivo y no han prosperado. Pero el presidente Reagan no puede oponerse permanentemente a un Congreso obsesionado con los daños que la competencia externa hace a varios sectores productivos del país. El presidente ha sido especialmente sensible a la cuestión de los subsidios a las exportaciones agrícolas de la CEE y no deja de estar impresionado por el superávit de Japón en su comercio con los Estados Unidos. El presidente tiene que hacer compromisos y esos compromisos y concesiones van minando poco a poco la libertad del comercio y el acceso de los productos de países subdesarrollados al mercado americano, aunque las medidas no vayan dirigidas directamente contra los países deudores. Las reducciones «voluntarias» de las exportaciones de acero por parte de Brasil y México en 1984, son un ejemplo de este efecto de carambola en la propagación del proteccionismo.

El Japón somos todos: proteccionismo en Europa

En Europa tendemos a pensar que los Estados Unidos y Japón son los países más proteccionistas del mundo capitalista desarrollado. Particularmente nuestras dificultades para exportar a Japón, que, además, apenas importa productos europeos, nos inclinan a pensar en este país cuando en foros y publicaciones internacionales se habla del «proteccionismo creciente». Aunque, efectivamente en el conjunto de relaciones de los países industrializados, Japón está relativamente más cerrado a los productos de otros países industrializados, Europa está particularmente cerrada a las exportaciones procedentes de América Latina. En este sentido y en lo que respecta a la situación actual de América Latina, el Japón somos todos; es decir, que los europeos también estamos poniendo barreras crecientes a las exportaciones que tienen que hacer posible el pago de la deuda externa.

En un documento de la Comisión de la CEE («Orientaciones para el refuerzo de las relaciones de la Comunidad con América Latina», del 6 de abril de 1984, COM 185/84) se expresaban las escasas posibilidades que la CEE ofrece a América Latina para ampliar su comercio:

> En materia de política comercial, el margen de maniobra para fortalecer un acción de la Comunidad parece ser extremadamente estrecho, al menos a breve y medio plazo. No conviene dejar de subrayar que con seguridad

no ha sido un exceso de protección industrial, o siquiera agrícola, de parte de la Comunidad, el factor determinante de la disminución o estancamiento de la parte relativa a las exportaciones latinoamericanas. El progreso de las exportaciones de otros países hacia la CEE lo demuestra suficientemente. Por razones bien conocidas, la Comunidad no podrá considerar que se conceda a América Latina un régimen preferencial del tipo ACP. Por otra parte, el Sistema Generalizado de Preferencias permite los beneficios de un acceso preferencial de contenido significativo [10].

Después de reconocer que el margen de maniobra es extremadamente estrecho, la Comisión se anticipa a las acusaciones de proteccionismo, aduciendo el ejemplo de otros países —lástima que no los nombre— cuyas exportaciones a la CEE han aumentado. El argumento no tiene mucha fuerza mientras se mantega en términos agregados. No hay duda que unas exportaciones sufren más que otras de una misma política comercial, y mucho más si esta política es discriminatoria entre países subdesarrollados. Los problemas para la exportación desde América Latina provienen principalmente de políticas «internas» más que de medidas comerciales expresas contra las exportaciones de aquella región. En concreto la Política Agraria Común, que la Comisión no querrá nunca contar como una política comercial externa y mucho menos como una medida proteccionista, afecta, sin embargo, en gran medida las posibilidades de exportación de carne, azúcar y cereales a, por lo menos, terceros mercados. Este efecto indirectamente proteccionista ha sido denunciado con más fuerza que nadie por el gobierno de los Estados Unidos, que también sale perjudicado por la PAC en la exportación de cereales.

El hecho que la Comunidad se niegue a dar a los países de América Latina un tratamiento semejante al que da a los países de Africa, el Caribe y el Pacífico (ACP), beneficiarios de las tres Convenciones de Lomé, expresa la voluntad de la Comunidad de mantener el carácter discriminatorio de su política comercial para con el Tercer Mundo. Las preferencias otorgadas a estos países les capacita para exportar los productos primarios con los que compiten con América Latina en unas condiciones más favorables de las que ésta jamás podrá conseguir por medio del Sistema Generalizado de Preferencias a que se refiere la Comisión.

Los países latinoamericanos habían puesto sus esperanzas en que, al negociar su entrada en la CEE, España y Portugal consiguieran un tratamiento semejante al de los países ACP para sus antiguas colonias. En

---

[10] Citado en un documento del SISTEMA ECONÓMICO LATINOAMERICANO (SELA). «La política comercial de la CEE y sus efectos sobre el comercio de América Latina», reproducido en: *Comercio Exterior,* México, noviembre de 1985, pp. 1.100-1.110.

eso precisamente consistía para ellos la función de España como «puente» entre Europa y América Latina. España y Portugal negociaron con poco convencimiento estas ventajas, y, naturalmente, no las consiguieron. No parece, pues, que Europa vaya a ser de mucha ayuda para aumentar el acceso a los mercados de las mercancías latinoamericanas. En este sentido, poca ayuda se puede esperar de Europa para hacer posible el pago de las obligaciones de la deuda.

Sin embargo, todos los países deben reconocer que la solución del problema de la deuda no es solamente una cuestión de flujos financieros, sino que implica en lo más profundo una cuestión de flujos reales de mercancías y servicios. La experiencia europea con el problema de las transferencias causadas por el pago de las reparaciones de guerra de Alemania a los Aliados, después de la Primera Guerra Mundial, debiera enseñar a los europeos varias lecciones. La primera es que no se puede presionar despiadadamente a un pueblo para que haga transferencias de este tipo, sin que el esfuerzo tenga repercusiones de orden político y aun militar; que recuerden cómo las exigencias francesas llevaron al pueblo alemán primero a la inflación y al desempleo y le empujaron luego a soluciones extremas que costaron al mundo mucho millones de muertos y destrucción por un valor incalculable.

12. Los costes de pagar la deuda ajena

El proceso de ajuste externo e interno de los países deudores a la situación creada después de la crisis de la deuda tuvo grandes costos económicos, sociales y políticos para la mayor parte de la población latinoamericana. La reacción inicial a la crisis del financiamiento externo en cada uno de los principales países deudores fue diferente. Por de pronto, se inició en momentos diferentes, a medida que aparecían en los países dos importantes síntomas: que los bancos extranjeros suspendieran prácticamente toda financiación [1] y que arreciara la fuga de capitales ante una pérdida de confianza en la estabilidad de la moneda. Para finales de 1982, sin embargo, todos los países habían comenzado a tomar medidas de ajuste.

Las medidas de ajuste confluyen generalmente en una reducción del nivel de actividad económica, en una recesión, y en la eliminación de ciertos mecanismos estatales de redistribución para reducir el gasto público. Son medidas que pesan severamente sobre la población con menos ahorros y con menor poder de negociación, de manera que el reparto de la austeridad que el ajuste exige, se hace con la misma desigualdad que caracteriza en aquellos países el reparto de la riqueza. El ajuste carga su peso desproporcionadamente sobre las mayorías populares, que ven reducidas las posibilidades de empleo, su poder adquisitivo, y las modestas medidas

[1] Los préstamos nuevos otorgados por la gran banca a América Latina cayeron verticalmente de 21.000 millones de dólares en el segundo semestre de 1981 a 12.000 millones en la primera mitad de 1982 y a apenas 300 millones en la segunda mitad de ese año.

redistributivas que había implementado el estado. Más aún, la necesidad de prolongar un ajuste que con el paso del tiempo se ha hecho más riguroso, somete a todo el tejido social a unas grandes tensiones económicas con inmediatas repercusiones políticas, que afectan la estabilidad misma de los regímenes políticos, nuevos muchos de ellos y distintos de los responsables directos del endeudamiento.

Después de analizar, aunque sólo sea globalmente, los costos del proceso, se concluye en este capítulo, que el ajuste no se puede dejar a los países y gobiernos aislados, y sobre todo no puede cargar sobre unas mayorías populares, que no tuvieron ni arte ni parte en el endeudamiento. El ajuste tiene que ser una operación conjunta de dimensión internacional en el que colaboren tanto los bancos acreedores como los gobiernos de los países industrializados que apadrinaron la concesión de los préstamos, y en la que deben llevar el peso que les corresponda las elites latinoamericanas que sacaron partido de la deuda. El problema de la deuda es un problema político, además de económico, de orden interno e internacional, que afecta al equilibrio de todo el continente americano y que tiene que ser resuelto desde esta óptica.

Las políticas de ajuste

Un elemento común en las políticas de ajuste de todos los países fue ajustar en una medida sustancial *el tipo de cambio o el sistema de comercio,* o ambos. Hubo un cambio general de un sistema de tipos de cambio fijo, que había prevalecido entre los países latinoamericanos y el dólar, hacia un tipo de cambio flexible, lo que implicó frecuentemente grandes ajustes. El resultado fue una depreciación real de la mayoría de las monedas durante el período de 1981 a 1984. Fue notable la devaluación del peso argentino, que corrigió buena parte de la apreciación ocurrida desde mediados de los años setenta.

Al mismo tiempo que se diseñaban políticas cambiarias para corregir los desequilibrios externos, se abandonaron las políticas relativamente liberalizadoras de importaciones, que se habían estado practicando en la década de los setenta. Sin entrar ahora a determinar el grado real de liberalización-proteccionismo que había de hecho en América Latina al comienzo de la crisis, es evidente que después de 1982 todos los países restringen de forma drástica y sustancial sus importaciones. Las importaciones representan probablemente la variable en que más se ha evidenciado el proceso de ajuste, es decir, que han soportado el peso del ajuste más que ninguna otra variable económica, si exceptuamos, desde un punto de vista social, el ingreso per cápita. Esto, en realidad, no tendría por qué haber sido así, si se hubiera exportado más o si se hubiera ahorrado más. En el caso de que los préstamos no se hayan invertido de una manera productiva y no hayan generado suficiente riqueza para ser pagados en un período posterior, cuando llega este período de pago, hay que limitar el gasto global, ya sea de consumo, ya sea de inversión, para reunir los recursos necesarios. Alternativamente, estos fondos podrían haber venido del desahorro de la comunidad en el caso, hipotético para América Latina, de que la población tuviera ahorros disponibles. Como esta alternativa no es muy sólida, sobre todo dada la enorme propensión de la burguesía latinoamericana, grande y pequeña, a conservar sus ahorros en forma de moneda extranjera fuera del país, no queda más remedio que reducir el gasto ordinario de la economía para generar tanto recursos internos como la moneda extranjera necesaria para convertir esos recursos internos en medios de pago internacionales. Esta doble necesidad se debe expresar en un excedente de la balanza de pagos suficiente para poder transferir recursos a los países acreedores.

Otra respuesta generalizada a la crisis fue la austeridad fiscal, sobre todo en aquellos países que habían asumido los programas del FMI. La reducción del gasto público es, naturalmente, una de las prescripciones que nunca faltan en los acuerdos que se firman con el Fondo en estos casos. La reducción del gasto público es una forma de reducir el gasto global y de disminuir la demanda de importaciones, para dedicar el ahorro público que pueda haber a reforzar la liquidez de la economía. Pocos países, sin embargo, han tenido éxito en reducir los gastos públicos en la medida acordada con el Fondo y con los bancos acreedores, aunque casi todos los han reducido en una medida suficiente para rebajar los niveles de vida de algunos sectores de la población, que se ayudaban de las subvenciones directas o indirectas del estado. En todos los países salvo en México, los ingresos corrientes, los que percibe el estado por impuestos, tributos y otras cargas fiscales, disminuyeron o se estancaron, como proporción del PIB, debido por una parte a que en América Latina hay una base impositiva débil, es decir, son pocos los ciudadanos que tributan directamente, y por otra, a que la misma recesión hizo disminuir los impuestos indirectos, que guardan una estrecha relación con los niveles de ventas y en general con la actividad económica. Como resultado los gastos de capital llevaron el peso de los programas de austeridad, reduciéndose en más de cuatro puntos porcentuales del PIB en tres de los siete principales países deudores.

Las políticas monetarias fueron bastante similares en todos los países, ya que trataban de enfrentar problemas exteriores muy semejantes y respondían a objetivos de política interna comunes. La fuerte reducción o salida de divisas, producida por la caída de las exportaciones y por la necesidad de pagar la deuda externa, dio como resultado una sustancial reducción de la base monetaria interna[2]. El aumento de las divisas hace aumentar el componente externo de la base monetaria y, a no ser que haya «esterilización», hace expandir la masa monetaria, o medio circulante; una reducción de las divisas tiene el efecto contrario de reducir el medio circulante.

Al propio tiempo la incapacidad de la mayoría de los gobiernos para reducir sustancialmente el déficit del sector público produjo en este ambiente de restricción monetaria el efecto del «crowding out». Los gobiernos, ante la imposibilidad de acudir en suficiente medida a los mercados financieros internacionales, se vieron obligados a recurrir masivamente al endeudamiento interno, expulsando —esto es «to crowd out»— del mercado financiero interno a las empresas privadas más débiles. El recurso al financiamiento interno no sólo se hizo colocando títulos de deuda en las instituciones financieras (como hace el gobierno español con los pagarés del tesoro, los certificados de regulación monetaria, antes que ellos, los bonos y obligaciones del tesoro), sino que también se recurrió muchas veces a monetizar la deuda, es decir, financiar el déficit fiscal por medio de nuevas emisiones de dinero, lo que suele ser inflacionario. En el primer momento de ajuste, sin embargo, el resultado de la política monetaria fue agravar la recesión. En cinco de los principales deudores, tanto el crédito al sector privado como la oferta monetaria ampliada cayeron con relación al PIB, y en consecuencia acentuaron todavía más la recesión que estaba originándose por la reducción de la inversión y de las importaciones. El impulso a la inflación vino más bien de los efectos de las devaluaciones ya mencionadas, que incrementaron el costo de las importaciones.

Los precios y los salarios también se sometieron a la política de ajuste. En cierta manera se puede decir que el «ajuste» de los salarios resultó pieza clave para reducir el gasto global y las importaciones, y fue la forma concreta como la política de ajuste se hizo impopular y antipopular en América Latina. Constituía una manera de hacer ahorrar a la fuerza a la población para poder pagar la deuda. En el período de 1981 a 1984 los salarios reales (los salarios nominales divididos por el índice de precios al consumidor) descendieron en cinco de los siete países, y en grado más espectacular en México y Brasil, donde el descenso cumulativo pasó del 20 por 100.

La respuesta de los siete principales deudores a las nuevas condiciones externas y a las políticas de ajuste descritas variaron de acuerdo con las

[2] La base monetaria está constituida por los activos del Banco emisor, fundamentalmente activos internos o deuda del Estado y activos internacionales, títulos externos y divisas. Ambos respaldan los pasivos monetarios internos: el papel moneda y las reservas de los bancos de depósito.

circunstancias de cada país. En conjunto, sin embargo, y pese a que se registraron términos de intercambio generalmente desfavorables a partir de 1981, el crecimiento real de las exportaciones se aceleró entre 1982 y 1984 con un promedio anual de 6,2 por 100 (aunque en términos de dólares corrientes no hubo crecimiento). Los datos aparecen en el cuadro 11.1 del capítulo anterior.

Reducción de las importaciones

Casi todo el ajuste externo, sin embargo, tuvo lugar del lado de las importaciones, como ya hemos apuntado. Las importaciones expresadas en términos reales descendieron en una tasa promedio anual del 12,3 por 100 entre 1982 y 1984 en el conjunto de los siete países y con una rapidez mucho mayor a la media en Argentina y México. Como porcentaje del PIB a precios corrientes, el descenso en los años de 1981 a 1984 osciló entre 5 y 6 puntos porcentuales en México, Perú y Venezuela, y en menos de un punto en Argentina y Chile. A excepción de Brasil esa reducción parecía, a algunos técnicos de la Cepal, como una corrección de los niveles enormemente elevados que habían alcanzado las importaciones entre 1979 y 1981.

Cuadro 12.1

EVOLUCION DE LAS IMPORTACIONES EN LOS PRINCIPALES PAISES DEUDORES. 1974-1984
(Tasas de crecimiento)

Países	*1974-78*	*1979-80*	*1981*	*1982*	*1983*	*1984*
Argentina	2,0	64,9	−10,5	−45,7	−9,8	1,8
Brasil	2,0	29,0	−3,5	−12,2	−20,4	−9,7
Colombia	14,1	29,0	10,8	13,5	−17,4	−10,8
Chile	11,0	38,0	19,9	−47,8	−17,8	19,0
México	8,3	54,0	27,2	−40,0	−46,5	33,1
Perú	−4,5	36,0	23,0	−2,1	−26,9	−19,8
Venezuela	30,5	−1,6	11,5	12,1	−52,8	12,3

Fuente: BID, *Informe 1985*, p. 26.

En 1982-1984 las importaciones reales, expresadas como una proporción del PIB, volvieron a los niveles que tenían en el período 1970-1980 en la mayoría de los países. Pero el motivo de mayor preocupación fue la marcada reducción de los bienes de capital en 1982-84, expresada tanto en relación con las importaciones reales de capital en el período 1970-1978, como con respecto al PIB real. En el cuadro siguiente ofrecemos una comparación de las importaciones por sectores entre los períodos 1970-1978 y 1982-1984, construida dividiendo los promedios anuales en 1982 a 1984 por los de 1970 a 1978.

CUADRO 12.2

COEFICIENTE DE COMPARACION DEL NIVEL DE IMPORTACIONES ENTRE 1970-78 Y 1982-84

Tipos de bienes importados:

Países	*Consumo*	*Intermedios*	*Capital*	*Total*	*PIB*
Argentina	1,48	0,96	0,86	0,96	1,04
Brasil	1,39	0,79	0,67	0,79	1,48
Colombia	1,63	1,75	2,00	1,81	1,42
Chile	2,48	0,97	0,82	1,12	1,16
México	0,67	2,10	0,97	1,42	1,54
Perú	1,59	1,28	1,47	1,19	1,12
Venezuela	1,50	1,29	0,86	1,13	1,17

FUENTE: BID, *Informe 1985*, p. 30.

Como se puede observar en el cuadro, la reducción de las importaciones de capital es importante en todos los países, menos quizá en Colombia y Perú. Es particularmente significativa en Brasil, que había importado masivamente bienes de capital en los años setenta. En México, en cambio, es mucho más importante la reducción de importaciones de bienes de consumo, entre las que hay que contar los alimentos. En todos los países, con la excepción de nuevo de Colombia y Perú, el índice total para comparar las importaciones es inferior al índice para comparar el PIB en los dos períodos. La conclusión general de esta comparación es que las importaciones se estancaron más que el PIB.

El resultado de estos cambios en los flujos de comercio exterior fue la transformación que se operó en la balanza comercial, que de un déficit de 1.700 millones en 1981 pasó a dar un excedente o superávit de 38.700 millones en 1984, casi lo suficiente para cubrir los pagos de intereses de este año. Por su parte el déficit en la balanza de cuenta corriente se reducía sustancialmente de 40.100 millones en 1981 a 1.000 millones en 1984, mientras la balanza global evolucionaba también favorablemente, a pesar de la reducción del aflujo de capitales.

CUADRO 12.3

EVOLUCION DE LAS BALANZAS EXTERNAS EN AMERICA LATINA, 1980-1985
(En miles de millones de dólares)

Balanza	*1980*	*1981*	*1982*	*1983*	*1984*	*1985 **
1. Comercial	−1,4	−1,7	9,1	31,5	38,7	34,3
2. C. corriente	−28,1	−40,1	−40,9	−7,4	−1,0	−4,4
3. Capital	23,5	37,3	19,8	3,0	10,3	4,7
4. Pagos (global)	1,4	−2,8	−21,0	−4,4	9,3	0,3

FUENTE: «Balance preliminar de la economía latinoamericana en 1985», *Comercio Exterior,* vol. 36, núm. 2, México, febrero de 1985, p. 106. Los datos son los oficiales de la CEPAL.

CUADRO 12.4

BALANZA COMERCIAL Y PAGOS DE INTERESES DE LOS PRINCIPALES PAISES DEUDORES, 1981-1984
(En millones de dólares)

Países	*1981*	*1982*	*1983*	*1984*
ARGENTINA				
1. Balanza comercial	−905	2.181	2.950	3.732
2. Pagos intereses	3.850	4.926	5.423	5.764
BRASIL				
1. Balanza comercial	−1.601	−2.743	4.030	11.089
2. Pagos intereses	10.305	12.551	10.263	11.400
CHILE				
1. Balanza comercial	−3.486	−335	538	−231
2. Pagos intereses	1.906	2.236	1.813	2.124
MEXICO				
1. Balanza comercial	−5.379	5.445	14.169	14.191
2. Pagos intereses	8.429	11.264	9.861	11.607
PERU				
1. Balanza comercial	−869	−637	37	699
2. Pagos intereses	971	1.026	1.110	1.275
VENEZUELA				
1. Balanza comercial	3.501	−1.928	6.602	7.020
2. Pagos intereses	4.347	3.717	3.311	4.075

FUENTE: BID, *Informe 1985,* p. 26.

Se puede apreciar el esfuerzo que han hecho, por lo menos, los grandes deudores para nivelar su balanza comercial con los pagos de intereses, destacando el caso de México, que en 1984 se encontraba con un margen de 2.584 millones sobre los intereses después de haber tenido un vacío de 13.808 millones en 1981. Estas espectaculares mejoras de las cuentas externas reflejan un esfuerzo y un sacrificio enorme para los países que las realizaron. Calculadas en base a las cuentas nacionales a precios corrientes, las exportaciones netas —que constituyen el mecanismo de transferencia de recursos reales al resto del mundo— se incrementaron en los siete países en cerca de ocho puntos porcentales del PIB, de manera que para 1984 casi el 8 por 100 de la producción bruta de bienes y servicios de los países deudores se enviaba al extranjero. En esa medida los bienes exportados se sustraían al consumo y a la inversión nacionales.

Costos económicos y políticos del ajuste

En el proceso de ajuste sufrieron enormemente el ahorro interno y la inversión. El informe del BID comenta:

> En la medida en que los procesos de ajuste externos e internos pudieran separarse, es probable que el último fuera menos satisfactorio que el primero: en lugar de lograr un incremento en el ahorro nacional para compensar, por lo menos en parte, la caída del ahorro externo, todos los países, salvo Colombia, registraron un fuerte descenso en sus coeficientes de inversión en 1983-84 y un descenso en el ahorro nacional [3].

Y el Informe del BID, con su lenguaje tecnocrático, terso e impersonal, procede a documentar los sufrimientos de los pueblos latinoamericanos.

Una de las pocas «verdades eternas» que hay en economía política es que sin acumulación no puede haber crecimiento, ni desarrollo, ni bienestar. La relación entre estas variables es tan fuerte que ya «a priori» podemos predecir que un semejante descenso de la acumulación no puede menos que acarrear grave detrimento a los niveles de desarrollo y bienestar, como de hecho así fue. El descenso de la inversión no se pude atribuir únicamente a la drástica reducción del ahorro externo (la reducción del financiamiento exterior); también el ahorro interno público y privado se

---

[3] Banco Interamericano de Desarrollo, BID: *Progreso económico y social en América Latina. Deuda externa: crisis y ajuste. Informe 1985*, Washington, 1985, p. 10.

CUADRO 12.5

LA ACUMULACION (FORMACION BRUTA DE CAPITAL) EN LOS PRINCIPALES DEUDORES, 1980-1984
(Como porcentaje del PNB)

Países	*1980-81*	*1982*	*1983*	*1984*
Argentina	20,4	17,8	16,1	14,7
Brasil	22,3	22,3	19,8	16,3
Colombia	17,4	17,8	17,3	17,1
Chile	18,3	16,0	13,1	13,4
México	25,7	23,5	17,9	18,0
Perú	19,8	23,0	19,7	17,3
Venezuela	24,7	24,6	21,2	18,2

FUENTE: BID, *Informe 1985,* p. 40.

vio sustancialmente reducido en la medida en que tuvo que desviarse para cubrir los mayores pagos netos a factores.

La lectura del cuadro 12.6 nos indica que en general el ahorro nacional disminuyó por la necesidad de hacer frente a unos crecientes pagos a factores externos, aunque la masa de ahorro interno se mantiene relativamente constante. Los pagos a los factores son sustancialmente los pagos por el uso del capital en los procesos productivos, es decir, representan los pagos de intereses. El ahorro disminuyó en primer lugar por la disminución de la actividad económica: la disminución de los salarios sobre todo, aunque también por la disminución de las ganancias empresariales, y en segundo lugar por la aceleración de la inflación, que, como ya hemos indicado, provenía en un primer momento de la devaluación de la moneda, y después se agravó por la necesidad de los gobiernos de hacer frente a sus gastos fiscales recurriendo al banco emisor.

Y así venimos a las políticas que afectan más directa e inmediatamente a las mayorías populares: las políticas de precios y salarios.

> En ausencia de una reducción del salario nominal o de un aumento voluntario en el ahorro de las unidades familiares, o de ambas cosas, la reducción del consumo real entrañaba aumentar los precios de bienes y servicios consumidos por las unidades familiares más que los pagos de factores a esas mismas unidades familiares.

Con este lenguaje característico describe el Informe del BID las políticas antipopulares de aumentar los precios de los productos de consumo básico junto a la congelación —o reducción— de salarios reales, que formaba una parte sustancial de las políticas de ajuste.

CUADRO 12.6

AHORRO INTERNO, AHORRO NACIONAL Y PAGOS NETOS A FACTORES, 1980-1984
(Como porcentaje del PNB)

Países	*Años*	*A)*	*B)*	*C)*
Argentina	1980	19,8	20,8	1,0
	1981	14,4	18,4	4,0
	1982	13,6	22,4	8,8
	1983	13,6	22,4	8,8
	1984	12,8	21,6	8,8
Brasil	1980	18,0	21,1	3,1
	1981	19,3	23,3	4,0
	1982	18,3	23,7	5,4
	1983	17,8	22,9	5,1
	1984	17,8	23,2	5,4
Chile	1980	14,3	17,4	3,1
	1981	8,7	13,0	4,3
	1982	1,4	10,3	8,9
	1983	4,8	13,7	8,9
	1984	3,7	14,2	10,5
México	1980	25,3	28,0	2,7
	1981	24,9	28,3	3,4
	1982	23,4	29,0	5,6
	1983	27,2	32,8	5,6
	1984	24,5	30,9	6,4
Perú	1980	18,1	22,8	4,7
	1981	14,2	18,7	4,5
	1982	15,5	20,0	4,5
	1983	15,0	21,0	6,0
	1984	15,3	22,1	6,8
Venezuela	1980	32,5	32,8	0,3
	1981	28,7	28,5	0,2
	1982	20,1	23,3	3,2
	1983	17,0	20,8	3,8
	1984	24,9	30,9	6,0

A) Ahorro nacional total.
B) Ahorro interno.
C) Pagos netos a factores.

El ahorro interno es igual al ahorro nacional más los pagos a factores.

FUENTE: BID, *Informe 1985*, p. 42.

CUADRO 12.7

EVOLUCION DE LOS SALARIOS REALES, 1981-1984
(Cambios porcentuales sobre el año anterior)

Países	*1981*	*1982*	*1983*	*1984*
Argentina	−10,3	−10,5	19,1	5,3
Brasil	−3,9	1,7	−16,1	−5,2
Colombia	−0,2	4,9	6,5	3,1
Chile	8,9	−0,2	−10,7	−6,5
México	4,9	−4,1	−20,0	−9,8
Perú	−4,1	0,1	−6,6	−2,9
Venezuela	−3,1	−2,8	−0,5	0,5

FUENTE: BID, *Informe 1985*, p. 75.

Los resultados de estas políticas de ajuste se resumen mejor que en ningún otro indicador en los niveles de ingreso per cápita de los países latinoamericanos en estos años.

Además de la reducción de los niveles de vida actuales y la hipoteca de los futuros, como se puede esperar por la falta de acumulación, otros costos del proceso de ajuste han sido el aumento del desempleo y la aceleración de la inflación. «La inflación se aceleró en los cinco países que adoptaron un programa del FMI en este período.» Hace notar el Informe del BID, que también señala que los países que siguieron una política más independiente, Colombia y Venezuela, lograron que su inflación descendiera al nivel de 1981. El Informe del BID responde luego a la objeción de que las políticas que impone el FMI son inflacionarias, como parece sugerir la evidencia empírica de que disponemos.

Esto no quiere sugerir, por supuesto, que exista una relación necesaria entre la adopción de un programa del FMI y un brote de inflación, sino más bien que algunas de las políticas, que normalmente son parte de estos programas (como la depreciación real del tipo de cambio y la reducción de los controles de precios y subsidios para bienes de consumo), si no van acompañadas de medidas firmes de neutralización, producirán como resultado inevitable presiones alcistas sobre el nivel de precios [4].

Presiones que al cabo de cierto tiempo el gobierno no podrá resistir sin reducir drásticamente el gasto público y los niveles de vida —¿más aún?— de la población, y tendrá que recurrir al banco emisor para obte-

[4] BID: *Informe 1985*, pp. 90-91.

CUADRO 12.8

PRODUCTO INTERNO BRUTO POR HABITANTE, 1981-1985
(Tasas anuales de cambio)

Países	*1981*	*1982*	*1983*	*1984*	*1985*	*1980-85*
Argentina	−8,2	−7,8	1,4	0,4	−4,5	−17,7
Bolivia	−1,9	−9,1	−11,0	−6,3	−5,0	−29,4
Brasil	−4,2	−0,9	−4,9	2,5	4,8	−3,0
Colombia	0,1	−1,1	−1,0	1,4	0,1	−0,5
Costa Rica	−5,0	−9,7	−0,4	3,4	−2,5	−13,8
Cuba *	14,4	2,5	3,2	6,8	3,8	34,1
Chile	3,6	−14,4	−2,1	4,5	0,2	−9,1
Ecuador	0,8	−1,8	−4,4	1,7	−0,3	−4,0
El Salvador	−11,0	−8,4	−3,8	−1,5	−1,4	−23,8
Guatemala	−1,8	−6,1	−5,5	−2,4	−4,2	−18,5
Haití	−2,8	−4,0	−4,5	−0,8	−1,7	−13,0
Honduras	1,1	−1,6	0,0	−1,7	—	—
México	5,4	−2,6	−7,6	0,9	0,7	−3,6
Nicaragua	2,0	−4,4	1,3	−4,8	−5,9	−11,6
Panamá	1,7	2,7	−2,2	−2,5	−0,5	−0,9
Paraguay	5,4	−3,6	−5,9	0,2	1,0	−3,2
Perú	1,0	−2,7	−14,3	1,8	−0,4	−14,6
R. Dominicana	1,5	−1,1	2,2	−1,6	−3,4	−2,6
Uruguay	0,3	−11,3	−6,5	−1,9	−0,9	−19,1
Venezuela	−3,9	−4,1	−8,2	−3,8	−2,7	−20,8
América Latina	−1,9	−3,7	−4,8	0,8	0,5	−8,9
(Idem sin Cuba ni Brasil)	−0,9	−5,0	−4,7	0,1	−1,5	−11,4

* Se refiere al concepto de producto social global.
En el total para América Latina se excluye a Cuba.

FUENTE: «Balance preliminar de la economía latinoamericana en 1985», *Comercio Exterior,* febrero de 1986, p. 108.

ner medios de financiamiento que no pueden salir de ninguna otra fuente de ahorros o de «fondos prestables».

Finalmente, está el aumento del desempleo, en unas economías donde ya abunda el empleo provisional y lo que se llama subempleo o empleo precario.

Al subempleo estructural —escribe la CEPAL— se han agregado altos niveles de desempleo abierto que afectan especialmente a los jóvenes; la pobreza y la marginalidad se ha extendido y se han agudizado los problemas de los grupos de menores ingresos. Asimismo, la erosión de los niveles de bienestar afecta cada vez más a los grupos medios. La inversión ha caído fuertemente, lo que compromete el desarrollo futuro; en el conjunto de la región la inversión es hoy alrededor del 30 por 100 menor que en 1980 y representa sólo el 16 por 100 del producto nacional. Las empresas privadas y públicas tienen dificultades profundas que afectan su capacidad productiva. Todo ello contribuye a aumentar las tensiones sociales y políticas internas [5].

¿Solvencia internacional o estabilidad política?

A nadie se le ocultan las consecuencias políticas de un proceso de ajuste tan duro y tan antipopular. La primera y más evidente es que este proceso de ajuste no se puede mantener, aunque se quiera, en la esfera de lo económico, sino que se proyecta necesariamente en la esfera política. Henry Kissinger decía a propósito de la deuda latinoamericana:

> Ninguno de los países con grandes deudas será capaz de enfrentar las obligaciones del servicio de su deuda y simultáneamente tener crecimiento económico y mantener su equilibrio político y social. Cuando los deudores tienen que pedir prestado, incluso para pagar los intereses, hemos alcanzado el punto sin precedentes históricos y políticamente insostenible en que los países en desarrollo han sido convertidos en *exportadores de capital.* Este año (1984) los países latinoamericanos pagarán 20.000 millones más en intereses de lo que han recibido neto en nuevos préstamos [6].

El problema que apunta Kissinger, que sin duda tiene una visión más global y a más largo plazo que los banqueros, es el conflicto o contradicción en que se ven atenazados la mayoría de los grandes deudores latinoamericanos: Si los gobernantes optan por restablecer la solvencia internacional de sus países con todas sus consecuencias, ponen en peligro la estabilidad política interna. Pero, por otra parte, si no restablecen la solvencia y se benefician de nuevos préstamos internacionales, no podrán solucionar los problemas económicos que afectan la estabilidad política interna. Los gobiernos latinoamericanos no pueden salir del dilema por sus propias fuerzas; sólo la comprensión y la solidaridad de la comunidad internacional les puede salvar de la situación. Hay que encontrar un término medio entre el completo restablecimiento de la solvencia, aplicada a los países por analogía con los deudores privados, y el descontrol financiero al interior de los países mismos. El problema de cómo se reparte la carga del ajuste entre acreedores —los bancos privados y sus gobier-

[5] «Balance preliminar...», *loc. cit.*, pp. 122-123.
[6] KISSINGER, Henry: *International Herald Tribune,* junio 1984, p. 7.

nos— y los deudores tiene que ser planteado de nuevo y resuelto con vistas no solamente a la sanidad del sistema financiero internacional, sino también al crecimiento económico y la estabilidad política de los pueblos latinoamericanos, y sobre todo a la situación de sus mayorías pobres, que son quienes más sufren en la crisis, aunque son las que menos culpa tienen en su nacimiento.

No se puede acusar a los gobiernos latinoamericanos actuales de irresponsabilidad ni de falta de voluntad para restablecer su solvencia en los mercados internacionales de capital, teniendo en cuenta que sus esfuerzos a este fin se hacen en medio de difíciles procesos de retorno a la democracia. Enrique Iglesias, ministro de Exteriores de Uruguay y antes Secretario Ejecutivo de la CEPAL, decía en la Conferencia de Londres en enero de 1986:

> América Latina ha respondido con un alto grado de responsabilidad a los problemas de la deuda y el ajuste. Los países, sin excepción, han reaccionado responsablemente, realizando grandes reducciones de su demanda interna, pública y privada, reduciendo la inversión y los niveles de vida para crear excedentes comerciales y generar los recursos para ir atendiendo a sus obligaciones. Después de haber trabajado muchos años en la región, tengo que decir que yo mismo he quedado sorprendido. Pocas personas habrían pronosticado, al comienzo de la crisis, la capacidad de la región para enfrentarla, aumentar las exportaciones, sustituir importaciones y hacer los ajustes internos [7].

Los ejemplos más sonados de este tipo de medidas han sido las reformas en Argentina y Brasil: el «Plan Austral» y el «Plan Tropical», respectivamente, en los que se pusieron en juego no solamente la voluntad política de los gobernantes, sino también los conocimientos técnicos y la imaginación de sus asesores económicos.

El «Plan Austral», lanzado por el presidente Raúl Alfonsín el 14 de junio de 1985, comenzó con una devaluación del peso del 18 por 100 el día 11 de junio; para anunciar el 14 que se sustituiría el peso por una nueva moneda, el austral, equivalente a 1.000 pesos anteriores. Las principales medidas contenidas en el plan eran:

a) Congelación de los precios al nivel que tenían el 12 de junio y de los salarios al nivel del día 30 del mismo mes; a partir de julio el congelamiento sería por tiempo ilimitado.

b) Reducción a cero de la expansión monetaria y las futuras emisiones se regularían de acuerdo a la entrada de divisas.

---

[7] IGLESIAS, Enrique: «Más allá de la crisis; América Latina: los próximos diez años», en BID e IHT: *Más allá de la crisis de la deuda,* Washington, 1987.

c) Establecimiento de dos mercados financieros paralelos, uno con tasas libres y otro controlado por el banco central con tasas activas no superiores al 6 por 100 y pasivas del 4 por 100.
d) Limitación drásticamente de los créditos y supresión de los instrumentos de descuento.
e) Un plan de ahorro forzoso y la venta de activos de las empresas públicas hasta un monto inicial de 1.500 millones de dólares.

Un paquete, en fin, que respondía a las exigencias de la comunidad financiera internacional. En respuesta a su «buen comportamiento», doce países, encabezados por los Estados Unidos, otorgaron al gobierno argentino el 18 de junio un «préstamo puente» de 483 millones de dólares como ayuda para pagar los intereses atrasados de la deuda externa. El plan detuvo casi instantáneamente la subida de los precios, que apenas aumentaron en el resto del año. En enero de 1986, sin embargo, la inflación era del 3,5 al mes y desde entonces ha continuado aumentando. A un año de lanzado, las protestas y las huelgas contra el Plan Austral están enturbiando el panorama político argentino.

El «plan Tropical» de Brasil fue lanzado el 28 de febrero de 1986 por el presidente José Sarney, con el cual su gobierno «declaraba una guerra de vida o muerte contra la inflación». Entre las medidas económicas del programa figuraban:

a) La creación de una nueva moneda, el cruzado, equivalente a mil cruceiros.
b) La suspensión de la corrección monetaria generalizada —indexación—, con lo que se daba fin a la devaluación diaria de la moneda, fijándose la cotización del dólar a 13,84 cruzados.
c) El congelamiento por un año de los salarios, precios, alquileres y tarifas públicas; la entrada en vigor del seguro del desempleo.
d) Garantía del ahorro popular, que sería ajustado cada tres meses.

El gobierno anunció asimismo que el salario mínimo tendría un aumento del 34,4 por 100 (de 43 a 57,80 dólares) para luego quedar congelado durante todo el año. Se continuaría la privatización de algunas empresas públicas y la reducción de los gastos corrientes de la administración, en la medida en que ésta no afectara al crecimiento económico del país.

Por su parte, el presidente mexicano Miguel de La Madrid envió al Congreso el 19 de noviembre de 1985 un Plan de Reordenación Económica, que definía así sus objetivos internos:

Para lograr, en un contexto internacional adverso, importantes avances en el saneamiento de las finanzas públicas y el abatimiento de la inflación, se ha integrado un esquema de política macroeconómica centrado en la reducción del déficit fiscal, tanto por la vía del gasto como de los ingresos, la moderación monetaria, la racionalización de la protección comercial, la sincronización de ajustes en precios y tarifas y, en cuanto las condiciones objetivas de la economía lo permitan, la reducción de las tasas de interés y del ritmo de deslizamiento de nuestra moneda[8].

Perú, Venezuela, Chile, Costa Rica, Nicaragua, todos los grandes deudores latinoamericanos han emprendido, con el Fondo o sin el Fondo, el mismo camino de ajuste, que pasa por la austeridad fiscal, la reducción del poder adquisitivo de la población, el encarecimiento del dinero, la reducción de la inversión y la trasferencia al exterior de unos fondos que tendrían que servir para mejorar los escuálidos niveles de vida de la población.

Ahora se va haciendo evidente que estos esfuerzos no serán suficientes. Para los países exportadores de petróleo: México, Venezuela y Ecuador, las condiciones externas para el servicio de la deuda se han deteriorado tanto que las obligaciones se han hecho verdaderamente insoportables. La nueva crisis de México —y la más reciente de Brasil— muestran lo poco que se puede hacer con drásticas medidas de ajuste, cuando las circunstancias internacionales no son favorables y los acreedores se mantienen inflexibles en sus demandas. En México el ajuste ha deteriorado enormemente el clima político interno hasta poner en peligro la estabilidad de un sistema que, mal que bien, dura desde 1929. Pero también para los importadores de petróleo: Brasil, Argentina, Chile, Costa Rica, Nicaragua, etc., la mejora relativa de las condiciones externas (reducción de los tipos de interés, devaluación del dólar y caída de los precios del petróleo) no es suficiente para que los ajustes internos, que no se pueden extremar hasta donde exige la banca internacional, pongan a los países en condiciones de servir regularmente los pagos de la deuda.

Estamos entrando en la segunda gran crisis de la deuda, pero con una gran diferencia con la primera de 1982: los pueblos latinoamericanos están cansados de soportar en sus espaldas unas medidas de ajuste, que, sin haber aliviado la situación exterior, han reducido sus niveles de vida a los que tenían en torno a 1973, borrando de un plumazo los logros de desarrollo y bienestar conquistados en esta década. No es probable que los pueblos latinoamericanos tengan esta vez la misma paciencia y tolerancia que en 1983, sobre todo cuando se va extendiendo en la conciencia colectiva el atractivo y la lógica de soluciones más radicales.

---

[8] De La Madrid Hurtado, Miguel: «La política económica para 1986», *Comercio Exterior,* México, diciembre 1985, p. 1.181.

13. Vías de solución y vías de continuación

Ya es hora de analizar las soluciones que se han propuesto al problema de la deuda. Por supuesto, hablamos de soluciones diferentes de la reprogramación «ad hoc», mientras las cosas siguen un curso cuya meta no se ve ni siquiera a largo plazo. Esto, naturalmente, ya es una opción política: la opción de dejar al futuro o, mejor, a lo inesperado que el futuro pueda deparar, una solución definitiva a la trampa de la deuda. Como también es una opción el simple dejar pasar el tiempo sin que explote el problema, porque ganar tiempo es una política deliberada de la gran banca internacional. Es obvio que, con un tiempo suficientemente largo, la llamada «bomba de tiempo de la deuda» se desactivará, por lo menos en cuanto a su capacidad de dañar a la gran banca y al sistema financiero internacional. Dentro de unos años, y si no surgen problemas nuevos, el sistema financiero internacional estará básicamente protegido contra la peor —para él— de las posibilidades: el repudio colectivo de la deuda del Tercer Mundo. El problema quedará así restringido al plano de las relaciones políticas internacionales, como un problema de estabilidad interna de los países del Tercer Mundo, donde sólo preocuparán en el Primero las consecuencias que la inestabilidad en los países subdesarrollados pueda tener para el enfrentamiento Este-Oeste.

Analizaremos dos tipos de propuestas. Las que ha hecho América Latina y las que proceden de los países acreedores. Las propuestas de parte de América Latina tienen tres principios en común: *a*) el principio de limitar los pagos de la deuda de acuerdo a las necesidades de crecimiento de las economías; *b*) el de negociar las soluciones particulares dentro de un marco global; *c*) la necesidad de cambios en el orden económico internacional. Estos principios se expresan con más o menos radicalidad en las diferentes propuestas y es precisamente la diferente radicalidad lo que las diferencia entre sí. El primer principio trata de evitar que el pago del servicio de la deuda se haga a costa de muchas décadas de crecimiento futuro, hipotecando completamente las posibilidades de progreso y mejora de varias generaciones de latinoamericanos. El segundo se basa en la existencia de regularidades y semejanzas en los distintos casos de deuda y la necesidad de reconocer la creciente interdependencia de las económicas y las sociedades latinoamericanas. El tercero hace referencia a los condicionamentos exteriores que hicieron posible la crisis y que es necesario cambiar para que las crisis de endeudamiento exterior no se repitan más.

La solución radical: no pagar

Comenzamos en este capítulo con las propuestas de los deudores, quienes se preocupan fundamentalmente de las consecuencias de la situación para el desarrollo de sus economías y el bienestar de sus pueblos. En los dos capítulos siguientes nos ocuparemos de las propuestas que hacen los acreedores con vistas fundamentalmente a reducir los perjuicios que se puedan seguir a su sistema bancario y a las relaciones económicas internacionales que ellos dominan.

Una gran parte de la opinión pública latinoamericana sería partidaria de no pagar la deuda. Naturalmente, si ésto se pudiera hacer *sin acarrrear al país males mayores.* Esta opinión se basa en la percepción de que América Latina no puede pagar sin sacrificios extremos una deuda que ha beneficiado poco a sus mayorías y que ya ha ido pre-pagando en el pasado a través del «intercambio desigual». Más técnicamente se podría basar el rechazo en que ya se ha pagado la mayor parte de las obligaciones que se derivarían de los préstamos contraídos antes de que subieran los tipos de interés. Según los últimos datos de la CEPAL, de 1982 a 1985 América Latina ha transferido 99.600 millones de dólares netos a sus acreedores [1]. Estos pagos supondría la mitad de las obligaciones que implicaba el monto de la deuda en 1981, antes de que subieran los tipos de interés de los Estados Unidos y se redujera el comercio internacional. Si estos fenómenos no se hubieran dado, la deuda externa latinoameri-

[1] GONZÁLEZ, Norberto: «Balance preliminar de la economía latinoamericana en 1985», *Comercio Exterior,* México, Febrero 1986, p. 119.

cana ya estaría cancelada en un 50 por 100 y la cancelación del resto no plantearía el problema que supone en la actualidad.

El planteamiento más fuerte y sonado en esta línea lo hizo Fidel Castro en el «Encuentro sobre la Deuda Externa de América Latina y el Caribe» en agosto de 1985 en La Habana. Las tesis principales de Fidel Castro que se desprenden de su monumental discurso de cerca de dos horas y media, que acabó bien pasada la media noche de un día de arduo trabajo, son las siguientes:

1. La deuda es matemáticamente impagable, porque, en las actuales condiciones del comercio y las finanzas internacionales, los países endeudados no podrán obtener nunca los recursos necesarios para hacer efectivas sus obligaciones.

   «Me culpan a mí de decir que la deuda es impagable. Bien. La culpa hay que echársela a Euclides, a Arquímedes, a Pascal, a Lovachevsky, al matemático que ustedes prefieran, de la antigüedad, moderno o contemporáneo. Son las matemáticas, las teorías de los matemáticos, las que demuestran que la deuda es impagable.

   En un continente donde se afirma que hay tal hambre, que hay personas que consumen 1.200 calorías y menos de 1.200 calorías por día, donde hay tantos desnutridos, donde hay 110 millones entre desempleados y subempleados, donde hay desnutrición —como lo han planteado ustedes—, donde el 70 por 100 de la población vive en los límites inferiores o por debajo de los límites inferiores de la pobreza, calculé, con lo que hay que pagar de intereses, cómo se podía alimentar la población de América Latina. El cálculo demostró que se le podía dar a cada uno de los 390 millones —yo hice el cálculo sobre 400, hay 10 millones más, por si los ratones se comen un poco de ese alimento— a los precios actuales del trigo, 3.500 calorías y 135 gramos de proteínas todos los días durante diecisiete años.

   Le piden a un continente lleno de subempleo que pague en diez años, sólo de intereses, el equivalente a 3.500 calorías y 135 gramos de proteínas diarios, mucho más de lo que necesita para vivir durante diecisiete años, sólo intereses. ¿Tiene lógica, tiene sentido, tiene racionalidad?...

   Toman esas medidas (proteccionistas) y les piden a nuestros países que aumenten las exportaciones para buscar dólares. Cuando cierran los mercados, dicen: «que todo el mundo exporte», y cierran los mercados. ¿Dónde van a exportar?

   Viene además el Fondo Monetario y dice: «reduzcan las importaciones». Pero, ¿cómo van a aumentar las exportaciones, si como se dijo aquí —y todo el mundo sabe— hacen falta determinados insumos, equipos, piezas de repuesto, para incrementar la producción y aumentar las exportaciones? Y si logran ese milagro, que ya algunos países lo lograron por un año, eso no se puede lograr más de un año, se acaba el stock de materias primas, de piezas, de equipos... Dicen, sin embargo: sí, importen menos. ¿De dónde van a sacar para incrementar las exportaciones? Y si las incrementa, ¿dónde están los mercados?; y si las incrementan y hay mercado, ¿qué precio les pagan?...

Dicen: «quiten las barreras arancelarias», mientras ellos, los países industrializados, las elevan con relación a nuestros productos.»

2. Las fórmulas, como la del peruano Alan García, para limitar el pago de la deuda no son una solución porque mantienen indefinidamente las obligaciones del servicio de esa deuda. Castro hizo en su discurso una serie de hipótesis para mostrar la carga que le quedaría a América Latina al cabo de veinte años con el sistema propuesto:

«La cuarta variante, la "perfecta" ya: que sin un sólo centavo nuevo de préstamo logren el milagro de encontrar los mercados, los precios, todo, para incrementar las exportaciones a una tasa promedio del 10 por 100 (entre 1983 y 1985) el valor de las exportaciones de América Latina ha crecido a un 2 por 100 durante veinte años, con un 6 por 100 de interés (el LIBOR de eurodólares a tres meses estaba esta semana a 6,8 por 100, que con los "spreads" y los "fees" normales supondría una tasa de interés del 9 al 9,5 por 100) y pagando los intereses de la deuda con no más del 10 por 100 de las exportaciones cada año; esa es la "superóptima". ¿Qué pasaría al cabo de veinte años? Habrían pagado 427.292 millones de dólares por concepto de intereses y todavía la deuda pendiente será de 444.000 millones, 100.000 millones más de lo que se debe ahora...

La deuda es un cáncer... es un cáncer que requiere una operación quirúrgica. Toda operación que no sea quirúrgica, les aseguro, no resuelve el problema.»

3. La deuda es además incobrable, porque los países acreedores no pueden hacer nada, fuera de acciones de fuerza que no serían económicamente productivas, para que surjan de las economías latinoamericanas los recursos necesarios. Se tienen que hacer a la idea de que no van a cobrar y que, por lo tanto, deben tratar de llevar la situación no a un enfrentamiento, sino a un arreglo en que, en mayor o menor medida, salgan ganando, deudores y acreedores. Citande un pasaje de su extensa entrevista al diario mexicano *El Excelsior,* decía:

«Los países industrializados no tienen en estos momentos ninguna fórmula racional, efectiva, para enfrentar la crisis, no la tienén. Yo creo que la dificultad principal está en la incomprensión de la naturaleza y la gravedad del problema...

Materialmente es imposible pagar la deuda y sus intereses; por esta razón elemental como comprensible no podrá pagarse; costaría ríos de sangre imponer a los pueblos los sacrificios que esto implicaría, a cambio de nada...

Si los países deudores del Tercer Mundo se ven obligados a decretar unilateralmente una suspensión de pagos, los países industrializados se quedarían sin la menor alternativa de acción posible... No podrían siquiera bloquear económicamente un sólo país o grupo de países que se declare en suspensión de pagos, porque suscitaría de inmediato la solidaridad de los demás.»

4. La deuda no es un accidente, sino la consecuencia lógica y natural de las relaciones económicas que América Latina ha tenido durante muchos años con los países capitalistas industrializados. Fidel Castro ya denunció el problema de la deuda cuando todavía no había tomado las proporciones actuales, pero ya entonces detectó la raíz de los males.

«Fue precisamente en Chile, cuando visitamos el país a raíz del triunfo de la Unión Popular. En aquella ocasión, entre infinidad de actos, me invitaron a hacer una breve visita a la CEPAL, cuya sede está en Santiago de Chile, y allí se improvisó un diálogo. De todos aquellos discursos quedaron versiones taquigráficas que fueron publicadas, y yo recogí algunas palabras de aquel día ¡hace catorce años! La deuda de América Latina nadie sabe si se elevaría a 30.000 ó 40.000 millones de dólares en aquella época. Y yo decía... Ignoro cuánto debe cada uno de ellos. Pero lo que me pregunto es cómo le van a pagar a Estados Unidos, cómo van a satisfacer la deuda con ese poderoso país; y cómo van a satisfacer los dividendos, y cómo van a mantener un nivel mínimo de subsistencia y cómo van a desarrollarse. Problema en realidad muy serio, de hoy, o de mañana, o de pasado mañana. Problema que nos llevará a la realidad de nuestros países.

No se resuelve el problema con anular la deuda, con abolir la deuda. Volvemos a estar igual, porque los factores que determinan la situación están ahí presentes. Y nosotros hemos planteado esas dos cosas muy asociadas: la abolición de la deuda y el establecimiento del Nuevo Orden Económico Internacional.»

5. Estas relaciones económicas de América Latina han hecho posible una transferencia neta de recursos hacia los países industrializados, que compensan ampliamente por lo que ahora se deja de pagar.

«El cobro de esta deuda y el sistema injusto de relaciones económicas es la más flagrante y la más brutal violación de los derechos humanos que puedan concebirse. Aquí se habló de que esa deuda está pagada, quién sabe cuántas veces, con lo que nos roban. Sólo el año pasado (1984) nos robaron 20.000 millones por fuga de capitales, 37.300 millones de intereses y de 4.000 a 5.000 por la sobrevaloración del dólar. Son 70.000 millones en un sólo año, 70.000 millones saqueados. Ingresaron 10.000 millones, de inversiones y algunos préstamos, y salieron 70.000 millones que se pueden contabilizar. Y no está contabilizado el daño ocasionado con las medidas proteccionistas, el dumping y todas esas medidas que llevan a cabo contra nuestros países.»

6. El intentar que los países paguen la deuda, imponiendo a los pueblos latinoamericanos las condiciones que propone el FMI y la banca internacional por su medio, inflinge a los pueblos latinoamericanos unos costos tan insoportables como inútiles, que además ponen en peligro la recién estrenada democracia en muchos países.

   «Nosotros no estamos contra el desarrollo de ningún proceso democrático; al contrario, nos preocupa que esta crisis económica, si no tiene una solución correcta, pueda hacer imposible la supervivencia de esos procesos democráticos.

   A los gobiernos democráticos se les hace muy difícil aplicar indefinidamente las medidas que impone el Fondo Monetario, cada vez peores medidas. Significaría una crisis política en los países intentarlo. Si Pinochet, a base de matar no puede ya, ¿cómo podría lograrlo un gobierno democrático sin destruirse a sí mismo? Es un imposible político, simplemente cobrar esa deuda, exigirle al pueblo los sacrificios que requiere el pago de esa deuda.»

7. Una solución constructiva es negociar con los países industrializados un nuevo orden económico que altere los términos en que América se integra en los circuitos mundiales del comercio y de las finanzas.

   «Tampoco tengo dudas de que lo ideal y lo más constructivo es que estos problemas sean resueltos mediante el diálogo político y las negociaciones. Sería la forma de llevar adelante, ordenadamente, soluciones esenciales. De no ser así, no hay duda de que un grupo de países —fíjense en esta idea, es muy importante— arrastrados por situaciones desesperadas, se verán obligados a adoptar medidas unilaterales. No es deseable que eso ocurra, pero, si ocurre, tampoco tengo la menor duda de que a ese grupo se sumarán todos los demás países en América Latina y en el resto del mundo...

   Nosotros no hemos hecho una declaración de guerra a los países industrializados, les estamos diciendo lo que está pasando y lo que va a pasar. Yo digo: es preferible que tomen conciencia de esto y nos sentemos a conversar, pero no conversar para pagar la deuda —entiéndase bien—, conversar sobre el Nuevo Orden Económico Internacional. Para imponerles una abolición de la deuda no es estrictamente indispensable conversar, pero para discutir el Nuevo Orden Económico es indispensable conversar, y si las bases están claras se puede conversar de las dos cosas.»

8. Los países desarrollados acreedores no sufrirán en sus estructuras productivas ni en su bienestar, si ahorran en gastos militares y dedican estos ahorros a fomentar el desarrollo de los países subdesarrollados, lo que redundará necesariamente en el propio beneficio de los desarrollados.

«En un solo año el mundo desperdicia en el juego de la guerra y en los gastos militares un millón de millones de dólares, más que toda la deuda externa del Tercer Mundo completa... ¿Cualquier ciudadano, cualquiera que sea su ideología, no puede comprender que valdría la pena liquidar esta deuda con una parte pequeña de los gastos militares? Porque nosotros no hablamos de la deuda de América Latina, hablamos de la deuda del Tercer Mundo. Como máximo y en dependencia de los intereses, un 12 por 100 de los gastos militares serían suficientes.

Es muy importante decirle a la opinión pública de los países industrializados: estas fórmulas que se plantean no les van a afectar, no van a aumentar las contribuciones, los impuestos, no hace falta si se utilizan recursos de los gastos militares.

Esta fórmula elevaría el poder adquisitivo de los países del Tercer Mundo, la sindustrias estarían más utilizadas y habría más empleo en los países industrializados.

9. Los gobiernos de los países latinoamericanos que están atrapados en las negociaciones para la restructuración de la deuda tienen que ser ayudados por la movilización masiva de sus pueblos para unirse y llevar estrategias comunes contra la avaricia e intransigencia de los bancos.

Ellos tienen, sin embargo, dos grandes preocupaciones: la guerra y el desempleo. Creo que es absolutamente correcto, es la táctica correcta, asociar nuestros problemas, constituidos por el subdesarrollo, la pobreza, todas estas calamidades sociale de que se ha hablado aquí, con las preocupaciones de la opinión pública del mundo industrializado.»

«Ahora, si esta lucha continúa, si las masas toman conciencia, si cada ciudadano de nuestros países entiende el problema, las posibilidades de influir y crear condiciones favorables se incrementan; un gobierno solo no puede librar esta lucha, entonces pudiera influirse en la idea de que se reúnan, adopten una política y se adopte previamente una decisión firme y correcta.

10. La solución de los problemas actuales y futuros de América Latina pasa por la Integración del hemisferio y la solidaridad de todo el Tercer Mundo.

> «¿Cómo puede llamarse independiente un gobierno y un país que tiene que ir todos los meses a discutir con el Fondo Monetario Internacional lo que tiene que hacer en su casa? Es una ficción de independencia y nosotros vemos eso como una lucha de liberación nacional, que puede agrupar de verdad, y por primera vez en la historia de nuestro hemisferio, a todas las capas sociales en una lucha para alcanzar su verdadera independencia.»
>
> «No se trata de una sola idea, no es la sola idea de abolir la deuda; esto está asociado a la idea del Nuevo Orden Económico de América Latina, está asociado además a la idea de la integración, porque incluso si se logra la abolición de la deuda, si se alcanza el Nuevo Orden Económico, sin integración seguiríamos siendo siempre países dependientes.»

No hay duda que las tesis de Fidel Castro recojen en buena parte el sentir popular y político de la mayor parte de los latinoamericanos. Al final de su discurso, Fidel Castro leyó una carta que el cardenal de Sao Paulo, Paulo Evaristo Arns, había enviado al Encuentro. Esta carta representa, sin duda, el sentir de amplios sectores de la Iglesia brasileña y latinoamericana. En ella el cardenal Arns reconoce que la deuda es impagable económica y éticamente y constituye un problema político de gran envergadura y no solamente un problema financiero, que debe tener una solución realista, justa y que respete la soberanía de los países deudores; pide que las discusiones y tratos con el Fondo Monetario y con los gobiernos acreedores, se haga de cara al pueblo, informando a la opinión pública y liga finalmente la solución completa del problema de la deuda con el establecimiento de un Nuevo Orden Económico Internacional[2]. El mismo Papa Juan Pablo II, en su reciente visita a Colombia hablaba condenatoriamente junto a la desigualdad, la fuga de capitales, el tráfico de drogas, el terrorismo y otras lacras, de «la «injusticia de una deuda exterior insoportable» [3].

---

[2] Todas las citas de esta sección están tomadas de: FIDEL CASTRO, «Discurso pronunciado en la sesión de clausura del Encuentro sobre la Deuda externa de América Latina y el Caribe, el día 3 de agosto de 1985», *Gramma* (Suplemento), 12 de agosto de 1985.

[3] *El País*, 3 de julio de 1986, p. 2, en una crónica del enviado especial Juan Arias.

Dificultades de la propuesta radical

Sin embargo, en los círculos gobernantes latinoamericanos no se han planteado nunca esta solución. La «realpolitik» impide que se contemple una política que llevaría necesariamente a un enfrentamiento frontal con los Estados Unidos y con los países industrializados. Saben los gobernantes que necesitarían un apoyo incondicional de todas las clases sociales y grupos de presión internos y una extraordinaria solidaridad internacional para cargar con las consecuencias económicas y políticas de tal enfrentamiento. Para comenzar, en todos los países latinoamericanos hay importantes sectores sociales que presionan a sus gobiernos para que hagan frente a las obligaciones de la deuda, aun a costa de grandes sacrificios para las mayorías populares. Los exportadores e importadores, por ejemplo, y todos los que viven del comercio internacional tienen sumo interés en que se restablezcan la credibilidad financiera y la solvencia internacional de sus países para tener acceso al mercado internacional de capitales. Todos los latiniomericanos que con el paso del tiempo han ido acumulando sustanciales fortunas (que bien pudieran sumar tanto como toda la deuda externa de la región) en bancos, hoy acreedores de sus países, temen que un impago de la deuda lleve a una incautación de sus fondos colocados en aquellos bancos. Los militares también presionan a que se pague la deuda por miedo a que la ayuda para armamentos, equipos y prebendas provientes de los Estados Unidos se vea inmediatamente cortada. No parece, pues, que en ninguno de los países deudores haya un consenso interno sobre este problema, suficiente para aventurarse a una solución unilateral de repudio de la deuda. Ni que decir tiene que los países acreedores tomarían una tal medida como un «casus belli» que justificaría represalias brutales.

La solución menos radical: pagar una parte

En círculos latinoamericanos más inconformistas con las condiciones de renegociación de la deuda, se planteaba ya la posibilidad de limitar de alguna manera los pagos anuales destinados a servicio de la deuda. Hay fundamentalmente dos variantes: poner un techo a los intereses, de manera que sólo se hicieran efectivos los pagos resultantes de un tipo de interés fijado a un tope máximo, evitando así el crecimiento de las obligaciones del servicio por el mero aumento de los tipos de interés en Estados Unidos, o limitar los pagos a un porcentaje de las ganancias derivadas de las exportaciones, ligando así la capacidad efectiva de pagar con la capacidad efectiva de exportar.

En la VII Conferencia Interparlamentaria CEE-América Latina, que se clausuró el 20 de julio de 1985 en Brasilia, aparecía en la Declaración Final la recomendación de que ningún país destine más del 20 por 100 de sus ingresos por exportación al pago de la deuda externa. El 28 de julio de ese mismo año, Alan García tomó posesión como presidente de Perú, anunciando en su discurso de toma de posesión que «su gobierno no está dispuesto a aceptar más las imposiciones del Fondo Monetario Internacional», y advirtió que «no dedicará más del 10 por 100 del valor de las exportaciones peruanas al servicio de la deuda». En una reunión sobre la deuda externa el 19 de agosto, el presidente de Perú reiteró su decisión, afirmando que si los acreedores querían que su país aumentara dicho porcentaje, entonces los compradores de las exportaciones peruanas deberían elevar los precios de la plata, del cobre, la harina de pescado y comprar más de estas mercancías.

En aquel momento, Perú tenía atrasado el pago de 2.700 millones de dólares, teniendo que pagar otros 2.400 el próximo año, lo que haría 5.100 millones de dólares, que representaba el 150 por 100 del valor de sus exportaciones anuales. El presidente decidió que no pagaría más de 350 millones anuales «cualesquiera que sean las consecuencias que ello traiga. Las condiciones ya no las imponen los acreedores; las condiciones las impondremos, cueste lo que cueste, nosotros». Finalmente, en la reunión anual conjunta del Fondo Monetario Internacionad y del Banco Mundial en Seul, el primer ministro peruano confirmó que su país destinaría sólo el 10 por 100 de sus ingresos por exportaciones a pagar la deuda externa y agregó que «por ningún motivo aceptará la visita de una misión para diagnosticar la economía nacional»[4].

A pesar de todo, parece que el Perú ha destinado en 1985 más del 10 por 100 de sus importaciones al servicio de la deuda. Según un reciente informe del semanario *The Economist* de Londres:

> A pesar de declarar que sus pagos de los 14.000 millones de deuda externa se limitarían al 10 por 100 de las exportaciones, el país ha estado pagando discretamente cerca del 30 por 100. El techo formal del 10 por 100 no incluye los pagos de 160 millones de intereses sobre los 1.000 millones que Perú debe a los países comunistas principalmente de la compra de armas; ni pagos de la deuda a corto plazo, la privada, y la del banco central. Perú ha establecido una jerarquía de acreedores bajo el techo del 10 por 100. El Banco Mundial ha salido bien parado, pero los 270 bancos comerciales a los que Perú debe dinero, no han recibido nada desde julio de 1985[5].

[4] Todas las citas del presidente Alán García provienen de: «Recuento latinoamericano», *Comercio Exterior,* agosto, septiembre y noviembre 1985.

[5] «The Cheque is in the Mail», *The Economist,* 19 abril 1986, p. 42.

Esto confirma el «Balance preliminar de la economía latinoamericana en 1985» de la CEPAL, según el cual el servicio de la deuda de Perú en 1985 fue el 34,5 por 100 de las exportaciones, ligeramente inferior a la media latinoamericana de 36 por 100. Lo cual parece indicar que la solución de Alan García no es una buena solución, por los argumentos de Castro y porque parece ser inviable, si falta la determinación de romper con los flujos de crédito de la banca internacional.

Pagar según la capacidad de exportar

Sin embargo, el principio de ligar los pagos del servicio de la deuda a la capacidad efectiva de exportar parece ser aceptado generalmente en los países deudores. Así, en la reunión de Montevideo de diciembre de 1985, los países del Consenso de Cartagena reconocían la necesidad de la limitación de las transferencias netas de recursos. En la Declaración de Montevideo se decía:

Para ello resulta necesario establecer un máximo de transferencias vinculadas a una meta mínima del crecimiento del producto. También podrán establecerse límites al servicio de la deuda en relación con los ingresos por exportación que sean compatibles con las necesidades de desarrollo y los requerimientos económicos y sociales de cada país [6].

Algo parecido quería significar el ministro de finanzas mexicano, Jesús Silva Herzog, cuando decía en la Conferencia de Londres que «el límite de la responsabilidad hacia nuestros acreedores es la responsabilidad hacia nuestro pueblo». Esta línea de acción ha sido sugerida más recientemente por el ministro mexicano de finanzas que sustituyó a Silva Herzog.

Los banqueros, naturalmente, no quieren ni oir hablar de limitaciones de los pagos de ningún tipo. William Rhodes del Citibank, la persona más influyente del Comité Renegociador de los bancos americanos, decía en la Conferencia de Londres:

Los retrasos de Perú con los bancos comerciales en la deuda del sector público se prolongan desde hace un año y ya suman unos 400 millones de dólares, aunque las reservas del país tienen un nivel de cerca de 1.500 millones. Nos hemos reunido con el gobierno en todas las oportunidades posibles, la más reciente el 15 de enero, y continuamos presionando para que

[6] «Declaración de Montevideo», *Comercio Exterior,* enero de 1986, p. 79.

paguen los intereses, tratando de convencer a los funcionarios peruanos de la necesidad de cooperar con el sistema financiero internacional[7].

Pedro Pablo Kuczynski, el banquero peruano, examinaba en 1983 la posibilidad de que los bancos redujeran voluntariamente los «spreads» y «fees» a un 1 por 100 sobre el LIBOR, una propuesta verdaderamente modesta, pero que todavía se la puede considerar en la línea de reducir los tipos de interés de la deuda. Pero su opinión, más bien pesimista, refleja la intransigencia de los bancos, que él tiene razones para conocer bien.

Es poco probable que los banqueros acepten por sí mismos tal reducción, aunque sea modesta y propuesta en condiciones de emergencia. Tendría que haber una labor de persuasión por parte de los gobiernos. Dadas las limitaciones de tiempo, la persuasión directa, como se ha dado en los recientes refinanciamientos, puede funcionar mejor que una gran conferencia, que requiere mucha preparación[8].

Visto desde la perspectiva de los bancos, la limitación de los pagos del servicio de la deuda, aunque no implique el repudio ni la pérdida de sus activos, es totalmente rechazable, porque afectaría aquellas condiciones que pueden convertir los préstamos en «nonperforming» y «value impaired», con todos los inconvenientes que ya hemos analizado. La respuesta de los bancos ante cualquier forma de limitación de pagos, por muy racional que parezca desde el punto de vista del deudor, sería la negativa total a conceder cualquier tipo de préstamo nuevo e incluso a la restructuración de los vencimientos de los antiguos. En una palabra, colocaría hoy por hoy a los bancos en situación de conflicto con los deudores. Estos se verían excluídos de la comunidad financiera internacional, es decir, la excomunión financiera, que tanto temen los gobiernos.

La solución moderada: el Consenso de Cartagena

Sabido es que, mientras los bancos negocian conjuntamente en el Club de París y por medio de los Advissory Committees, se empeñan en negociar, *caso por caso,* con los deudores. Es ilustrativa a este respecto

[7] RHODES, William: «The Commercial Bank's View of Latin America», en BID e IHT, *Más allá de la crisis de la deuda,* Washington, 1987.

[8] KUCZYNSKI, Pedro Pablo: «Latin American Debt: Act Two», *Foreign Affairs,* otoño de 1983, p. 34.

la ponencia de Fernao Bracher, gobernador del Banco Central de Brasil, en la Conferencia de Londres:

Para evitar presiones del tipo del Plan Marshall, en el cual cada país implicado en la crisis tendría que contribuir a la solución de la manera más compleja, los países ricos han recurrido a la tesis de que el problema global tiene que ser tratado por un enfoque de caso por caso. Esto, naturalmente, lleva a la pérdida de una visión de conjunto del problema, un elemento esencial del análisis y consecuentemente para la comprensión y el tratamiento de la cuestión. Obviamente, una visión global llevaría a la identificación de la vulnerabilidad del sistema —tan frecuentemente denunciado, especialmente por los franceses— debido a su dependencia de una sola moneda; de las deficiencias estructurales encontradas en la distribución de la liquidez, etc. Como se ha podido comprobar, el concepto del tratamiento de caso por caso ha debilitado el enfoque correcto y, como resultado, el problema no se ha tratado correctamente [9].

El planetamiento básico del «Consenso de Cartagena», elaborado en las reuniones ministeriales del Mar del Plata (13 y 14 de septiembre de 1984) y Santo Domingo (7 y 8 de febrero de 1985), también aborda el tema:

d) *Tratamiento caso por caso.* Teniendo en consideración las particularidades nacionales, «derivadas de la diversidad de las situaciones del endeudamiento externo y de las medidas necesarias para restablecer las condiciones de crecimiento», se considera que «la conducción de las negociaciones en materia de deuda externa es responsabilidad de cada país», si bien «se requiere la definición y aceptación de lineamientos generales de políticas de reestructuración y financiamiento, que sirvan de marco de referencia a las negociaciones individuales (Consenso, pr. 10) [10].

La banca internacional, el Fondo Monetario Internacional y los gobiernos de los países acreedores no aceptan ni siquiera esta formulación tan matizada del Consenso de Cartagena, repetida en la Declaración de Montevideo de diciembre de 1985. El voto contrario en la Asamblea General de la CEPAL, celebrada en abril de 1986 en la ciudad de México, de los países acreedores, al que se sumó el del gobierno español (*El País*, 27 de abril), es una prueba de que no se ha cedido ni un milímetro en

[9] BRACHER, Fernao: «Latino-American Iniciatives to Tackle the Debt Problem», en BID e IHT, *loc. cit.*

[10] NAVARRETE, Jorge E.: «Política exterior y negociación financiera internacional: La deuda externa y el Consenso de Cartagena», *Revista de la CEPAL,* Santiago de Chile, 27 diciembre de 1985.

esta cuestión. El fantasma de un «Club de deudores» no les permite aceptar ni una sombra de negociación colectiva.

Y, sin embargo, la *negociación global* sería una manera de negociar con más fuerza los problemas individuales. Pero hay dificultades también de parte de los gobiernos latinoamericanos. Hay países deudores que no quieren ligar su suerte a la de los países más endeudados o a la de los que necesitan medidas más drásticas para restablecer la solvencia internacional. Tienen la percepción que sólo pueden lograr un mejor tratamiento de los acreedores de lo que pudieran lograr en un paquete en el que estén países con problemas mayores que los suyos propios. México, por ejemplo, parece pensar que yendo sólo podría aprovechar mejor su proximidad y su relación especial con los Estados Unidos que yendo junto a países con un grado menor de importancia estratégica. O Brasil, con un potencial mayor para exportar pudiera tratar de obtener concesiones comerciales separadamente, que otros países no están en condiciones de disfrutar. Los acreedores tratan, naturalmente, de fomentar estas percepciones de los deudores y de mantenerlos separados ofreciendo ventajas individuales y diferenciales para aumentar la dispersión.

«El dilema del prisionero» y el problema de la deuda

La negociación de la deuda es un juego de poder, en que, entre otros métodos, se usan amenazas explícitas o veladas para mantener las posiciones de fuerza que cada uno tiene. Los acreedores tratan de evitar cambios en el poder relativo de las partes; en nuestro caso, impedir que los deudores se organicen. Para ello, denuncian los intentos de unión, recalcan que la cuestión es técnica y no política y, sobre todo, amenazan con severas sanciones a los deudores que rompan los términos de la situación, no pagando la deuda o tratando de redefinir unilateralmente las condiciones del pago.

Es importante darse cuenta de los mecanismos por medio de los cuales los acreedores están logrando que no se dé la unión de los deudores. La mayor amenaza del deudor es no pagar; la mayor amenaza del acreedor es excluir a este deudor de la comunidad financiera internacional. El cumplimiento de cualquiera de estas amenazas tiene costos para el que las lleva a efecto y para la otra parte. Pero en esta confrontación de amenazas casi tan importante como la consideración de los costos ajenos y propios es la cuestión de la credibilidad de la amenaza (el grado de verosimilitud que el otro la cumpla). Hoy por hoy los acreedores piensan que no es muy verosímil que un deudor aislado deje de pagar, por los enormes costos económicos y también políticos que se le seguirían de esta acción. Sin embargo, el deudor que no pague sabe con bastante más certeza que los acreedores cumplirán su amenaza, porque los costos para ellos de cumplirla (pérdida del capital prestado a ese país, pérdida de un mercado, posible confiscación de sus activos en el país, etc.) son ciertamente menores que los que se seguirían (mal ejemplo a otros deudores que también intentarían no pagar) de no cumplirla. Así, la amenaza de los acreedores unidos resulta más creíble que la amenaza de un deudor aislado. Eso sólo ya da mayor fuerza de negociación a los acreedores. Lo cual vale, naturalmente, en la medida en que los deudores estén efectivamente separados y actúan individualmente.

Pero los costos a los acreedores del cumplimiento de su amenaza se hacen muy elevados, si todos los deudores conjuntamente se niegan a pagar la deuda o redefinen unilateralmente las condiciones de pago. En primer lugar, el monto de capital perdido sería mayor (más del 100 por 100 del capital propio en algunos casos), la pérdida del mercado en toda América Latina sería más fundamental y el embargo de sus propiedades en el continente mucho más dañoso. Por eso, la probabilidad de que los acreedores cumplan sus amenazas contra todos los deudores juntos es mucho menos verosímil. Por otra parte, el repudio de las obligaciones de la deuda por todos los deudores conjuntamente eliminaría los costos políticos internos y disminuiría los costos externos por medio de la solidaridad dentro de América Latina que la medida generaría. La «ecuación de disuasión» cambiaría sustancialmente.

Ante esta situación, la estrategia de los acreedores no será la de optimizar a cada momento su capacidad de extraer los pagos de los deudores, sino la de maximizar los pagos con la importante restricción de mantener vigente la actual ecuación de disuasión, es decir, la relación de fuerzas en la negociación. Para llevar a cabo esta estrategia es necesario primero que todos los acreedores se mantengan unidos, para que nadie intente maximizar a corto plazo sus cobros (lo que se conoce como el problema del «free rider»), poniendo en peligro la ecuación; y luego mantener a los deudores en el «dilema del prisionero».

El dilema del prisionero se explica así en la teoría de juegos. Supongamos dos prisioneros que están condenados a dos años de prisión por un crimen leve demostrado y cometido conjuntamente. Estando así, se sospecha que también han cometido juntos un crimen mayor por el que recibirían una pena mayor, supongamos diez años de cárcel. A los presos se les interroga por separado y sin posibilidad de comunicarse; en el interrogatorio se les dice a cada uno que si confiesa, será puesto en libertad y que si no confiesa y el otro sí, cumplirá doce años de condena. No teniendo posibilidad de saber si el otro ha confesado, o no, cada prisionero está a su vez ante el dilema de confesar o no. Supongamos que el segundo prisionero ha confesado: la estrategia mejor para el primero es confesar también, porque diez años de cárcel siempre es menos que doce. Pero, si el segundo no ha confesado, la mejor estrategia del primero es de nuevo confesar, porque queda libre, mientras el otro cumple doce años. Si el segundo prisionero sigue un proceso de decisión igual, suponiendo que el primero ha confesado, el resultado será el «no-cooperativo» y los dos cumplirán diez años de cárcel. El mejor para el conjunto de los dos primeros hubiera sido, naturalmente, el de no confesar, porque así al cabo de dos años ambos estarían libres.

La aplicación del «dilema del prisionero» al problema de la deuda es clara. Si los dos países, México y Brasil, para tomar los dos deudores mayores, se unen para repudiar juntos la deuda, la situación es mejor que si los dos la pagan, y que si uno paga y el otro sufre las consecuencias de un repudio unilateral de la deuda. La estrategia de los acreedores consistirá pues en tratar de que no se puedan poner de acuerdo en no pagar, manteniendo siempre abierta la posibilidad para uno de los países que su repudio, si se decidiera por él, no fuera seguido por el otro. En el caso de la deuda, el equivalente de ofrecer la libertad al prisionero si confiesa es ofrecer pagos o ventajas colaterales a un país para que no se una con los otros para repudiar la deuda. Este país tendrá un problema porque sabe que los acreedores también ofrecen ventajas a los demás deudores para que no acepten el repudio conjunto de la deuda, con lo cual socaban la confianza del primero en la posibilidad de que los demás se porten como él y formen un club de deudores. A medida que aumenta la posibilidad del repudio conjunto, también aumentarán los ofrecimientos de ventajas adicionales y más tentadora se convierte la oferta en la medida en que, suponiendo que se han hecho las mismas tentadoras ofertas a los demás, la probabilidad de formar una alianza efectiva es cada vez menor.

La necesidad de coordinar las negociaciones

El camino de salida podría hallarse por el establecimiento de comunicaciones eficientes entre los deudores, en lo concerniente al anuncio y formalización simultánea de su alianza y de las principales decisiones que ésta ha tomado respecto de la deuda de los países participantes. Estos pasos deben darse con el mayor sigilo, porque si los acreedores los conocen, redoblarán sus esfuerzos para lograr deserciones, así como para movilizar los sectores internos de cada país deudor que por diversas razones se opondrían a aquella alianza, como, por ejemplo, los militares que tendrían miedo de perder sus suministros de armas por parte de Estados

Unidos y todos los latinoamericanos que tienen importantes depósitos en los bancos acreedores, que temerían verlos confiscados por los países industrializados. El problema de la comunicación es inmenso. No sólo habrían de comunicarse y ponerse de acuerdo muchos gobiernos en estricto secreto, sino sobre todo cada uno tendría que demostrar a los demás su capacidad de resistir a las presiones y amenazas con que se les intentará disuadir o persuadir a que traicionen la alianza, además de la determinación inquebrantable de cargar por el tiempo que sea necesario con los inevitables costos del repudio conjunto de la deuda. No se si esto será pedir demasiado a los actuales gobiernos latinoamericanos, pero por ahí tiene que empezar la solución [11].

Negociar coordinadamente es una solución mucho más modesta que negociar global o conjuntamente. No implica más que un intercambio de información y análisis sobre situaciones y evoluciones realmente diferentes con el objeto de dar ideas y ampliar las posibilidades de las negociaciones individuales que hoy por hoy llevan los países deudores con los acreedores. El enfoque ha cuajado en el conjunto de conceptos y proposiciones que forman el «Consenso de Cartagena», subscrito por los principales deudores de América Latina: Argentina, Bolivia, Brasil, Colombia, Chile, México, Perú, República Dominicana, Uruguay y Venezuela.

La idea fundamental que subyace al Consenso de Cartagena es que el problema de la deuda externa de América Latina no es un asunto privado entre bancos privados acreedores y los ministros de finanzas de cada país implicado; no se le considera ya como un problema meramente técnico de naturaleza semejante a otros anteriores de iliquidez temporal y parcial. Ahora aparece como un problema político de primera magnitud que requiere la máxima atención de cada gobierno en particular y la coordinación de los gobiernos con el mismo problema. Este enfoque político del problema, aunque no reconocido por el gobierno de los Estados Unidos hasta la reunión de Seul de 1985 con el anuncio de Plan Baker, había sido pedido por muchos políticos y economistas de los países industrializados mismos, para no mencionar a los de los países del Tercer Mundo.

Los gobiernos de las democracias industriales tienen que abandonar su actual actitud de no intervención hacia la crisis de la deuda. Esto exige un enfoque global del problema... Algunos eminentes latinoamericanos han propuesto que se «politice» el problema de la deuda. El término carece de precisión, pero refleja una verdad importante. Las consecuencias son tan

---

[11] Este apartado está confeccionado con ideas tomadas de: O'DONNELL, Guillermo: «Deuda externa, ¿por qué nuestros gobiernos no hacen lo obvio?», *Revista de la CEPAL*, Santiago de Chile, 27 diciembre de 1985, pp. 27-33.

grandes que no se pueden dejar a los remedios técnicos de los expertos financieros. Politizar tiene que significar el retirar a los bancos del proceso. Politizar significa de hecho crear un marco internacional que refleje un plan realista para los pagos de la deuda y sobre todo un compromiso recíproco para renovar el crecimiento y el desarrollo. Sólo con un enfoque semejante podrán los países deudores pedir sacrificios a sus pueblos que ahora son inaceptables cuando se ven como métodos de los bancos para extraer los pagos de intereses [12].

Estas frases son de nada menos que de Henry Kissinger, que escribiendo en 1984, veía ya la naturaleza real del conflicto. El gobierno de su país, sin embargo, tardó un año en aceptar tímidamente estas realidades.

[12] KISSINGER, Henry A.: «Solving the Debt Crisis: What's Needed is Statemanship», *International Herald Tribune,* 25 junio de 1984, p. 7.

14. Propuestas para transformar la deuda

Las propuestas procedentes de los países industrializados se dirigen más bien a remediar la situación de los bancos, no tanto por los bancos mismos (Milton Friedman, entre otros, defiende que los bancos deben pagar la imprudencia o el error de juicio que pudo haber en sus préstamos a América Latina, para que se mantengan los principios de una banca sana), cuanto por los daños que se pudieran seguir a las economías industriales por la quiebra de los bancos. Paralelamente, las propuestas apuntan a mejorar las condiciones generales del sistema económico internacional para que los países deudores puedan crecer y pagar. No contemplan en absoluto operaciones de reducción del servicio de la deuda en cualquiera de sus dos componentes, sólo implican que el servicio sea más llevadero y, en definitiva, más pagable. Este tipo de propuestas son, en realidad, propuestas para transformar la naturaleza de la deuda, transformando alguno de los siguientes elementos: *a*) la naturaleza de los activos resultantes de los préstamos; *b*) la persona jurídica del acreedor; *c*) el perfil temporal de la deuda; *d*) las fuentes de nuevos préstamos; *e*) cualquier combinación de las anteriores.

En las propuestas más recientes se coloca el acento sobre la participación de los gobiernos de los países industrializados, a través de las instituciones multilaterales (Fondo Monetario y Banco Mundial), en la recreación de la solvencia de los países deudores. Pero se hace de una manera todavía tímida y muy lejana de la politización del problema, que tantos expertos consideran necesaria. Los gobiernos de los países industrializados no se avienen a participar en la solución del problema, si no es «per interpositam personam», léase en este caso, el Fondo Monetario Internacional.

Este tipo de propuestas, sin embargo, ha sido rechazada por los mismos países industrializados, por los cambios tan drásticos que implican en la conducción de los negocios bancarios o por los costes sociales que contienen. Por parte de los países deudores han sido consideradas como propuestas ingeniosas o curiosas con poca esperanza para su situación.

Reforma de arreglos institucionales

No deja de haber preocupación en los países acreedores y sobre todo en los organismos multinacionales, como el Banco Mundial y el FMI, de mejorar las condiciones que puedan ayudar a hacer pagadera la deuda externa de América Latina sin los costes presentes y futuros de la actual estrategia oficial, basada en el ajuste interno de los países deudores y la restructuración de los términos de la deuda. En esos círculos no se admite ninguna de las posibilidades examinadas en el capítulo anterior; se parte del supuesto normativo de que los países tienen que pagar enteramente sus deudas. El esfuerzo se concentra más bien en minimizar las consecuencias perjudiciales del pago. También preocupa la futura financiación del desarrollo con capital externo a los países subdesarrollados que evite los problemas en que ahora se ven estos y el sistema financiero internacional.

En este contexto se han hecho propuestas que implican una reforma de las instituciones multilaterales, o, al menos, su forma habitual de proceder. Comenzaremos la exposición por éstas, que son más generales y también han sido contempladas por algunos gobiernos latinoamericanos. A continuación veremos algunas propuestas concretas para cambiar la naturaleza misma de la deuda. Estas medidas incluyen:

a) Aumentar el financiamiento disponible a largo plazo del Banco Mundial a través de un cambio en las ratios de apalancamiento (gearing ratios) de esta institución. Es decir, aumentar el factor multiplicador de las aportaciones al Banco.
b) Autorización para que el FMI acceda a los mercados de capitales privados para ampliar así sus fondos disponibles para préstamos.
c) Financiación conjunta del Banco Mundial y bancos privados.
d) Eliminación del concepto de gradualidad para países de ingresos intermedios. Este concepto implica que, a medida que un país se va industrializando y aumentando su ingreso por cápita, se le van reduciendo las ventajas que se conceden ordinariamente a

los países subdesarrollados. La gradualidad perjudica a los mayores deudores: Brasil, México, Argentina y Venezuela.

e) Modificación de la condicionalidad del FMI. Como es sabido, en virtud de esta condicionalidad se establece un nexo riguroso entre los progresos que un país va haciendo en su ajuste interno y el disfrute de los préstamos del Fondo.

f) Aumentar la importancia de los préstamos-programas del Banco Mundial. En la actualidad se prefieren los préstamos-proyecto, es decir, préstamos para un proyecto detallado y bien documentado. Con este tipo de préstamos se controla más estrechamente el uso de los fondos en el país receptor, pero se limita el ámbito del préstamo y su impacto sobre el desarrollo.

Por su parte, de los países latinoamericanos se han propuesto arreglos en el funcionamiento de las instituciones multilaterales, como:

1. Congelación de las medidas proteccionistas, junto con renovados esfuerzos para promover la expansión del comercio regional y los esquemas de preferencias (como el Sistema Generalizado de Preferencias).
2. La expansión y la interconexión de los varios programas regionales ahora en existencia, tales como mecanismos para pagos multilaterales (Cámara de Compensación Centroamericana, Sistema de Compensación del Caribe, el sistema de la ALADI para compensar saldos y créditos mutuos), esquemas para apoyar las balanzas de pagos (Banco de Exportación L. A., Sistema Andino de Financiamiento del Comercio, Asociación Interamericana de Organizaciones para Garantizar el Crédito a la Exportación), planes de seguros del crédito a la importación y el establecimiento de instituciones dedicadas al financiamiento de proyectos, como se pedía en el «Plan de acción de Quito» en 1983.
3. Una expansión de las funciones del Banco Interamericano de Derrollo.
4. Un intercambio de información que sea efectivo, directo y confidencial, de las condiciones en que la deuda externa de la región está siendo refinanciada y reprogramada.

Planes para cambiar la naturaleza de la deuda

Ha habido una serie de propuestas, hechas generalmente por personas privadas, para resolver el problema de la deuda en la línea de hacer un compromiso por medio del cual los países paguen, pero paguen en unas condiciones que permitan el desarrollo de sus economías. Este tipo de propuestas no es exactamente igual a la restructuración que se ha estado llevando a cabo bajo la vigilancia del FMI, porque este tipo de planes de que ahora hablamos implican una transformación de la deuda de una vez por todas, sin necesidad de negociar año tras año los pagos que van venciendo en el próximo período. Van más allá incluso del «Multiyear Rescheduling» (MYR), parte esencial del «paquete mexicano» que se preparó para este país en 1984. En él se prolongaban de una sola vez, y sin necesidad de negociaciones anuales, todos los vencimientos hasta 1990. Dentro de tres años, sin embargo, la situación vuelve al punto de partida. Para las propuestas más estables hay fórmulas diversas, pero todas tienen en común el proponer plazos más largos para la deuda, lo que supone efectivamente transformar todas las obligaciones, cualquiera que sea su período de vencimiento, en deuda a largo plazo.

Las propuestas para transformar la naturaleza de la deuda son de varios tipos, aunque tienen en común la óptica de la gran banca internacional, a la que tratan de desenredar del problema a la vez que hacen más llevadera la carga de la deuda a los países deudores. Una de las primeras propuestas de este tipo es la del banquero griego Minos Zombanakis [1]. En el plan Zombanakis el Fondo Monetario Internacional, contra una restructuración generosa de la deuda para diez años, garantizaría a los bancos el reembolso del remanente de la deuda en los tres últimos años de un período de ajuste, que debería extenderse de trece a quince años. Con esta restructuración de la deuda los países podrían llevar a cabo el proceso de ajuste con más holgura y menos presiones que en la actualidad e irían pagando en la medida que el proceso tuviera éxito. El Fondo seguiría vigilando para que los países cumplieran los compromisos de ajuste e incluso podría obligar a algún país a hacer desembolsos apropiados a las reservas acumuladas, cuando estas fueran suficientes. En esta propuesta, además de garantizar a los bancos —mientras el plan funcione— la recuperación de la deuda, se da a los países deudores un plazo mayor para llevar a cabo el proceso de ajuste.

La propuesta descansa excesivamente en la capacidad de los países deudores para hacer el ajuste, como si las principales dificultades del proceso se redujeran a una mera cuestión de plazos. Quizá en 1983 no se había calibrado todavía las dificultades prácticas de los procesos de ajuste que se juzgaban necesarios para restablecer la solvencia internacional de los países latinoamericanos. Además, da al Fondo Monetario un papel más

[1] ZOMBANAKIS, Minos: «The Zombanakis Plan», The Economist, 30 de abril de 1983, pp. 13-14.

importante en el proceso de lo que tiene en la actualidad, lo cual no parece muy viable, dada la sensibilidad que hay en América Latina hacia esta institución.

El economista de la Universidad de Columbia y conocido experto en economía internacional, Peter Kenen, proponía en un artículo del *New York Times* (6 de marzo de 1983) que los bancos privados cambiaran sus préstamos a los países subdesarrollados por bonos a diez o quince años, que serían emitidos por una nueva organización internacional creada bajo el patrocinio de la OCDE, la International Debt Discount Corporation. Los préstamos se cambiarían con un 10 por 100 de descuento y esta devaluación de los activos de los bancos permitiría a la nueva institución restructurar los préstamos en términos más favorables para los países deudores. Este esquema trata, sobre todo, de garantizar que, por medio de la cooperación internacional de los países más ricos, los bancos aseguren el 90 por 100 del valor de sus préstamos, aunque, de paso, saldrían beneficiados también los deudores. En definitiva, es una manera de socializar las pérdidas de los bancos, propuesta en un momento en que, más que ahora, se veía en peligro el sistema financiero internacional.

Una variante de la propuesta de Kenen es la de Robert Weinert (*Foreign Affairs,* primavera 1983), que evita la dificultad de tener que crear una nueva instancia financiera multilateral. Weinert propone que los bancos cambien su deuda por bonos emitidos por el Banco Mundial, el cual se encargaría de restructurar la deuda a términos más convenientes para los deudores. Aquí la socialización es a cargo de la comunidad internacional toda entera. El cambio se haría al valor nominal, con lo que los bancos mantendrían el valor íntegro de sus préstamos, pero los bonos darían un tipo de interés reducido. De esa manera los bancos perderían ingresos, pero esta pérdida estaría distribuída en un plazo largo de tiempo y daría a los bancos el respiro necesario para reponer sus reservas. Esto representa una mejora del plan Kenen, en el cual la pérdida del 10 por 100 del valor de los activos bancarios es inmediata.

El banquero-escritor Félix Rohatyn, que estuvo muy activo en la operación de salvamento financiero de la ciudad de Nueva York, hizo una propuesta, basada sin duda en la experiencia acumulada en esta operación de salvamento. Rohatyn también propone (*Businesweek,* 28 de febrero de 1983) el establecimiento de una «institución de Deuda», que pudiera ser el Banco Mundial, el Fondo Monetario u otra nueva creada a tal efecto. Según Paul Krugman [2], Rohatyn tiene en mente una versión

---

[2] KRUGMAN, Paul: «International Debt Strategies in an Uncertain World», cap. 3 en SMITH, Gordon., y John T. CUDDINGTON, *International Debt and the Developing Countries,* The World Bank, Washington, 1985, p. 95.

global de la New Kork's Municipal Assistance Commission, o «Big MAC», que se formó para sanear las finanzas de la gran ciudad, de la cual Rohatyn mismo es presidente. La «Institución de Deuda» adquiría, como en las otras propuestas, la deuda que ahora poseen los bancos a cambio de bonos a largo plazo y bajo interés. Estos permitiría a la ID extender los vencimientos entre quince y treinta años a un tipo de interés no superior al 6 por 100. Además, propone Rohatyn, que los pagos del principal se escalonaran de tal manera que el servicio, intereses más amortización, no pasara del 25 al 30 por de las exportaciones anuales.

Un plan para salvar la inversión

Los planes anteriores, con todas las variantes que en su día se propusieron, tendían a sacar a los bancos del atolladero de la deuda a la vez que facilitaban unos términos de pago más llevaderos. Son planes propuestos en el punto álgido de la crisis, en los primeros meses de 1983, cuando las verdaderas dimensiones del problema y las dificultades de su solución no se conocían todavía bien. Todos reconocían en el fondo que los bancos privados no están capacitados para suministrar el financiamiento a largo plazo que necesitan los países subdesarrollados y trataban de traspasar esta función a instituciones más apropiadas. Pero no contemplaban adecuadamente las necesidades actuales de los países. Recientemente se han hecho otro tipo de propuestas, que tiene más en cuenta las necesidades de que haya nuevas inversiones en los países deudores y no sólo ajuste. Lo esencial de este tipo de propuestas es que los pagos por obligaciones de la deuda se coloquen como inversiones en los países que efectúan los pagos [3].

Un posible arreglo —comenta Robert Wesson— sería que una parte del servicio de la deuda se pague a un fondo administrado por una corporación, cuyos accionistas fueran los bancos, quizá con la cooperación de una institución para el desarrollo internacional. A cambio de la deuda, un banco recibiría acciones o títulos del fondo, el cual aplicaría sus activos a proyectos aceptables al gobierno.

Estamos de nuevo con el problema de crear una nueva institución con fondos apropiados a la magnitud de la operación, lo cual en los tiempos actuales de cicatería con el Fondo Monetario y el Banco Mundial por parte de los principales países industrializados, no parece muy viable.

---

[3] WESSON, Robert: «Helping Latin debtors to help themselves», *Business Week*, 9 de septiembre de 1985, p. 9.

Finalmente, quisiera citar las sugerencias, que no forman un plan estructurado, de Lord Harold Lever, Duque de Lancaster, en la Conferencia de Londres:

Lo primero que se necesita es una estrategia coherente y creíble para consolidar la deuda pasada de manera que se elimine el peligro de bancarrota que amenaza a los países deudores y al sistema financiero. Concretamente, esto significa que tiene que haber un flujo de fondos, independientemente de que los países deudores desarrollan y mantengan un excedente de exportaciones anómalo, que asegure que los intereses sobre esa deuda bancaria se paguen regularmente. Esto implica que los gobiernos de los países industrializados tienen que proveer las necesarias garantías. El costo final de estas garantías siempre será pequeño en comparación con los grandes recursos de la economía mundial y con el daño que podría resultar si no se hace esto. Una vez que el interés de los bancos está cubierto en los próximos años, los bancos podrán ir descontando sus deudas de la manera que crean conveniente. Este es el mínimo requerido para resolver la presente crisis [4].

Evaluación de los planes

Este tipo de medidas, que implican básicamente *sacar a los bancos del atolladero de la deuda,* ha tenido en general una mala acogida y muchas críticas de parte de sectores influyentes de los mismos países acreedores. Tampoco hace muy feliz a los deudores, aunque impliquen términos más favorables. Desde el punto de vista de los deudores, disminuye su poder de negociación, ya que ahora tendrían que enfrentarse con una sola institución que monopoliza absolutamente la deuda. La actuación de ésta sería más coherente que en la actualidad, en que una multitud de bancos tienen que ponerse de acuerdo en una estrategia común, a pesar de que algunos querrían salirse del problema o por lo menos no participar en operaciones de salvamento y mucho menos de aportar dinero nuevo. Krugman, sin embargo, opina que una Institución de Deuda estaría en una posición negociadora más débil; su argumento hace referencia a un modelo específico, pero en términos más generales y políticos, el resultado de consolidar varios acreedores en uno solo, parece tender más bien a acrecentar su poder negociador sobre todo si la nueva institución estuviera abiertamente respaldada por los gobiernos de los países indus-

[4] LORD HAROLD LEVER: «Reviving Growth and Development, the Common Interest», en BID e IHT, *Más allá de la crisis de la deuda. América Latina en los próximos diez años,* Washington, 1987. El autor cita a partir de los papeles de la conferencia.

trializados. Pero, la dificultad principal que este tipo de esquemas entraña para los países deudores es que los bancos se saldrían de la «trampa del prestamista». La trampa consiste en que los bancos se ven obligados, para salvar el valor de sus inversiones anteriores, a conceder nuevo dinero a fin de evitar que cese el pago de intereses; es lo que se llama también «involuntary lending». Una vez que los bancos se vieran fuera de la trampa, es muy poco probable que se volvieran a meter en ella concediendo nuevos préstamos a los países deudores con problemas.

Por el lado de los países acreedores las objeciones son de otro género. El salvamento de los bancos implicaría un «moral hazard», es decir, una amenaza al sistema global del negocio bancario, porque, con este precedente, los bancos podrían sentirse menos obligados a hacer inversiones prudentes y responsables, si esperan que en caso de apuro se puede contar con que una instancia superior —diferente del «lender of last resort»— venga en su ayuda. El control último del funcionamiento responsable y eficiente de la industria bancaria exige que el mercado sancione, con la quiebra si fuera preciso, a quienes faltan a las normas fundamentales del hacer bancario. El sistema fallaría si la sociedad tuviera que cargar con las consecuencias de los malos negocios en que se hayan metido los bancos (como, por cierto, ha sucedido en España, donde el saneamiento de la banca en estos últimos cuatro años ha costado a los contribuyentes unos 700.000 millones de pesetas). En el Congreso de los Estados Unidos hay muchas resistencias a todo tipo de esquema que impliquen un «bail out» (sacar de apuros) de los bancos, precisamente porque se cree —al menos oficialmente— que las empresas privadas y no la sociedad tienen que cargar con las consecuencias de sus errores.

En un reciente estudio sobre las alternativas de política hacia la deuda, tres conocidos expertos norteamericanos en financias internacionales se pronunciaban claramente sobre el tema:

Cualquiera de estos planes supondría una reforma sustancial del sistema económico internacional y su adopción requeriría una voluntad de fortalecer el rol de las instituciones económicas internacionales que ha brillado por su ausencia en los últimos años. Aun cuando las propuestas contemplan la auto-financiación de las instituciones implicadas, sería preciso que los gobiernos de los países industrializados garantizaran los pasivos de estas instituciones para conseguir credibilidad en el mercado y así mejorar la calidad de los activos de los bancos. De hecho la implicación de los gobiernos sería mucho mayor que eso. Dado que los bancos se verían liberados de la «trampa del prestamista», la viabilidad de los programas de ajuste, al menos para algunos países, exigiría un continuo flujo de fondos nuevos. La única fuente posible de estos fondos tendría que ser el sector público de los países industrializados. De manera que todos estos planes requerirían grandes aportes de fondos públicos o de garantías o ambos [5].

Este estudio, que está destinado a tener gran influjo en el pensamiento de los políticos norteamericanos y europeos sobre el problema de la deuda, hace las siguientes «propuestas para implementación inmediata»:

1. *Paquetes del «tipo mexicano»*

Se refieren a los términos concedidos a México en septiembre de 1984, que implican:

a) Reducción de los tipos de referencia, «spreads» y «fees».
b) Reprogramación a varios años (multiyear rescheduling), en virtud de la cual se reprograman todos los vencimientos comprendidos en el período 1985-1990.
c) Vencimiento más largos: los préstamos reprogramados obtuvieron plazos de catorce años.
d) Conversión de una parte de los créditos en dólares a las monedas de los bancos acreedores no americanos.

A este respecto recomiendan los mencionados expertos:

Habría que ofrecer paquetes «tipo mexicano» siempre que el buen comportamiento (*good performance*) de un país disminuya el riesgo de los créditos bancarios y así justifique la extensión de recompensas concretas. Los beneficios para los países (deudores) son muy grandes y los costos a los bancos son moderados. Lo específico tiene que ser diferente en cada caso, dependiendo tanto del éxito de las medidas de la política del país como de sus necesidades particulares... Tales paquetes tendrían que ofrecerse a los países grandes tanto como a los pequeños, para demostrar que todos los esfuerzos efectivos de ajuste —y no solamente los de potenciales «rompedores del sistema»— pueden producir beneficios externos tangibles [6].

2. *Seguros y garantías de los préstamos bancarios*

Las instituciones nacionales e internacionales, y especialmente el Banco Mudial, pueden desempeñar un papel muy importante en estabilizar

[5] BERGSTERN, C. Fred; William R. CLINE y John WILLIAMSON: *Bank Lending to Developing Countries: The Policy Alternatives,* Institute for International Economics, Washington, 1985, p. 199.
[6] BERGSTEN, CLINE y WILLIAMSON: *loc. cit.,* p. 69.

las carteras de valores de los bancos y fomentar niveles adecuados de futuros préstamos. En concreto, la Carta del Banco Mundial permite garantizar créditos privados a países subdesarrollados. Esta facultad que hasta ahora no se había usado por entender que los préstamos tenían que ser garantizados en una relación de uno a uno, ha sido utilizado recientemente para garantizar préstamos a Brasil y Paraguay.

3. *Cofinanciación con los bancos multilaterales de desarrollo*

Se podría llevar a cabo entre bancos comerciales y los bancos de desarrollo como el Banco Mundial y el BID.

4. *Exención del financiamiento del comercio*

Si se excluye este tipo de préstamos de la reprogramación de la deuda, algunos bancos, sobre todos los más pequeños, podrían mantener el incentivo de financiar el comercio. Este tipo de créditos se presta más a la reanudación de las operaciones normales de los bancos con los países subdesarrollados, como había sido tradicional.

Como no podía ser menos, los autores mencionados incluyen en las «recomendaciones negativas»:

a) El vincular los pagos del servicio de la deuda a la capacidad del país deudor.
b) El canjear los certificados de deuda por bonos.
c) La restructuración en términos concesionales por una institución de deuda (nueva o antigua).
d) El «perdón» de los intereses o del principal y acciones unilaterales a este efecto.

Entre las medidas que ni recomiendan ni rechazan estaría la venta de los préstamos a los países subdesarrollados en un mercado libre. Ya ha habido algunas operaciones de venta y de «swap» de créditos en este «mercado de segunda mano» (secondary market)[7]. Los vendedores son generalmente pequeños bancos locales americanos o de otros países, que quieren librarse de las deudas del Tercer Mundo que tinen en sus libros y asustan a sus accionistas. Cuando pueden las venden por dinero, pero

[7] KRISTOF, Nicholas D.: «Swaps: The Making of an Unusual Market for Debt», *International Herald Tribune,* A Special Report on Latin America, 27 de enero, 1986, p. 10.

otras veces simplemente las cambian por activos más convenientes. Como las operaciones se llevan con gran secreto, no hay mucha información sobre el monto y calidad de las transacciones. La deuda se vende con grandes descuentos, según el país de origen. Así, cada dólar de deuda boliviana o nicaragüense se vende por diez centavos, mientras que la deuda brasileña alcanzaba 80 centavos por dólar al principio de 1986; la de México, Argentina y Venezuela estaba en torno a los 70 centavos por dólar. Las cotizaciones, naturalmente cambian según los informes que llegan al mercado sobre la situación de los pagos de cada país. En 1987, la deuda de Brasil se ha descontado a un 63 por 100. Los préstamos de México y Argentina se venden al 59 por 100 de su valor nominal; la de Perú solamente al 15 por 100[8]. Otro rasgo interesante de este mercado es que, según parece, los propios países deudores están comprando su deuda a precios descontados.

La compra de deuda oficial puede ser interesante para una empresa extranjera que quiera invertir en un país deudor. Por ejemplo, una empresa que quiera construir una planta de diez millones de dólares en Brasil, compra deuda brasileña de ese valor nominal por ocho millones al Citicorp; la lleva al Banco Central del Brasil que, previas negociación y acuerdo, se la compra también con un descuento por una cantidad de cruzados algo inferior a diez millones de dólares. El Citicorp se ha desecho de diez millones de deuda, Brasil ha redimido diez millones y la empresa extranjera «ha comprado duros a cuatro pesetas». Pierde el banco acreedor y gana la empresa, mientras el país deudor se libra de parte de su deuda.

Lógicamente, los grandes bancos han estado en contra de este mercado, en que sistemáticamente se malvenden los activos, porque las operaciones de «swap» pudieran desvalorizar sus créditos al Tercer Mundo y ocasionarles grandes reducciones de su cartera de activo si las autoridades reguladoras decidieran valorar los préstamos al precio del mercado. Con todo, a raíz del reforzamiento de provisiones del Citicorp y de los demás grandes bancos americanos, parece que estos se han decidido a entrar en el negocio. Es claro que sin la participación de los grandes bancos este mercado no puede tener mucho volumen ni mucho éxito. La operación podría, por otra parte, tener un gran riesgo para los países deudores en la medida en que perjudique la concesión de nuevos préstamos, si el mercado hace grandes descuentos a los préstamos antiguos. El fenómeno no pasa de ser una curiosidad financiera sin grandes posibilidades de resolver el problema, aunque este tipo de «swaps» ha sido importante en Filipinas y Chile y está aumentando.

[8] *The Economist*, «Focus: Debt», 16 de mapo 1987, p. 116.

La principal objeción a los «swaps» de deuda por parte de los países deudores es que conduciría, si se hiciera en gran escala, a la extranjerización masiva de los activos productivos reales del país. Los bancos y empresas extranjeras pasarían a poseer sectores mayoritarios de los recursos productivos del país y fomentarían una política de inversión, industrialización y exportación coherente con sus objetivos privados, pero no necesariamente con los objetivos nacionales de desarrollo. Además, la compra de grandes cantidades de deuda en moneda extranjera por el banco central del país deudor no podría dejar de tener un fuerte impacto inflacionario.

Todas las propuestas de solución tienen sus inconvenientes, pero posiblemente mayor inconveniente tiene el no hacer nada más que rodar de crisis en crisis, acumulando pérdidas para unos y para otros y aumentando el sufrimiento de las mayorías populares de los países deudores.

15. La iniciativa Baker y la respuesta de los bancos

Un análisis aparte merece la Iniciativa de James A. Baker III, secretario del Tesoro de los Estados Unidos, porque es la única propuesta oficial del gobierno de los Estados Unidos con respecto al problema de la deuda. La política oficial del gobierno de los Estados Unidos desde agosto de 1982 había sido la de suponer que el problema de la deuda latinoamericana era un problema entre países soberanos y los bancos privados norteamericanos, japoneses y europeos. Un problema, que, por definición, se mantenía fuera del campo de influencia directa del gobierno americano. Por un lado, había en el Congreso un cierto consenso bipartidista, entre muchos demócratas y republicanos, en que los bancos no tenían que ser ayudados ni salvados con el dinero público de los contribuyentes. Esta opinión prevaleció hasta 1984 en la oposición mayoritaria a que se ampliara la contribución de los Estados Unidos al Fondo Monetario Internacional. Por otra parte, los Estados Unidos juzgaba que no era una buena coyuntura para presionar a los gobiernos de México, Brasil, Argentina, Venezuela y Chile para que tomaran las medidas de ajuste que demandaban los banqueros. El gobierno de los Estados Unidos, estando en una posición delicada con respecto a la Latinoamérica después de su posición en la guerra de las Malvinas, no quería aparecer ante la opinión pública de esos países presionando para que sus débiles y aun no consolidados gobiernos tomaran unas medidas a todas luces impopulares y rechazadas por una gran mayoría de la oposición política.

La actuación del gobierno norteamericano en la crisis había sido sobre todo potenciando el papel del Fondo Monetario Internacional. En la reunión anual del Fondo, en el hotel Sheraton de Washington en septiembre de 1983, el Presidente Reagan calificó al FMI como el «broche» del sistema financiero internacional. En su típico lenguaje decía el presidente:

(El FMI) es como el tío de Holanda, que habla claro y que nos dice a los gobernantes lo que necesitamos oír pero no nos gusta [1].

En 1985 se hizo claro, aun a los más optimistas, que el problema de la deuda iba para largo y el gobierno de los Estados Unidos no podía seguir escondiendo la cabeza en la arena.

Consideraciones geo-estratégicas también pesaron en el cambio de actitud del gobierno americano. Por lo menos así lo percibió la prensa del país. Cline Farnsworth, en un suplemento extraordinario sobre América Latina en el *International Herald Tribune,* titulaba un comentario al Plan Baker: «Detrás del Plan Baker: un déficit comercial... y el Kremlin»:

Había dos fuerzas básicas operando el octubre pasado cuando la administración Reagan abandonó su postura de «benigna negligencia» para iniciar un plan para ayudar a los países deudores a que se ayuden a sí mismos. Una era el enorme déficit comercial de los Estados Unidos... La otra una creciente actividad diplomática de los soviéticos en los principales países deudores en América Latina.

Esta es quizá una clave importante, raramente explicitada en las publicaciones económicas, para entender el cambio de actitud del gobierno de los Estados Unidos en la cuestión de la deuda latinoamericana. La inestabilidad política que la deuda puede generar se interpreta una vez más desde la perspectiva de una confrontación Este-Oeste.

La propuesta de Seul

En octubre de 1985 tuvo lugar en Seul, la capital de Corea del Sur, la Reunión Anual Conjunta del Fondo Monetario Internacional y del Banco Mundial. La reunión era esperada porque pocos días antes, en el hotel Plaza de Nueva York, el Grupo de los Cinco había decidido la caída concertada del dólar y se quería ver la reacción de los funcionarios de los países miembros de las dos instituciones. No se esperaba nada especial sobre la deuda externa, aunque el terremoto de México y sus dificultades para cumplir los términos del acuerdo con el FMI demostraban

[1] Citado por John H. Makin: *The Global Debt Crisis...*, p. 238.

que la crisis no parecía estarse superando con las medidas tomadas conjuntamente con los mayores deudores. Por eso, la iniciativa del Secretario del Tesoro de los Estados Unidos, James A. Baker, tuvo un cierto elemento de sorpresa. La iniciativa consistía básicamente en una llamada a los bancos comerciales para que concediera 20.000 millones de créditos nuevos durante un período de tres años a 15 países con problemas serios de deuda entre los que figuraban los principales latinoamericanos desde Brasil a Bolivia. Llamaba también al Banco Mundial y a los bancos de desarrollo de América y Asia a que incrementaran sus desembolsos en un 50 por 100 hasta hacer otros 9.000 millones.

Aunque los términos de la propuesta eran modestos, ésta contenía el elemento nuevo de que el gobierno de los Estados Unidos reconocía por fin, como había estado pidiendo mucha gente, que el problema de la deuda no era un asunto privado entre banqueros por un lado y ministros de finanzas por otro, sino que afectaba a la estabilidad global del sistema financiero y a las relaciones económicas internacionales, además de suponer un problema de política exterior para las grandes potencias occidentales. La *iniciativa de Baker* se dirije principalmente a resolver un problema que ni las políticas internas de ajuste ni la restructuración de la deuda antigua habían podido arreglar: la necesidad de nuevos créditos, de dinero fresco, para financiar un mínimo de desarrollo en los países endeudados. En este punto estaba fallando el proceso del ajuste.

El acceso a créditos nuevos se había reducido de forma considerable. Los préstamos a los países subdesarrollados por los bancos comerciales que reportan al Bank of International Settlements se habían reducido en los tres primeros meses de 1985[2]. Las instituciones oficiales de crédito a la exportación estaban prestando mucho menos que en 1980 y los préstamos netos del Fondo Monetario Internacional se habían reducido de 11.000 millones en 1983 a prácticamente nada en los primeros meses de 1985, a medida que se acumulaban las devoluciones de préstamos anteriores. Faltaban otros tipos de financiamiento; los países deudores no estaban yendo al mercado internacional capitales por su propia cuenta para conseguir fondos a largo plazo, mientras la inversión extranjera directa, otra fuente tradicional de financiamiento, estaba prácticamente sellada.

En estas circunstancias, la llamada de Baker a la gran banca norteamericana lleva consigo el compromiso oficial del gobierno de los Estados Unidos en la solución del problema, aunque quizá ésto no sea tan obvio. Pero, al proponer a los bancos que pongan más dinero donde ya una vez

[2] «Nearly everybody knows it's everybody's problem», *The Economist*, 28 september 1985, p. 84.

se pillaron los dos dedos, el gobierno americano delata una nueva disposición de alterar su relación con los bancos en la cuestión de la deuda, porque no tendrá más remedio que darles algo a cambio de su intervención en la concesión de los nuevos 20.000 millones. Los bancos podrán ahora exigir al gobierno, a cambio de su participación en el Plan Baker, concesiones gubernamentales sobre todo en los que toca a desgravaciones fiscales en la provisión de reservas y en la expansión de su base de capital, en lo referente a las regulaciones y normas contables y las obligaciones de reportar información. El gobierno de los Estados Unidos sabe que se pone al alcance de los bancos para este tipo de «bargaining», y que tendrá que ceder algo para conseguir su colaboración. No hay duda que el gobierno americano ha bajado a la arena de la deuda, aunque sea todavía de una manera muy discreta. No lo hace comprometiendo fondos federales para las instituciones multilaterales, notablemente el Banco Mundial, al cual, por otra parte, se llama a jugar un papel más activo; ni se destinan fondos del Sistema Federal de Reserva a la concesión de préstamos, aunque fuera de una manera indirecta. Y, en general, se evita el tomar aquellas medidas que podrían parecer a ciertos congresistas más quisquillosos medidas para el «bailout» (salvamento) de los bancos.

Otra novedad del Plan Baker es el hincapié que hace en el desarrollo. El Plan, aunque se concibe como un complemento y no como un sustituto de las medidas de ajuste interno y de las restructuraciones, ilumina con nueva insistencia la necesidad de que los países deudores no solamente «se ajusten», sino que crezcan económicamente. El crecimiento aparece aquí reconocido oficialmente como una condición necesaria para seguir pagando la deuda. De otra manera, las economías quedarían esquilmadas y las sociedades latinoamericanas caerían en el caos mucho antes de que se hubiera hecho efectivo el pago de los intereses. Con la necesidad del desarrollo se introduce oficialmente un elemento nuevo en la estrategia de la deuda. Como es nueva la vinculación del dinero nuevo que habría de proporcionar la banca privada con la participación en la operación de los bancos multilaterales (Banco Mundial, BID, etc.). En la Conferencia de Londres decía a este propósito William Rhodes, Presidente del Restructuring Committee del Citibank de New York:

> La iniciativa de Baker ha sido un instrumento para trasladar el foco de la discusión sobre la deuda de los países subdesarrollados una vez más, ahora hacia el crecimiento. Este cambio es muy oportuno. En la primera fase de la crisis, los esfuerzos se concentraron por necesidad en paquetes de emergencia para dar a los países tiempo para comenzar el ajuste de sus economías bajo unos términos que mantuvieran a sus bancos acreedores en el mercado. La segunda fase, la de las reestructuraciones multianuales,

se concentra en posponer el pago de las amortizaciones a años futuros, cuando representen una proporción menor de una economía nacional más grande y dinámica[3].

Sin embargo, en un primer momento la Iniciativa de Baker no fue rebida con mucho entusiasmo por nadie. Los países deudores la juzgaron superficial e insuficiente. «Es como aplicar mercuro-cromo a una herida grave, como tratar de curar un cáncer con aspirina», diría Fidel Castro a una periodista norteamericana que le entrevistó para *Business Week*[4]. La propuesta tiene el inconveniente adicional que fortalecía el papel del Fondo Monetario en la asignación y gestión de los dineros nuevos. Los bancos sintieron que el gobierno americano quería intervenir en la solución del problema con dinero ajeno. Para ellos, especialmente para los más pequeños, la Iniciativa suponía el continuar con una política de «throwing good money after bad one» (echar dinero bueno detrás del malo), que sólo con mucha resistencia se había mantenido en operaciones concretas para salvar créditos anteriores. Los gobiernos de otros países industrializados temían que la iniciativa de los Estados Unidos les arrastrara a una arena demasiado grande para sus posibilidades de intervenir y su experiencia en operaciones de salvamento financiero internacional. La verdad es que al principio pocos entendieron la naturaleza y alcance de la Iniciativa. Como escribía Leonard Silk en el *New York Times:*

La iniciativa de Baker se armó rápidamente antes de la Conferencia de Seul sin el tiempo necesario para subir a bordo a otros gobiernos, al FMI y al Banco Mundial. Muchos funcionarios mostraron escepticismo e incluso resentimiento de que los Estados Unidos estuvieran montando una gran iniciativa sin poner ellos nada de dinero[5].

Pero tras cortas vacilaciones llegó el respaldo de las Instituciones Multilaterales. En una nota oficial conjunta del FMI y del Banco Mundial del 2 de diciembre de 1985 se anunciaba:

El presidente del Banco Mundial y el director gerente del FMI desean expresar su firme respaldo a esta iniciativa, la cual —dada la urgencia de los problemas— debe traducirse en acciones positivas y concretas tan pronto como sea posible. El FMI y el Banco Mundial en estrecha colaboración están

[3] RHODES, William: «The Commercial Bank's View of Latin America» en BID e IHT, *Más allá de la crisis de la deuda...*, Washington, 1987.

[4] *Business Week,* 3 de noviembre de 1985, p. 7.

[5] SILK, Leonard: «Will U. S. Plan to Ease Debt Crisis be Too Late?», *International Herald Tribune,* 7-8 diciembre 1985, p. 15.

prontos a desempeñar sus respectivas funciones en la puesta en práctica de la iniciativa en cuestión, y, con este fin, cooperarán de manera plena y constructiva con los países miembros y con todas las partes interesadas en este esfuerzo común por hacer frente a los problemas de la deuda y establecer las bases para un crecimiento económico sostenido[6].

Los bancos fueron mucho más difíciles de convencer, sobre todo los bancos regionales americanos, normalmente medianos y pequeños, y los bancos japoneses y europeos.

La reacción de los bancos

La reacción de los bancos fue menos entusiasta. Al miedo de tener que aumentar su grado de riesgo y exposición se juntaba el reproche de que los gobiernos de los países acreedores no participaban en la operación. En general los bancos más importantes han ido aceptando poco a poco la iniciativa, por lo menos a nivel de declaraciones. Aunque piden a cambio concesiones por parte de los gobiernos de sus países respectivos, lo que representa una manera de implicarles en la solución de la crisis. Willard Butcher, actual presidente del Chase Manhattan, decía en una entrevista a *El País:*

Me encanta que Baker sea sensible a la necesidad de restaurar el crecimiento en Latinoamérica. Un crecimiento sano, esa es la clave. ¿Vamos a estar dispuestos a poner sobre la mesa 20.000 millones de dólares? Sí, si el resto de las cosas que componen la propuesta Baker se ponen también sobre la mesa; si se hacen reformas estructurales reales en las economías de aquellos países; si los recursos a aportar por el Banco Mundial se ponen también sobre la mesa. Entonces los bancos juzgaremos razonable incrementar nuestro riesgo con los países de la región[7].

A nivel de declaraciones parece, pues, que se han evaporado las objeciones de los banqueros. En la Conferencia de Londres, un banquero alemán, Werener Blessing, resumía así las exigencias de los bancos europeos:

Hay que dar la bienvenida al Plan Baker porque representa un desarrollo orgánico de la actual estrategia de deuda orientada primeramente a la consolidación (de la posición de los bancos), en la medida en que acentúa

---

[6] *Boletín del FMI,* 16 de diciembre de 1985, p. 369.
[7] «Sí a Baker», *El País,* 16 de noviembre de 1985.

explícitamente la necesidad del crecimiento. Ahora lo importante es desarrollar los instrumentos necesarios para implementar el Plan [8].

La participación de los bancos alemanes dependerá de ciertas condiciones, que también valen para otros bancos comerciales europeos:

a) En ausencia de una fórmula clara global para resolver la crisis de la deuda, tiene que mantenerse el enfoque actual del país por país.

b) Con el papel ampliado que se espera tome, el Banco Mundial tiene que exigir que sus préstamos —lo mismo que los del FMI— estén sujetos a una condicionalidad y una vigilancia a largo plazo. La inclusión del Fondo es esencial, especialmente si se pide a los bancos mayores concesiones (dinero fresco, reprogramaciones a largo plazo).

c) En los países deudores tiene que emplearse una política económica y fiscal que genere confianza para resolver el problema de la fuga de capitales.

d) Tiene que establecerse una relación equilibrada entre las contribuciones financieras oficiales y las de los bancos comerciales. La propuesta de Baker en su forma actual no incluye a los gobiernos de los países industrializados. Sin embargo, si los bancos han de participar en reprogramaciones multianuales y programas conjuntos para proveer dinero nuevo, un reparto justo de la carga (a fair burden-sharing) significaría que los gobiernos de los países acreedores deben crear condiciones más favorables para el comercio con los países deudores. Tendrían que apoyar la Iniciativa de Baker fortaleciendo sus políticas de seguro de los créditos a la exportación, tomando parte en los programas ampliados de reestructuración a largo plazo y fortaleciendo las funciones que se contemplan para las instituciones financieras supranacionales implicadas. Finalmente, los préstamos bancarios a los países que han de recibir ayuda financiera dentro del marco de la Iniciativa de Baker tendrían que estar protegidos por una actitud flexible de parte de las autoridades fiscales y reguladoras.

Los bancos obviamente pretenden obtener con su participación en la Iniciativa más seguridad y mayores beneficios. Esto afirmaba también Carl Gewirtz, un periodista económico especializado en cuestiones de deuda:

---

[8] Blessing, Werner: «A Commercial Banker's View», en BID e IHT, *Más allá del problema de la deuda...*

Los bancos están tratando de usar su compromiso con el Plan Baker como una palanca para obtener concesiones de sus respectivos gobiernos. Estas concesiones incluyen cosas como beneficios fiscales y excepciones regulatorias para el aumento de sus provisiones y reservas, y nuevos compromisos de las instituciones de crédito a la exportación [9].

Por su parte los bancos más pequeños siguen objetando el aumento de su exposición al riesgo. Una de las discusiones entre bancos se centra en la base a partir de la cual hay que mantener o aumentar la exposición al riesgo con los países deudores. Los bancos mayores y el FMI defienden que la exposición se debe aumentar en la misma proporción que había en 1982, es decir, en base a la participación proporcional de cada banco en los créditos que había en 1982, cuando estalló la crisis. Algunos bancos pequeños que han cambiado y vendido su deuda quisieran que la base fuera la situación actual de riesgo y no la que había en 1982. Normalmente los bancos pequeños acabarán siguiendo la línea general que marquen los grandes, pero, por el momento, sus reticencias son considerables y están retrasando mucho el proceso.

Sin embargo, a casi un año de la propuesta del Plan Baker, no se había puesto en marcha todavía. «El Plan Baker necesita un empujón», escribía en marzo de 1986 un editorial de *The Washington Post:*

> El Plan Baker para las deudas de los países subdesarrollados todavía está vivo y todavía vigente. Algunos gobiernos latinos se han quejado de que no ofrece suficiente dinero, y algunos banqueros objetan que se está moviendo muy despacio. Pero sigue siendo la única manera razonable de tratar las deudas y el único camino compatible con la prosperidad de los países endeudados...
>
> Para hacer avanzar el Plan Baker habría cosas útiles que los (norte) americanos podrían hacer. Una sería dejar de llamarle el plan de Baker... Es comprensible que a los gobiernos latinoamericanos no les guste la impresión de que se les impone un plan específicamente (norte)americano. La implicación no es correcta, pero les crea problemas en su política interior [10].

Por algún tiempo Argentina dio la impresión de que iba a ser el caso muestra del Plan Baker. A finales de 1985 en efecto era el país favorecido para comenzar su aplicación. El Plan Austral había rebajado la inflación a niveles desconocidos: 1,9 por 100 en octubre contra el 30 por 100 que había en junio; la nueva moneda parecía suficientemente estable y el

[9] GEWIRTZ, Carl: «Haziness of Detail Clouds U. S. Plan on World Debt», *International Herald Tribune,* 9 diciembre 1985, pp. 1 y 10.

[10] Baker Plan Needs a Shove», *International Herald Tribune,* 15-16 marzo 1986, p. 6.

déficit fiscal iba a la baja. Sólo había un problema, por el momento Argentina no necesitaba nuevos préstamos, ya que por el tiempo en que se anunciaba la Iniciativa había conseguido 4.200 millones de dólares en dinero nuevo de los bancos comerciales, lo que cubría sus necesidades hasta marzo de 1986. En esta fecha, sin embargo, los bancos ya no están tan entusiasmados con Argentina por las dificultades que están encontrando los gobernantes en mantener los alentadores resultados de los primeros días. A finales de 1986 no hay ningún país latinoamericano que pueda servir de caso muestra al Plan Baker.

A los problemas parciales que van surgiendo se les dan soluciones parciales y «ad hoc», sin un marco estratégico amplio. En este terreno apenas se ha avanzado.

Para concluir, el Plan Baker contiene dos aspectos francamente positivos: la importancia que da al crecimiento económico de los países deudores y el hecho de que sea una propuesta del gobierno norteamericano. Es importante que Baker haya reconocido la necesidad para los deudores de tener mayor crecimiento —o crecimiento a secas—, aunque luego no examine a fondo si este requisito es compatible —y en qué medida lo es— con su renovada insistencia en las políticas de ajuste, un ajuste que hasta ahora —aun en su imperfección— no ha hecho más que frenar el crecimiento de los países latinoamericanos. En segundo lugar, también supone un avance que el gobierno norteamericano haya abandonado su política de aparente indiferencia hacia el problema. La crisis de la deuda, lo hemos dicho muchas veces, no puede dejarse exclusivamente a los banqueros, ya que los bancos no están desligados de la política exterior de sus gobiernos respectivos. Estos deben reconocer una responsabilidad que les incumbe, por lo menos, por omisión, al haber permitido a sus bancos con operaciones internacionales el entrar en el negocio, prometedor en su día pero lleno de riesgos, de proveer capital a mediano y largo plazo a los países en desarrollo. Sin embargo, esta implicación del gobierno norteamericano —y «a fortiori» la de los demás países industrializados— es insuficiente, y de ahí que una de las principales críticas que se puede hacer al Plan Baker, además de que ofrece realmente poco dinero para la magnitud de las obligaciones de los deudores, es que no contiene mecanismos para involucrar en la resolución de la crisis a los gobiernos de los países industrializados. Esta es una objeción que hacen por igual los banqueros y los gobiernos de los países deudores. Hablando en nombre de los gobiernos de los países latinoamericanos, decía el Ministro de Relaciones Exteriores de Uruguay, Enrique Iglesias:

> Creo que (en la Iniciativa de Baker) hay un impulso que hay que seguir y fortalecer para encontrar nuevas soluciones al problema de la liquidez, en

las cuales haya una verdadera participación de las tres partes implicadas. Naturalmente, deseamos ver que nuestros países hagan ajustes internos, deseamos ver que los bancos comerciales mantengan su exposición en la región, pero también nos gustaría ver que los gobiernos de los países industrializados hagan sus propias contribuciones en términos más claros y explícitos [11].

En esto estamos completamente de acuerdo, como ya lo hemos expresado muchas veces a lo largo de este trabajo. Es necesario para llegar a un plan completo de solución de la deuda que los gobiernos de los países industrializados se comprometan más directamente en el problema. Es necesario, en otras palabras, que se «politice» seriamente y que se acabe por considerarlo, de una vez por todas, como lo que es: una amenaza a las relaciones económicas normales entre países y, en última instancia, a la convivencia nacional e internacional entre los pueblos de distinto nivel de desarrollo.

La situación al cierre

Alguna vez hay que cerrar la crónica y el análisis de esta historia interminable. Cuando redactamos por primera vez estas líneas (julio de 1986) el precio del petróleo había bajado en algunos mercados por debajo de los nueve dólares el barril. Lo cual significa que está ahora más bajo en términos reales que en 1973, la víspera de la primera crisis del petróleo. Los países que se endeudaron sobre el cálculo de que el precio del barril en esta década se mantendría sobre los 30 dólares se ven ahora en la imposibilidad matemática de hacer frente a sus obligaciones de la deuda. Según declaraba el Ministro de Relaciones Exteriores de México al diario *El País* (10 de julio de 1986), en 1986 México dejaría de percibir 8.000 mllones de dólares por ingresos de petróleo que es su principal exportación. Los pagos de intereses de este año son de unos 9.000 millones. ¡Cómo va a poderlos pagar es un misterio! Venezuela, Ecuador, Perú, en América Latina, así como Nigeria, Indonesia, Egipto y Gabón, en otras partes del mundo, están en semejantes dificultades. Este grupo de deudores necesita un tratamiento especial, urgente y muy generoso, si se quiere evitar un forzado repudio de la deuda.

Otros países sin duda se beneficiarán de la reducción de los precios del petróleo, como Brasil y Argentina, entre los grandes deudores. Pero el precio del petróleo no es la variable estratégica para unas economías

[11] IGLESIAS, Enrique: «Beyond the Debt Crisis-Latin America: The Next Ten Years», en BID e IHT, *Más allá del problema de la deuda...*, Washington, 1987. El autor, una vez más, cita de la conferencia original.

que necesitan fundamentalmente aumentar sus exportaciones. Ahora bien, no sólo está bajando el precio del petróleo; el precio de todas las materias primas que exportan los países deudores tienen una marcada tendencia a la baja, que no parece se corregirá en un futuro previsible. Más aún, la condiciones generales del comercio y de las finanzas internacionales, aunque mostraron a principios de año signos de una evolución favorable a los deudores, no se han consolidado y parecen más bien empeorar. El crecimiento económico de los Estados Unidos fue del 2,2 por 100 en 1986, bien lejos del 4 por 100 que se prometía el gobierno y que hubiera sido un factor dinamizador del comercio internacional. Su déficit fiscal no acaba de corregirse, siendo en el año fiscal de 1986 de 220.500 millones de dólares, aunque se esperaba que se redujera a 193.000 millones en el año fiscal que terminaba en septiembre [12]. Con un déficit de estas dimensiones, que el gobierno del presidente Reagan se obliga a financiar por medio de la deuda pública, en vez de monetizarlo o de aumentar los impuestos, que sería lo más razonable, no hay esperanza fundada de una reducción sustancial de los tipos de interés e incluso existe el temor de que vuelvan a subir. Y lo que es peor, la moderada devaluación del dólar —6 por 100 con respecto al conjunto de socios comerciales de los Estados Unidos— no ha podido impedir que continúe creciendo el déficit comercial a un nivel anual de 170.000 millones de dólares. Ante estos resultados es casi inevitable que las presiones proteccionistas que se han acumulado en el Congreso acaben por romper los diques del librecambismo que defiende, bien que mal, la Casa Blanca y se traduzcan en nuevas medidas restrictivas al comercio.

Europa y Japón no van mejor; los grandes exportadores, Japón y Alemania Occidental, perjudicados por la devaluación del dólar y revaluación de sus monedas respectivas, no se deciden a tomar medidas expansivas de su economía ni a liberalizar más su comercio. Este conjunto de fuerzas no podrá menos de desembocar en una reducción de los volúmenes globales del comercio internacional, que es lo peor que les podría suceder a los países deudores.

En marzo de 1987 Brasil ha declarado una moratoria unilateral de sus pagos de intereses. Pocas semanas después, los principales bancos americanos han aumentado las provisiones para malos créditos, soportando reducciones sustanciales de sus ganancias anuales. La Bolsa de Nueva York, sin embargo, ha reaccionado favorablemente, suponiendo que los bancos comienzan a aceptar la realidad de su situación y han acelerado el proceso de saneamiento. Estas medidas restarán vulnerabi-

[12] *Economic Report of the Presidente. 1987,* United States Government Printing Office, Washington, 1987, p. 331.

lidad a los bancos y aumentarán su poder de negociación frente a los deudores. Los países se debilitan cada vez más internamente. Argentina, Brasil y México no tienen unas situaciones internas fuertes y consolidadas como para anunciar una moratoria conjunta de sus deudas. Los países pierden fuerza negociadora en el enfrentamiento con unos bancos cada vez más fuertes. El pronóstico de la metereología de la deuda es de malos tiempos para América Latina. La nota final de este libro es el pesimismo y la preocupación porque caminamos hacia un mundo menos solidario y menos pacífico.

Bibliografía

ANJARIA, S. J., N. KIRMANI y A. B. PETERSEN: *Trade Policy Isues and Developments*, International Monetary Fund, Washington, julio -985.

ARONSON, Jonathan D.: «Muddling through the Debt Decade», capítulo 6, en HOLLIST W. Ladd, y Lamond F. TULLIS (edits.): *An International Political Economy.* Westview Press, Boulder, Colorado, 1985, pp. 127-152.

BALDWIN, Robert E., y Anne O. KRUEGER (edits.): *The Structure and Evolution of the U. S. Trade Policy,* N. B. E. R., The University of Chicago, 1984.

BANCO INTERAMERICANO DE DESARROLLO (B. I. D.): *La deuda externa y el desarrollo económico de América Latina. Antecedentes y perspectivas,* Washington, 1984.

BANCO INTERAMERICANO DE DESARROLLO (B. I. D.): «Deuda externa: crisis y ajuste», *Progreso económico y social en América Latina. Informe 1985,* Washington, 1985, pp. 3-131.

BANCO INTERAMERICANO DE DESARROLLO (B. I. D.) e INTERNATIONAL HERALD TRIBUNE (I. H. T.): *Más allá de la crisis de la deuda: América Latina en los próximos diez años* (Ponencias de la Conferencia de Londres, enero de 1986), Washington, 1987.

BERGSTERN, C. Fred, William R. CLINE y John WILLIAMSON: *Bank Lending to Developing Countries: The Policy Alternatives,* Institute for International Economics, Washington, 1985.

BERNAL, Richard L.: «Los bancos transnacionales, el FMI y la deuda externa de los países en desarrollo», *Comercio Exterior*, México, 35, febrero 1985, pp. 115-125.

BIGSS, Gonzalo: «Aspectos legales de la deuda pública latinoamericana», *Revista de la Cepal,* Santiago de Chile, 25, abril 1985, pp. 161-177.

BRANDT, Willy: *North-South: A Programme for Survival.,* Pan Books, London, 1980.

CÁCERES, Luis René: «Ahorro, inversión, deuda externa y catástrofe», *El Trimestre Económico,* México, 207, julio-septiembre 1985, pp. 683-704.

CASTRO, Fidel: «Discurso pronunciado en la sesión de clausura del encuentro sobre la deuda externa de América Latina», *Gramma* (suplemento), La Habana, 12 de agosto de 1985.

CEPAL: *Estudio económico de América Latina. 1981,* Santiago de Chile, 1983.

CEPAL: *Latin America Development in the 1980s,* Estudios e Informes de la Cepal, Santiago de Chile, 1981.

CEPAL: *Balance preliminar de la economía latinoamericana. 1983, 1984 y 1985,* Santiago de Chile, 1984, 1985 y 1986.

CLAUDON, Michael P. (Editor): *World Debt Crisis. International Lending on Trial,* Ballinger, Cambridge, Mass, 1986.

CLINE, William R.: «La gestión de la deuda mundial. Una evaluación provisional», *Papeles de Economía Española,* Madrid, 19, 1984.

CLINE, William R.: *International Debt. Systemic Risk and Policy Response,* Institute for International Economics, Washington, 1984.

CORDERA, Rolando: «México: dimensiones básicas y perspectivas de la crisis», *Pensamiento Iberoamericano,* 4, julio-diciembre 1983, pp. 65-78.

DE SEBASTIÁN, Luis: «A vueltas con la deuda latinoamericana», *MUGA,* Bilbao, 38, diciembre 1984, pp. 50-65.

DE SEBASTIÁN, Luis: «El análisis del "transfer problem" aplicado a la deuda externa del Tercer Mundo», *Información Comercial Española. Revista de Economía,* Madrid, 640, diciembre 1986, pp. 131-136.

DEVLIN, Robert: «Deuda externa y crisis: el ocaso de la gestión ortodoxa», *Revista de la Cepal,* Santiago de Chile, 27, diciembre 1985, pp. 35-53.

DILLON, K. Burke, Maxwell WATSON y otros: *Recent Developments in External Debt Restructuring,* Occasional Paper 40, International Monetary Fund, Washington, octubre 1985.

DRUCKER, Peter F.: «El cambio en la economía mundial», *Papeles de economía española,* Madrid, 29, 1986, pp. 446-467.

DUNCAN, Ronald C. (edit.): *The Outlook for Primary Commodities, 1984 to 1995,* World Bank Commodity Working Papers, núm. 11, The World Bank, Washington, 1984.

ECLA (UN): *External Debt in Latin America. Adjustment Policies and Renegotiation,* Lynne Rienner, Boulder, Colorado, 1985.

ENDERS, Thomas, y Robert P. MATTIONE: *Latin America: The Crisis of Debt and Growth,* Brookings Institution, Washington, 1984.

ECONOMIC REPORT OF THE PRESIDENT. *1984, 1985, 1986,* United States Government Printing Office, Washington, 1984, 1985, 1986.

ESPINOSA CARRANZA, Jorge: «Los mercados financieros internacionales y los problemas de la deuda externa latinoamemicana», *Comercio Exterior,* México, 34, marzo 1984, pp. 239-245.

FELDSTEIN, Martín: «La política económica de los Estados Unidos y la economía mundial», *Papeles de economía española,* Madrid, 24, 1985, pp. 347-355.

FERRER, Aldo: «América Latina y el FMI, antes y ahora» (una serie de tres artículo), *El País,* 11, 12 y 13 de noviembre de 1983.

FERRER, Aldo: «Nacionalismo y transnacionalización», *Pensamiento Iberoamericano,* Madrid, 3, enero-junio 1983, pp. 43-78.

FOXLEY, Alejandro: *Latin American Experiments in Neo-conservative Economics,* University of California Press, London, 1983.

FURTADO, Celso: «Transnacionalizacao e monetarismo», *Pensamiento Iberoamericano,* Madrid, 1, enero-junio 1982, pp. 3-34.

GRIFFITH-JONES, Stephany, y Osvaldo SUNKEL: *Debt and Development Crises in Latin America. The End of an Illusion,* Clarendon Press, Oxford, 1986.

HYMER, Stephen H.: *The International Operations of National Firms: A Study of Direct Foreign Investment,* The MIT Press, London, 1976.

INTERNACIONAL MONETARY FUND: *World Economic Outlook, 1984, 1985 y 1986,* Washington, 1984, 1985 y 1986.

JORGE, Antonio, Jorge SALAZAR CARRILLO y Frank DÍAZ POU: *External Debt and Development Strategy in Latin America,* Pergamon New York, 1985.

KAHLER, Miles (editor): *The Politics of International Debt,* Cornell University Press, London, 1985.

KALESTSKY, Anatole: *The Costs of Default,* A Twentieth Century Fnd Paper, Praeger, New York, 1985.

KAUFMAN, Henry: *Interest Rate, the Markets and the New Financial World,* I. B. Tauris, London, 1986.

KENEN, Peter: «Dealing with Third World Debt», *New York Times,* 6 marzo, 1983.

KHAN, Moshin S., y Nadeem UL HAQUE: «Capital Flight from Developing Countries», *Finance and Development,* Washington, 24, marzo 1987.

KINDLEBERGER, Charles P.: «Debt Situation of the Developing Countries in Historical Perspective», *Aussenwirtschaft,* Zürich, 36, 1981, pp. 372-380.

KISSINGER, Henry A.: «Solving the Debt Crisis: What's needed is Statemanship», *International Herald Tribune,* 25 de junio de 1984, p. 7.

KRISTOF, Nicholas D.: «Swaps: The Making of an Unusual Market for Debt», *International Herald Tribune, A Special Report on Latin America,* 27 enero 1986, p. 10.

KUCZYNSKI, Pedro Pablo: «Latin American Debt», *Foreign Affairs,* Invierno, 1982-83, pp. 344-364.

KUCZYNSKI, Pedro Pablo: «Latin American Debt: act two.», *Foreign Affairs,* Otoño, 1983, pp. 17-38.

LEVER, Harold, y Christopher HUHNE: *Debt and Danger. The World Financial Crisis,* Penguin Books, 1985.

MCWILLIAMS TULLBERG, Rita: «La deuda por gastos militares en los países en desarrollo no petroleros, 1972-1982», *Comercio Exterior,* México, 37, marzo 1987, pp. 196-203.

MAKIN, John H.: *The Global Debt Crisis: America's Growing Involvement,* Basic Books, New York, 1984.

LATIN AMERICA BUREAU: *The Poverty Brokers. The IMF and Latin America,* London, 1983.

LOMBARDI, Richard W.: *Debt Trap. Rethinking the Logic of Development,* Praeger, New York, 1985.

MENDELSOHN, M. S.: *The Debt of Nations,* A Twentieth Century Fund Paper, New York, 1984.

NAVARRETE, Jorge E.: «Política exterior y negociación financiera internacional: la deuda externa y el Consenso de Cartagena«, *Revista de la CEPAL,* Santiago de Chile, 27, diciembre 1985, pp. 7-26.

OCDE: *External debt of developing countries: 1983 Survey,* París, 1984.

O'DONNELL, Guillermo: «Deuda externa, ¿por qué nuestros gobiernos no hacen lo obvio?», *Revista de la CEPAL,* Santiago de Chile, 27, diciembre de 1985, pp. 27-33.

PAYER, Cheryl: «Commercial banks and the IMF: An uneasy alliance», *Multinational Monitor,* 4, 1980, 14-125 y 24.

SAMPSON, Anthony: *The Money Lenders,* Penguin Books, 1981.
SAMUELSON, Paul A.: «Una evaluación de la Reaganomics», *Papeles de economía española,* Madrid, 24, 1985, pp. 336-346.
SJAASTAD, Larry A.: «¿A quién debemos el atolladero del endeudamiento internacional?», *Información Comercial Española. Revista de economía,* Madrid, 1984. pp. 45-60.
SMITH, Gordon W., y John T. CUDDINGTON (edits.): *International Debt and the Developing Countries. A World Bank Symposium,* The World Bank, Washington, 1985.
SILVA-HERZOG, Jesús: «Evolución y perspectivas de la deuda latinoamericana», *Comercio Exterior,* México, 36, febrero 1986, pp. 181-185.
VERSLUYSE, Eugéne: *The Political Economy of International Finance,* Gower, London, 1981.
WATSON, Maxwell, Peter KELLER, y Donald METHIESON: *International Capital Markets. Developments and Prospects, 1984,* Occasional Paper 31, I. M. F., Washington, agosto 1984.
WELLONS, Philip A.: «International debt: the behaviour of banks in a politicized environment», *International Organization,* 39, 3, Verano 1985, pp. 441-471.
WESSON, Robert.: «Helping Latin Debtors to help themselves», *Business Week,* 9 de septiembre, 1985, p. 9.
WIESNER, Eduardo: «Las causas internas y externas de la crisis de la deuda latinoamericana», *Finanzas y Desarrollo,* 22, marzo 1985, pp. 26-27.
WIONCZEK, Miguel S. (editor): *Politics and Economics of External Debt Crisis. The Latin American Experience,* Westview Press, Boulder, Colorado, 1985.
WORLD BANK: «International Capital and Economic Development», *World Development Report, 1985,* Oxford University Press, 1985, pp. 1-147.
ZOMBANAKIS, Minos: «The International Debt Threat. A. Way to avoid a Crash», *The Economist,* 30 de abril de 1983, pp. 11-14.